JN157641

小学校教員養成課程用

改訂版 最新

初等科
音楽教育法

2017年告示「小学校学習指導要領」準拠

初等科音楽教育研究会 編

音楽之友社

小学校教員養成課程用
改訂版
最新 初等科音楽教育法
2017年告示「小学校学習指導要領」準拠

目次

第 4 章　音楽づくりの学習と指導

第 5 章　鑑賞の学習と指導

第 6 章　表現と鑑賞の関わり

第3部　今日的課題

第4部　教材編

第5部 資料編

まえがき

本書は，大学における小学校教員養成課程用のテキストとして，2011年に出版した『最新 初等科音楽教育法〔改訂版〕』の内容を大幅に改訂し，2017（平成29）年3月告示の第9次小学校学習指導要領に準拠させるとともに，内容の一層の充実と使いやすさを追究して編集したものです。

編集に当たっては，採用大学からの意見や要望を多数承りながら，中央教育審議会の答申（2016年12月）や文部科学省の刊行物，最近の音楽教育研究の知見などを踏まえ，新しい時代に生きて働く初等科音楽教育の理論と実践の集大成を目指しました。本書の主な特徴は以下のとおりです。

1. 全体を〈概説編〉〈実践編〉〈今日的課題〉〈教材編〉〈資料編〉の5部構成とし，初等科音楽教育の知識や技能を総合的に学ぶことができるよう，構成を工夫しています。

2. 第1部〈概説編〉では，これからの初等科音楽の理論的側面，すなわち音楽科教育の意義やこれからの初等科音楽が目指す方向，音楽科の目標，内容，学習指導計画，評価に関する個別的知識と全体構造が体系的に理解できるようにしています。

3. 第2部〈実践編〉では，児童期の発達特性を踏まえ，表現（歌唱，器楽，音楽づくり）及び鑑賞における具体的な指導法と教材研究，そして「主体的･対話的で深い学び」の実現に向けた授業改善について学べるようにしています。

4. 第3部〈今日的課題〉では，2017年告示の第9次学習指導要領が求める教育課題に焦点を当て，カリキュラム･マネジメントや資質･能力の着実な育成に向けた，音楽科からの様々なアプローチについて解説しています。

5. 第4部〈教材編〉では，歌唱共通教材の背景，指導のねらいやポイントについて説明するとともに，歌唱と器楽を中心に，親しみやすい教材を掲載しました。また，伴奏法や指揮法の基礎的な技能について学び，豊かな音楽体験ができるようにしています。

6. 第5部〈資料編〉では，音楽科教育の歴史を踏まえて，これからの授業実践に必要となる音楽科と音楽の知識を，資料としてまとめました。

なお，この改訂版では，文部科学省通知「小学校，中学校，高等学校及び特別支援学校等における児童生徒の学習評価及び指導要録の改善等について」（平成31年3月）及び国立教育政策研究所『学習評価の在り方ハンドブック』（令和元年6月）に基づき，第1部第4章「音楽学習の評価」，第5部の「学習指導案例」における評価規準等を大きく書き改めています。

教員を目指す皆さんが，本書を活用しながら，音楽授業について主体的に考え，ともに学び合い，確かな力量を身に付けてくれることを期待しています。

2020年1月

初等科音楽教育研究会

第 1 部
概説編

序　音楽教育の意義

平成29（2017）年3月31日，第9次小学校学習指導要領が改訂・告示された。はじめに，諸君が音楽教育に対して抱いている最も基本的な疑問について考えてみよう。

▶ 音楽教育はなぜ必要か

世界で初めて音楽（唱歌）が公教育の教科として認められたのは1938年，アメリカのボストン市において「市民教育」の一環としてであった[(1)]。日本では明治40年，小学校令改正によって尋常小学校6か年が義務教育となり，「美感と徳性の涵養に資する」を目的として唱歌教育が全国に広まった。いずれの場合も，近代国家の形成における市民教育，人間教育において，音楽（唱歌）は学校教育に不可欠の教科とされたのである。

▶ なぜ「学校で」「音楽を」学ぶ必要があるのか

近年の音楽教育学の斬新な発想によれば，現代社会に求められる人間の資質は「思考」「感受」「共有」のバランスのとれた育成であり，この三者こそ「人間」と「音楽」と「教育」を根源において結び付ける気高い営みである[(2)]という（下図参照）。この図から明らかなように，これからの教育においては，人間形成のために，子どもたちは「学校で」「音楽を」学ばなくてはならない。

▶ 音楽科だからこそ学べることは何か

(1) 感動体験の共有　時間芸術である音楽においては，刻一刻と流れていく音楽の共時的体験が皆の心を一つに結び付け，感動の渦に巻き込んでいく。音楽科だからこそ，子どもたちは時の流れに沿って，部分と全体の関係，個と集団の関係を知り，互いに心を開き通わせ合うのだ。

(2) 知性と感性の融合　音楽の学習は，子どもたちの頭（知性）と手（技術）と心（感性）を一点に結び付ける過程である。歌であれば，歌詞の意味内容を知り，リズムや旋律の進み具合，曲の組み立てなどをしっかりと考えなければ，その歌の本質や根源に迫ることはできない。

(3) 精神の集中と意思の持続　演奏には持続的な鋭い集中力と強固な意志の力が必要である。途中でトラブルが生じたときでも，時の流れの中でこれを克服し，立ち止まらずに即興演奏で音楽を前に進めていく強靭な精神と意思の集中力・持続力が求められる。音楽を聴くときも同様である。

(4) 人間感情の純化　音楽は，物事の成り行きや性質を具体的に描くことはできないが，歌には歌詞があり，そこに含まれる日常的な情景や人間感情を音楽の響きの中に昇華させ純化していくことができる。すべての子どもたちは日常経験から美的経験へ，一時的自我感情から持続的価値感情へと自らを高めていく可能性をもっている。

(5) 現実認識の方法　聴覚は人間の様々な感覚器官のうちで最も早く発達すると言われている。例えば，水の性質は雪の音，氷の音，水の音，蒸気の音になって現れるので，これらの音にじっと耳を傾け，意識を集中する中から，子どもたちは水の状態を鋭く捉え，これを表現することができるようになる。

図　人間と音楽と教育の関わり

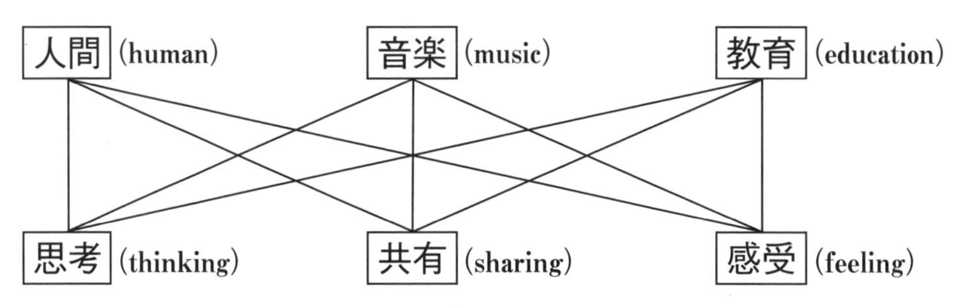

▶ これからの社会における学校教育の方向

社会や産業の構造が変化し，質的な豊かさが成長を支える成熟社会に移行していく中で，われわれ人間に求められるのは，定められた手続きを効率的にこなしていくだけでなく，感性を豊かに働かせながら，どのような未来を創っていくのか，どのように社会や人生をより良いものにしていくのかを考え，他者と共に生き，主体的に判断し，新たな価値を生み出していくことである。

そこでは，児童・生徒に「**何ができるようになるか**」に関して，①学びに向かう力・人間性の涵養，②生きて働く知識・技能の習得，③思考力・判断力・表現力の育成が求められ，「**何を学ぶか**」に関して，学習内容を削減しない新・学習指導要領の内容が，そして，「**どのように学ぶか**」に関して，新たに「アクティブ・ラーニング」（主体的な学び，対話的な学び，深い学び）の視点からの学習指導の改善がそれぞれ求められている。

▶ 小学校における教育内容の主な改善事項

①言語能力の確実な育成：発達段階に応じた語彙の確実な習得，意見と根拠，具体と抽象を押さえた情報の正確な理解と適切な表現力
②情報活用能力の育成：コンピュータでの文字入力などの習得，プログラミング的思考の育成
③理科教育の充実
④伝統や文化に関する教育の充実：我が国の言語文化や文化財，年中行事の理解，我が国や郷土の音楽，和楽器，武道，和食，和服の指導
⑤体験活動の充実ほか

▶ 音楽科改訂のポイント

1. 教科目標・学年目標　改訂の三本柱（①知識及び技能，②思考力，判断力，表現力等，③学びに向かう力，人間性等）にしたがって，教科目標は総括目標と個別3目標で，学年目標は個別3目標でそれぞれ構成された。これまでにない新しい目標概念として，「音楽的な見方・考え方を働かせ，生活や社会の中の音や音楽と豊かに関わる資質・能力の育成」が導入された。

2. 内容　目標と同じく，全体として三本柱に沿って再構成された。項目の数は，各学年とも，表現の内容は従前10事項が17事項に増え，鑑賞の内容は従前3事項が2事項に整理されている。

3. 内容の取扱い　これまで「内容」に位置付けられていた表現教材と鑑賞教材の取り扱いがここに位置付けられた。すなわち，これまで内容のA(4)として示されていた「ア　主となる歌唱教材」「イ　主となる器楽教材」「ウ　共通教材」，および，内容のB(2)として示された「鑑賞教材の指導事項」（ア，イ，ウ）は，そっくり「3　内容の取扱い」に移された。

4.「第3　指導計画の作成と内容の取扱い」　これまで以上に詳細で丁寧な論述が展開されている。すなわち，「1　指導計画の作成」では，これまでの5項目が8項目に増え，(1)では，「題材を見通して，その中で育む資質・能力の育成に向けて，児童の主体的・対話的で深い学びの実現を図るようにすること。その際，音楽的な見方・考え方を働かせ，他者と協働しながら，音楽表現を生みだしたり音楽を聴いてそのよさなどを発見したりするなど，思考，判断し，表現する一連の過程を大切にした学習の充実を図ること」といったきわめて格調の高い，味わい深い論考がなされている。また，(6)の「第1学年における幼児教育との連携」や(7)の「障害児指導の留意」も新配慮事項である。さらに「第2の内容の取扱い」についての配慮事項も，これまでの6項目が9項目に拡充され，(1)の各学年の「A表現」及び「B鑑賞」の指導に関する5項目の配慮事項（ア～オ），(6)の「音楽づくり」の指導に関する4項目の配慮事項も，これまで見られなかったきわめて充実した記述である。

以上のような音楽科の今次改訂の特質をしっかりと踏まえて，「思考」「感受」「共有」のバランスの取れた「人間」と「音楽」の「教育」に，諸君一人一人が真剣に取り組んでくれることを心から祈っている。　（山本文茂）

(1)　小川昌文（1998）「19世紀初期アメリカ合衆国における唱歌教育の成立過程」音楽教育史学会編『音楽教育史研究』創刊号
(2)　マルコム・テイト&ポール・ハック著　千成俊夫ほか二名訳『音楽教育の原理と方法』音楽之友社 第1部参照

これからの初等科音楽

▶ 新学習指導要領改訂の主な要点

平成29年3月31日，新学習指導要領が告示された。平成26年11月，文部科学大臣から中央教育審議会に諮問が行われ，約2年にわたる様々な審議を経て告示されたものである。小学校では，平成30～令和元年度の移行期間を経て，令和2年度から全面実施となる（別表参照）。

中央教育審議会の答申では，教科等の目標や内容を，次の三つの柱[(1)]で再整理するよう提言されたことがポイントである。

・何を理解しているか，何ができるか
（生きて働く「知識・技能」の習得）

・理解していること・できることをどう使うか
（未知の状況にも対応できる「思考力・判断力・表現力等」の育成）

・どのように社会・世界と関わり，よりよい人生を送るか
（学びを人生や社会に生かそうとする「学びに向かう力・人間性等」の涵養）

「生きる力」を児童に育むために，「何のために学ぶのか」という教科等を学ぶ意義を共有しながら，授業の創意工夫や教材の改善を引き出していくことができるようにするためである。

授業の本質は，学力の形成である。前述の三つの柱による目標と内容の整理は，平成19年の学校教育法の一部改正で位置付けられた学力の三要素（「基礎的な知識及び技能」，「思考力，判断力，表現力等」，「主体的に学習に取り組む態度」）に関連するものである。新学習指導要領の趣旨を理解しそれを踏まえた授業実践を充実していくためには，音楽科の目標と内容を，三つの柱で整理していることを踏まえる必要がある。

▶ 音楽科改訂の主な要点

(1) 目標の改善

教科の目標においては，音楽科で育成を目指す資質・能力を「生活や社会の中の音や音楽と豊かに関わる資質・能力」と規定し，(1)「知識及び技能」，(2)「思考力，判断力，表現力等」，(3)「学びに向かう力，人間性等」について示された。また，資質・能力の育成に当たっては，児童が「音楽的な見方・考え方」を働かせて，学習活動に取り組めるようにする必要があることを示した。音楽的な見方・考え方とは，「音楽に対する感性を働かせ，音や音楽を，音楽を形づくっている要素とその働きの視点で捉え，自己のイメージや感情，生活や文化などと関連付けること」であると考えられる。

このことによって，児童が教科としての音楽を学ぶ意味を明確にした。また，学年の目標においても，教科の目標の構造と合わせ，(1)「知識及び技能」，(2)「思考力，判断力，表現力等」，(3)「学びに向かう力，人間性等」の三つの柱で整理した。

(2) 内容構成の改善

「A表現」（「歌唱」，「器楽」，「音楽づくり」の三分野），「B鑑賞」に示していた各事項を，「A表現」ではア「思考力，判断力，表現力等」，イ「知識」，ウ「技能」，に，「B鑑賞」ではア「思考力，判断力，表現力等」，イ「知識」に再整理して示した。

また，〔共通事項〕については，従前の趣旨を

別表　新学習指導要領改訂に関するスケジュール

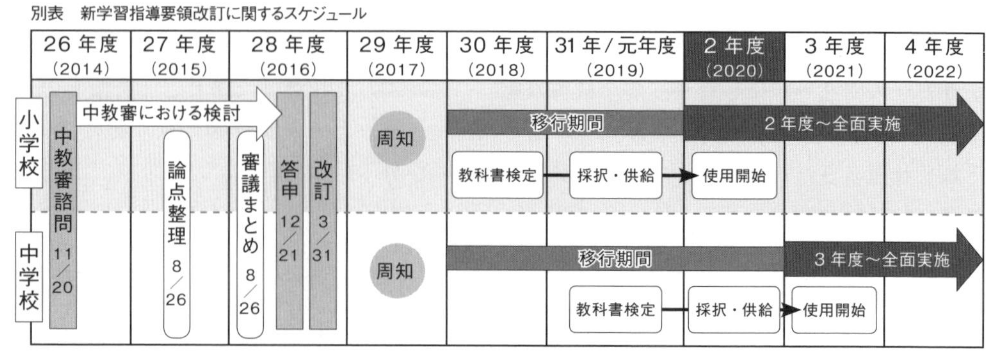

※　幼稚園教育要領，保育所保育指針は，平成30年度より全面実施となる。
※　高等学校は，平成29年度に改訂され、中学校の1年後から年次進行で実施となる。

踏まえつつ，アを「思考力，判断力，表現力等」，イを「知識」に関する資質・能力として示した。

これによって，指導すべき内容が一層明確になるようにした。

(3) 学習内容，学習指導の改善・充実

①「知識」及び「技能」に関する指導内容の明確化

「知識」に関する指導内容については，「曲想と音楽の構造との関わり」などを理解することに関する具体的な内容を，歌唱，器楽，音楽づくり，鑑賞の領域や分野ごとに事項として示した。

「A表現」の「技能」に関する指導内容については，思いや意図に合った表現などをするために必要となる具体的な内容を，歌唱，器楽，音楽づくりの分野ごとに事項として示した。そのことによって，音楽科における技能は，「思考力，判断力，表現力等」の育成と関わらせて習得できるようにすべき内容であることを明確にした。

②言語活動の充実

他者と協働しながら，音楽表現を生み出したり音楽を聴いてそのよさなどを考えたりしていく学習の充実を図る観点から，「音や音楽及び言葉によるコミュニケーションを図り，音楽科の特質に応じた言語活動を適切に位置付けられるようにすること」を，「A表現」及び「B鑑賞」の指導に当たっての配慮事項として示した。

児童が互いの感じ方や考え方を音や音楽，言葉で交流し共有しながら，音楽表現や鑑賞の学習を深めていく過程に，音楽科の学習の意味がある。

③「我が国や郷土の音楽」に関する学習の充実

これまで第5学年及び第6学年において取り上げる旋律楽器として例示していた和楽器を，第3学年及び第4学年にも新たに位置付けることとした。我が国や郷土の音楽の指導に当たっての配慮事項として，「音源や楽譜などの示し方，伴奏の仕方，曲に合った歌い方や楽器の演奏の仕方などの指導方法を工夫すること」を新たに示した。

▶ これからの初等科音楽の充実に向けて

改訂の要点を踏まえた授業実践を充実していくためには，次の点が重要である。

(1)「主体的・対話的で深い学び」の視点から授業改善を図ること

音楽科の指導に当たっては，「知識及び技能」，「思考力，判断力，表現力等」，「学びに向かう力，人間性等」が偏りなく育成されるよう，題材など内容や時間のまとまりを見通しながら，児童や学校の実態，指導の内容に応じ，「主体的な学び」，「対話的な学び」，「深い学び」の視点から授業改善を図ることが重要である。

特に「深い学び」の視点に関しては，「音楽的な見方・考え方」を，習得・活用・探究という学びの過程の中で働かせ，質の高い学びにつなげることが重要である。

(2) 資質・能力の関連を図ること

ア「思考力，判断力，表現力等」，イ「知識」，ウ「技能」に関する資質・能力で整理された音楽科の内容は，それぞれ独立したものであるが，指導に当たっては，題材などの見通しの中で，ア，イ，ウの事項をすべて扱い，相互に関わらせながら一体的に育んでいくことが重要となる。

(3) 指導と評価の一体化を図ること

目標や内容を，三つの柱に基づいて整理したことから，観点別評価についても，「知識・技能」，「思考・判断・表現」，「主体的に学習に取り組む態度」の3観点としている。指導計画の作成に当たっては，指導と評価の整合性をより高めていくとともに，計画，実践，評価という一連の活動を繰り返しながら，評価の結果によって後の指導を改善し，さらに指導の成果を再度評価するという，指導に生かす評価を充実させることが重要である。

(4) 学習の生活化を図ること

音楽科の教科の目標には，「生活や社会の中の音や音楽と豊かに関わる資質・能力」の育成を目指すことを示している。児童が音楽科の学習で学んだことやその際に行なった音楽活動と，学校内外における様々な音楽活動とのつながりを意識できるようにすることは，心豊かな生活を営むことのできる社会の実現に向けて，音楽科の果たす大切な役割の一つである。　（津田正之）

(1) 「思考力・判断力・表現力等」のように，答申では「・」の表記だが，学習指導要領では「，」表記となっている。

第1章　音楽科の目標

1　教科の目標

▶ 小学校音楽科の位置付け

平成29年3月31日に告示された第9次の小学校学習指導要領は，「総則」，「各教科」，「特別の教科道徳」[(1)]，「外国語活動」，「総合的な学習の時間」，「特別活動」の6章から構成されている。

音楽科は,「各教科」として示された10の教科（国語，社会，算数，理科，生活，音楽，図画工作，家庭，体育，外国語）のひとつに位置付けられ，教科の目標や指導内容が学年段階に即して設定されている。各学校においては，学校教育全体や各教科等の目標やねらいを実現するために必要な内容を，教科等横断的な視点をもちつつ，学年相互の関連を図りながら教育課程として組織することが求められる。

▶ 小学校教育が目指すもの

平成28年12月21日，中央教育審議会から示された「答申」[(2)]では，学校の教育課程に対して社会と連携・協働しながら，新しい時代に求められる資質・能力を子どもたちに育む「社会に開かれた教育課程」としての役割が期待されている[(3)]。

答申に基づいて改訂された学習指導要領の「総則」では，**主体的・対話的で深い学び**の実現に向けた授業改善を通して，これまでも大切にされてきた**生きる力の育成**を目指すことが示されている。加速度的に変化し，予測が困難な時代だからこそ，確かな学力，豊かな心，健やかな体の調和を重視する「生きる力」の意義が改めて捉え直されているのである。

生きる力を育むに当たっては，各教科等において，児童の発達の段階や特性を踏まえつつ，次の3点の実現が求められている。

> (1) 知識及び技能が習得されるようにすること。
> (2) 思考力，判断力，表現力等を育成すること。
> (3) 学びに向かう力，人間性等を涵養すること。

（総則第１の３より）

▶ 小学校音楽科の目標と理念

小学校音楽科の目標は，次のとおりである。

> 表現及び鑑賞の活動を通して，音楽的な見方・考え方を働かせ，生活や社会の中の音や音楽と豊かに関わる資質・能力を次のとおり育成することを目指す。
> (1) 曲想と音楽の構造などとの関わりについて理解するとともに，表したい音楽表現をするために必要な技能を身に付けるようにする。
> (2) 音楽表現を工夫することや，音楽を味わって聴くことができるようにする。
> (3) 音楽活動の楽しさを体験することを通して，音楽を愛好する心情と音楽に対する感性を育むとともに，音楽に親しむ態度を養い，豊かな情操を培う。

これまで音楽科の目標は一文で示されていたが，目標の柱書と育成を目指す資質・能力別に整理され，目標の構造が明確になった。また，「何を理解しているか」「何ができるようになるか」など,学習者である**子どもの立場に立った記述**が，今次改訂の大きな特徴である。

○「生活や社会の中の音や音楽と豊かに関わる資質・能力」について

音楽科で育成を目指す資質・能力は，**生活や社会の中の音や音楽と豊かに関わる資質・能力**であり，そうした資質･能力を育成するために，(1)**「知識及び技能」の習得，**(2)**「思考力，判断力，表現力等」の育成,**(3)**「学びに向かう力,人間性等」の涵養,**という三つの柱に沿った目標が示された。この三つは，密接に関連し合うもので，別々に分けて育成されたり，順序性をもって育成されたりするものではない。

「生活や社会の中の音や音楽と豊かに関わる資質・能力」を育成することによって，生活や社会において音や音楽がどのように働いているかという視点から，音楽科で学んだことと生活や社会の中の音や音楽とのつながり，学校で音楽を学ぶ意味などについて，子どもが自ら気付いたり，捉えたりできるようになる。

○「音楽的な見方・考え方」について

小学校音楽科の「見方・考え方」について，答申では,「音楽に対する感性を働かせ, 音や音楽を, 音楽を形づくっている要素とその働きの視点で捉え，自己のイメージや感情，生活や文化などと関連付けること」と示されている。すなわち，音や音楽の美しさ，特性など感じ取ったことを〔共通事項〕などの視点で捉える学習を継承し，発展させていくこと，さらには，そのように捉えたものと自分なりのイメージや感情，身の回りの生活や文化などと関連付けていくことが重要となる。

そして，**音楽的な見方・考え方**は，資質・能力の三つの柱によって支えられるものであり, 資質・能力の三つの柱を相互に結び付けるものでもある。また,「音楽的な見方・考え方」を働かせた学習を積み重ねることによって，子どもは達成感や充実感を経験し，生涯にわたって音や音楽と豊かに関わっていく可能性が広がると考えられる。

ただし,「音楽的な見方・考え方」は，音楽科で育成を目指す資質・能力ではない。

「音楽的な見方・考え方」を働かせ，生活や社会の中の音や音楽と豊かに関わる資質・能力を育成するためには，多様な音楽活動を幅広く体験することが大切である。

○「知識及び技能」の習得について

(1) の「**曲想と音楽の構造などとの関わりを理解する**」は，知識の習得に関する目標であり，**表現領域と鑑賞領域の両方に関わるもの**である。

音楽科における「知識」には，音や音楽を伴わなくても得られる知識から，知覚・感受を支えにした音楽活動を通して得られる知識まで様々なレベルが考えられる。ここでは，表現や鑑賞の活動を通して，音楽のもつ雰囲気や味わい，音楽から想像したりイメージしたりしたものと，音楽を形づくっている要素等の関わり合いなどとの関係を捉え，理解することが求められている。

後半の「**表したい音楽表現をするために必要な技能を身に付ける**」は，表現領域のみに該当するものである。「生きて働く技能」の習得は，表現に対する思いや意図，創意工夫と深く結び付いているため,「思考力，判断力，表現力等」の育成と関わらせる必要がある。さらに, 技能の習得は, 「生きて働く知識」の習得とも密接に関連している。

○「思考力，判断力，表現力等」の育成について

(2) は,「思考力，判断力，表現力等」の育成に関する目標で,「**音楽表現を工夫すること**」は, **表現領域に関わる目標**,「**音楽を味わって聴くこと**」は，**鑑賞領域に関わる目標**である。

音楽科において，音楽表現を工夫し，どのように表現するかについて思いや意図をもったり，音楽を聴いて自分にとっての音楽のよさなどを見いだしたりする活動を展開するためには，子どもが曲の特徴や自分のイメージにふさわしい音や音楽を探ったり，聴き取ったことと感じ取ったこととの関わりについて友達と意見交換したり，じっくりと音や音楽と向き合ったりできるような学びの場を工夫することが重要となる。

音楽科の学習過程においては，実際に音楽活動を展開する中で思考したり判断したりすることが大切であり，音や音楽及び言葉をバランスよく組み合わせたコミュニケーションを図り，**音楽科の特質に応じた言語活動**を工夫する必要がある。

○「学びに向かう力，人間性等」の涵養について

(3) は,「学びに向かう力，人間性等」の涵養に関する目標で，音楽科の**すべての領域及び分野に関わるもの**で，音楽科全体の方向目標とも言える。

これまでの音楽科の目標として大切にされてきた**音楽を愛好する心情や音楽に対する感性，豊かな情操**といったキーワードが盛り込まれていることから，これまでの音楽科が長い間大切にしてきた方向性が継承されていることは明らかであるが，**音楽に親しむ態度**が加わったことによって, 学びに向かうという方向性が一層強調され,「生活や社会の中の音や音楽に豊かに関わる資質・能力」という趣旨を強く反映するものとなっている。

そうした方向の起点には,「**音楽活動の楽しさを体験すること**」がある。音楽活動の楽しさを実感し, 段階的な達成感を積み重ねることによって, 様々な音楽や音楽活動に主体的，創造的に関わっていこうとする態度が育成され，これらが学びに向かう原動力となるのである。

2 | 各学年の目標

▶ 学年目標の位置付けと構造

学年の目標は，教科の目標を実現するためのより具体的な指針を，児童の発達特性に即して学年ごとに示したものである。

「学年の目標」は，従来どおり低・中・高の2学年ずつで括られ，各学年の三項目は，教科の目標と同様，(1)「知識及び技能」の習得，(2)「思考力，判断力，表現力等」の育成，(3)「学びに向かう力，人間性等」の涵養，という資質・能力の三つの柱に沿って整理されている。

また，学年目標における各項目の表現及び鑑賞との関わりについても，教科の目標と同様の枠組みである。

▶ 学年目標の実際

(1) 第1学年及び第2学年

> (1) 曲想と音楽の構造などとの関わりについて気付くとともに，音楽表現を楽しむために必要な歌唱，器楽，音楽づくりの技能を身に付けるようにする。
> (2) 音楽表現を考えて表現に対する思いをもつことや，曲や演奏の楽しさを見いだしながら音楽を味わって聴くことができるようにする。
> (3) 楽しく音楽に関わり，協働して音楽活動をする楽しさを感じながら，身の回りの様々な音楽に親しむとともに，音楽経験を生かして生活を明るく潤いのあるものにしようとする態度を養う。

低学年では，楽しさを出発点とした音楽活動が重視されていることが明らかである。

(1) では，**音楽表現を楽しむために必要な**技能の習得が求められ，(2) では，**曲や演奏の楽しさ**を見いだしながら聴くこと，(3) では，**楽しく**音楽に関わることが強調されている。全学年で**協働して音楽活動をする楽しさ**が示されていることも注目すべきであり，集団での音楽活動が中心となる音楽科の特質を反映したものである。

また，知識の習得に関しては，**曲想と音楽の構造などとの関わり**が全学年で共通に示され，知識の習得に向けた方向性が同じであることが明確にされている。その中で，低学年及び中学年では，関わりに**気付く**ことが重要である。

(2) において，全学年共通に「音楽表現を考えて」と示されている点も特徴的で，表現の工夫に向けた学習の方向性が明確に打ち出されている。

(2) 第3学年及び第4学年

> (1) 曲想と音楽の構造などとの関わりについて気付くとともに，表したい音楽表現をするために必要な歌唱，器楽，音楽づくりの技能を身に付けるようにする。
> (2) 音楽表現を考えて表現に対する思いや意図をもつことや，曲や演奏のよさなどを見いだしながら音楽を味わって聴くことができるようにする。
> (3) 進んで音楽に関わり，協働して音楽活動をする楽しさを感じながら，様々な音楽に親しむとともに，音楽経験を生かして生活を明るく潤いのあるものにしようとする態度を養う。

中学年では，(1) の技能の習得に関して，発達段階や学習の系統性を踏まえ，**表したい音楽表現をするために必要な**技能の習得が目指される。

また，(2) において「思い」から「**思いや意図**」，「曲や演奏の楽しさ」から「**曲や演奏のよさ**」へ，(3) では，音楽への関わり方が「楽しく」から「**進んで**」と，学習の質的な高まりが明らかである。さらに，低学年の「**身の回りの様々な音楽**」から「**様々な音楽**」に親しむとなり，子どもが出合う音楽の広がりが期待されている。

(3) 第5学年及び第6学年

> (1) 曲想と音楽の構造などとの関わりについて理解するとともに，表したい音楽表現をするために必要な歌唱，器楽，音楽づくりの技能を身に付けるようにする。
> (2) 音楽表現を考えて表現に対する思いや意図をもつことや，曲や演奏のよさなどを見いだしながら

音楽を味わって聴くことができるようにする。
(3) 主体的に音楽に関わり，協働して音楽活動をする楽しさを味わいながら，様々な音楽に親しむとともに，音楽経験を生かして生活を明るく潤いのあるものにしようとする態度を養う。

心身の発達が目覚ましく，内面的な成長とともに美への関心も高まる高学年では，音楽学習の質も一層高まることが期待されている。

具体的には，(1) では，中学年まで「曲想と音楽の構造などとの関わりについて気付く」であったところが「**理解する**」に，(3) では，「**主体的に**」音楽に関わることと，理解の仕方や楽しさの感じ方，音楽への関わり方の質的高まりが示されている。

▶ 学年目標の項目と系統

各学年の目標を項目別に整理すると，表のようになる。

（佐野 靖）

(1) 平成 27 年 3 月 27 日文部科学省令で学校教育法施行規則の一部が改正され，「道徳」が「特別の教科である道徳」と改正された
(2) 「幼稚園，小学校，中学校，高等学校及び特別支援学校の学習指導要領等の改善及び必要な方策等について（答申）」
(3) これは，教育課程企画特別部会の「論点整理」（平成 27 年 8 月 26 日）で示された「社会に開かれた教育課程の実現」という理念に基づくものである。

表　学年目標の項目と系統表

(1)「知識及び技能」の習得に関する項目

<table>
<tr><td>低学年</td><td rowspan="3">曲想と音楽の構造などとの関わりについて</td><td rowspan="2">気付くとともに，</td><td>音楽表現を楽しむために必要な</td><td rowspan="3">歌唱，器楽，音楽づくりの技能を身に付けるようにする。</td></tr>
<tr><td>中学年</td><td rowspan="2">表したい音楽表現をするために必要な</td></tr>
<tr><td>高学年</td><td>理解するとともに，</td></tr>
</table>

(2)「思考力，判断力，表現力等」の育成に関する項目

<table>
<tr><td>低学年</td><td rowspan="3">音楽表現を考えて</td><td>表現に対する思いをもつことや，</td><td>曲や演奏の楽しさを見いだしながら</td><td rowspan="3">音楽を味わって聴くことができるようにする。</td></tr>
<tr><td>中学年</td><td rowspan="2">表現に対する思いや意図をもつことや，</td><td rowspan="2">曲や演奏のよさなどを見いだしながら</td></tr>
<tr><td>高学年</td></tr>
</table>

(3)「学びに向かう力，人間性等」の涵養に関する項目

<table>
<tr><td>低学年</td><td>楽しく音楽に関わり，</td><td rowspan="3">協働して音楽活動をする楽しさを感じながら，</td><td>身の回りの様々な音楽に親しむとともに，</td><td rowspan="3">音楽経験を生かして生活を明るく潤いのあるものにしようとする態度を養う。</td></tr>
<tr><td>中学年</td><td>進んで音楽に関わり，</td><td rowspan="2">様々な音楽に親しむとともに，</td></tr>
<tr><td>高学年</td><td>主体的に音楽に関わり，</td></tr>
</table>

第2章 音楽科の指導内容

1 指導内容の枠組み

平成29年3月に告示された新しい小学校学習指導要領において，音楽科の指導内容は，従前と同様に，「Ａ表現」，「Ｂ鑑賞」及び〔共通事項〕の枠組みで示されている。表現と鑑賞は，児童が音楽を経験する二つの領域であり，Ａ表現が，さらに歌唱，器楽，音楽づくりの三つの分野から構成されているのも，これまでと同じである。

しかし，実際の指導事項は，一見すると大きく変更されたように感じられる。その理由は，前節までに説明してきたとおり，従前の学習指導要領が，「(教師が）何を教えるか」という観点を中心に組み立てられていたのに対して，新学習指導要領では，「(児童は）何ができるようになるか」という観点から構成されたことによる。すなわち，指導内容が，育成を目指す資質・能力によって整理されたのである。

下の表は，新学習指導要領の指導内容を，領域，分野ごとに整理したものである。

本節では，この枠組みに基づいて，指導内容を事項ごとに見ていくことにしたい。なお，引用の出典は，「小学校学習指導要領第2章第6節音楽」である。

表　音楽科の指導内容

<table>
<tr><th colspan="4">A　表現</th><th>〔共通事項〕</th><th>B　鑑賞</th></tr>
<tr><td></td><td>(ア)</td><td>(イ)</td><td>(ウ)</td><td></td><td></td></tr>
<tr><td colspan="4">(1) 歌唱</td><td>(1)</td><td>(1)</td></tr>
<tr><td>ア【思】</td><td colspan="3">歌唱表現の工夫</td><td>ア【思】</td><td>ア【思】</td></tr>
<tr><td>イ【知】</td><td colspan="3">曲想と音楽の構造との関わり，
曲想と歌詞との関わり</td><td rowspan="4">音楽を形づくっている要素（聴き取ったこと）とその働き(感じ取ったこと）との関わり</td><td rowspan="4">曲や演奏のよさ，曲全体を味わって聴くこと</td></tr>
<tr><td>ウ【技】</td><td>聴唱，視唱</td><td>歌い方</td><td>声を合わせた歌唱</td></tr>
<tr><td colspan="4">(2) 器楽</td></tr>
<tr><td>ア【思】</td><td colspan="3">器楽表現の工夫</td></tr>
<tr><td>イ【知】</td><td>曲想と音楽の構造との関わり</td><td>楽器の音色と演奏の仕方との関わり</td><td></td><td>イ【知】</td><td>イ【知】</td></tr>
<tr><td>ウ【技】</td><td>聴奏，視奏</td><td>楽器の演奏の仕方</td><td>音を合わせた演奏</td><td rowspan="5">音楽を形づくっている要素と音符，休符，記号，用語（音楽における働きと関わらせて）</td><td rowspan="5">曲想及びその変化と音楽の構造との関わり</td></tr>
<tr><td colspan="4">(3) 音楽づくり</td></tr>
<tr><td>ア【思】</td><td>即興的な表現を通した様々な発想</td><td>まとまりを意識した音楽づくりの工夫</td><td></td></tr>
<tr><td>イ【知】</td><td>響きや組合せの特徴</td><td>つなげ方や重ね方の特徴</td><td></td></tr>
<tr><td>ウ【技】</td><td>条件に基づいた即興的な表現</td><td>音楽の仕組みを用いた音楽づくり</td><td></td></tr>
</table>

2 ｜A表現

A表現は，(1) 歌唱，(2) 器楽，(3) 音楽づくりの3分野からなる。各分野とも，アは「思考力，判断力，表現力等」，イは「知識」，ウは音楽表現の「技能」に関する資質・能力を，それぞれ示している。

これらのア，イ，ウの内容は，相互に関わらせながら一体的に育成すべきものであり，特定の順序を示すものではないことに留意する必要がある。

なお，以下の説明のうち，(低) は第1学年～第2学年，(中) は第3学年～第4学年，(高) は第5学年～第6学年を示すものとする。

(1) 歌唱

「歌唱の活動を通して，次の事項を身に付けることができるよう指導する」について

この事項は，歌唱分野で育成を目指すア～ウの資質・能力について総括的に示したものである。

事項ア：思考力，判断力，表現力等

ここには，曲想や曲の特徴を捉えた上で，それにふさわしい歌唱表現を工夫して，思いや意図をもつことが示されている。

冒頭に「歌唱表現についての知識や技能を得たり生かしたりしながら」と書かれているのは，思考，判断し，表現する一連の過程において，新しい知識や技能を習得したり，既習の知識や技能を活用したりすることが必要となるからである。

歌唱表現を工夫するに当たっては，曲想を感じ取ったり(低)，曲の特徴を捉えたり(中)した上で，その特徴にふさわしい表現 (高) となるよう考えることが求められている。

また，学年進行に伴う質的な高まりについては，低学年でまず「こんな感じにしたい」という思いをもつようにし，中・高学年では「ここをだんだん強くしたら，盛り上がる」というように具体的な思いや意図をもつようにすることが大切である。

事項イ：知識

これは，歌唱分野における知識の習得，すなわち①曲想と音楽の構造との関わり，②曲想と歌詞との関わりについて，気付いたり理解したりすることを示したものである。

①は，曲想すなわち曲の雰囲気や表情を，音楽を形づくっている要素やその働きと関連付けて理解することであり，全学年で共通の文言となっている。②は，発達段階を考慮して多少文言が変わっているが，考え方は全学年で一貫している。

事項ウ：技能

まず，柱書の部分で，歌唱分野における技能の習得について総括的に示されている。ここで重要になるのは，(ｱ) から (ｳ) のすべてについて，「思いに合った」(低)，「思いや意図に合った」(中・高) 表現をするために必要な技能とされていることである。一定の手順を追って個別の技能を身に付けることはもちろん大切であるが，それに留まらず，技能を課題に応じて主体的に活用できるよう，習熟・熟達することが求められている。

(ｱ) 聴唱，視唱

この事項は，範唱を聴いたり楽譜を見たりして歌う技能を習得することについて示している。

楽譜への導入については，階名で模唱したり暗唱したりすること (低) から，ハ長調の楽譜を見て歌うこと (中)，さらにハ長調とイ短調の楽譜を見て歌うこと (高) へと至る発達の道筋を読み取ることができる。

(ｲ) 歌い方

ここには，歌い方に関する技能の習得について示されている。

低学年では「自分の歌声及び発音に気を付けて」歌い，中学年では「呼吸及び発音の仕方に気を付けて，自然で無理のない歌い方」で，高学年ではさらに「～響きのある歌い方」で歌うようにする。

なお，「自然で」は，様式的観点から見て自然であること，「無理のない」は，児童の身体に無理がないことを意味している。

(ｳ) 声を合わせた歌唱

これは，友達と声を合わせて歌う技能の習得について示したものである。

低学年では，まず斉唱や輪唱などで「互いの歌声や伴奏」を聴いて歌う。中学年では，部分二部合唱などで「副次的な旋律」を聴いて歌い，互いの声が重なり合ったりきれいに響き合ったりすることに気付く。そして高学年では，重唱や合唱で「各声部の歌声や全体の響き」を聴いて歌い，和音の美しい響きを味わいながら，声部の役割を理解することが求められている。

(2) 器楽

「器楽の活動を通して，次の事項を身に付けることができるよう指導する」について

この事項は，器楽分野で育成を目指すア～ウの資質・能力について総括的に示したものである。

事項ア：思考力，判断力，表現力等

ここには，曲想や曲の特徴を捉えた上で，それにふさわしい器楽表現を工夫して，思いや意図をもつことが示されている。

冒頭に「器楽表現についての知識や技能を得たり生かしたりしながら」とあるのは，この思考力，判断力，表現力等を，知識や技能の習得と関連付けながら育成することが重要だからである。

器楽表現を工夫する際には，曲想や曲の特徴にふさわしい表現となるように考えることが求められている。そして，学年進行に伴う質的な高まりについても，歌唱と同じく，低学年の「こんな感じにしたい」という思いをもつことから出発し，中・高学年では「ここをタンギングではっきりと演奏したら，軽やかな感じになる」というように，具体的な思いや意図をもつようにする。

事項イ：知識

器楽分野では，柱書の後，(ｱ) と (ｲ) に分けて，習得を目指す知識が示されている。

(ｱ) 曲想と音楽の構造との関わり

これは，教科の目標や学年目標にも示されている知識であり，曲の雰囲気や表情を，音楽を形づくっている要素やその働きと関連付けて理解することである。歌唱分野と同様に，すべての学年で同じ表記となっている。

(ｲ) 楽器の音色と演奏の仕方との関わり

これは，器楽分野ならではの知識であると言える。楽器には固有の音色があるが，演奏の仕方などを工夫することにより，音色や響きが変化することに気付くことが大切である。

各学年で取り扱う楽器については，「第3　指導計画の作成と内容の取扱い」2 (5) に例示されており，児童や学校の実態などを考慮して選択することとされている。以下は，その要約である。

- 打楽器…木琴，鉄琴，和楽器，諸外国に伝わる様々な楽器
- 旋律楽器（低）…オルガン，鍵盤ハーモニカ
- 旋律楽器（中）…既習の楽器，リコーダーや鍵盤楽器，和楽器
- 旋律楽器（高）…既習の楽器，電子楽器，和楽器，諸外国に伝わる楽器
- 合奏…各声部の役割を生かした演奏ができるよう，楽器の特性を生かして

事項ウ：技能

柱書の部分で，器楽分野における技能の習得について総括的に示されている。器楽においても，歌唱と同様，(ｱ) から (ｳ) すべてについて，「思いに合った」(低)，「思いや意図に合った」(中・高) 表現をするために必要な技能とされていることから，特定の技能の訓練に陥らないよう，留意する必要がある。

(ｱ) 聴奏，視奏

この事項は，範奏を聴いたり楽譜を見たりして演奏する技能を習得することについて示している。

楽譜への導入については，リズム譜などを見て演奏すること（低）から，ハ長調の楽譜を見て演奏すること（中），さらにハ長調とイ短調の楽譜を見て演奏すること（高）という道筋が読み取れる。

(ｲ) 楽器の演奏の仕方

ここには，音色や響き，特性を生かして，旋律楽器と打楽器を演奏する技能を習得することについて示されている。

例えば，リコーダーの学習の中で，音の高さや表したい音色に応じてタンギングを工夫して演奏

することなどがこれに当たる。この技能は，イ(ｲ)に示された知識と十分に関連を図りながら習得するようにすることが大切となる。

なお，各学年で取り上げる楽器については，前掲のとおりである。

(ｳ) 音を合わせた演奏

これは，友達と音を合わせて楽器を演奏する技能の習得について示したものである。重奏や合奏などにおいては，リズムや拍を合わせるだけでなく，音色や強さを全体の中で調和させることが必要になる。

そのために，低学年では，互いの楽器の音や伴奏を聴いて演奏すること，中学年では，主旋律と副次的な旋律との重なりなどを聴いて演奏すること，そして高学年では，旋律の動きや各声部の役割を理解し，全体として調和のとれた演奏になるようにすることが期待されている。

(3) 音楽づくり

「音楽づくりの活動を通して，次の事項を身に付けることができるよう指導する」について

この事項は，音楽づくりの分野で育成を目指すア～ウの資質・能力について総括的に示したものである。

音楽づくりでは，ア～ウの資質・能力のすべてが，(ｱ) と (ｲ) の二つの事項から構成されている。(ｱ) は主として「音遊びや即興的に表現する活動」を通して，(ｲ) は主に「音を音楽へと構成する活動」を通して育成される資質・能力を示している。

題材を構成する際には，ア～ウを適切に関連付けるだけでなく，各事項の (ｱ) と (ｲ) の内容のまとまりや，(ｱ) から (ｲ) へのつながりにも配慮する必要がある。

事項ア：思考力，判断力，表現力等

音楽づくり分野の思考力，判断力，表現力等は，前述のとおり，「音遊びや即興的に表現する活動」と「音を音楽へと構成する活動」を通して育成される。また，柱書に「音楽づくりについての知識や技能を得たり生かしたりしながら」と書かれているのは，表現領域の他の分野と同じ理由による。

(ｱ) 即興的な表現を通した様々な発想

この事項は，音遊び（低）や即興的に表現する活動（中・高）を通して，音楽づくりの様々な発想を得ることについて示している。

即興的な表現というのは，友達と関わりながら，その場でいろいろな音を選択したり組み合わせたりして表現することである。例えば，材質による響きの違いや組合せを生かしたり，線や図形，絵などを楽譜に見立てて声や楽器の音で表したりすることであり，こうした活動を通して，「この音をこうしたらもっと面白くなる」などの発想を得ることが求められている。

(ｲ) まとまりを意識した音楽づくりの工夫

ここには，音を音楽へと構成する活動を通して，どのようにまとまりを意識した音楽をつくるかについて思いや意図をもつことが示されている。

音を音楽へと構成するとは，音楽の仕組みを用いて，音やフレーズを関連付けることであり，まとまりを意識した音楽をつくるとは，試行錯誤しながら曲の構成を工夫することを意味している。

事項イ：知識

音楽づくりの知識も，前述の二つの活動を通して習得される。柱書においては，(ｱ) と (ｲ) のどちらも，それらのよさや面白さと関わらせて気付いたり（低）理解したり（中・高）するよう示されており，実感を伴った理解が求められている。

(ｱ) 響きや組合せの特徴

これは，音遊びや即興的に表現する活動を通して，いろいろな音の特徴を，そのよさや面白さと関わらせて理解することを示したものである。

いろいろな音には，声，自然や生活の中で耳にする音，楽器の音，そしてそれらを組み合わせた響きなどが含まれる。

(ｲ) つなげ方や重ね方の特徴

ここには，音を音楽へと構成する活動を通して，音やフレーズのつなげ方や重ね方の特徴を理解することが示されている。ここで言うフレーズは，個々の音が組み合わせられたリズムパターンや短い旋律のことを意味する。

つなげ方（低・中・高）や重ね方（中・高）に

ついては，「第3　指導計画の作成と内容の取扱い」2 (8) イに示された「音楽の仕組み」，すなわち反復，呼びかけとこたえ，変化，音楽の縦と横との関係などを生かすことで，どのようなよさや面白さが生まれるのかを理解するようにする。

事項ウ：技能

音楽づくりの技能も，前述のとおり二つの活動を通して習得される。柱書には，他の表現領域と同様，「発想を生かした表現や思いに合った表現をするために」（低），「～思いや意図に合った表現をするために」（中・高）必要な技能とあり，技能習得のねらいが明示されている。

(ア) 条件に基づいた即興的な表現

この事項は，「設定した条件に基づいて即興的に音を選択したり組み合わせたりして表現する技能」について示している。

条件は，活動を行う上での約束事であるから，楽器の材質，リズムパターンの拍数，友達との関わり方など，分かりやすく適切な条件を設定する。また，指導に当たっては，イ (ア) に示された知識を含めて，ア～ウの関連を十分に図るようにする。

(イ) 音楽の仕組みを用いた音楽づくり

ここには，「音楽の仕組みを用いて，音楽をつくる技能を身に付ける」ことについて示されている。音楽の仕組みは，前述の反復，呼びかけとこたえ，変化，音楽の縦と横との関係などのことである。

指導に当たっては，イ (イ) に示された知識を含めて，ア～ウの関連を十分に図るようにする。また，音楽の仕組みについては，教師が指定するばかりでなく，児童が選択するなど，興味をもって取り組めるように工夫したい。

なお，「第3　指導計画の作成と内容の取扱い」2 (6) には，音楽づくりの指導に当たっての配慮事項が，ア）適切な条件の設定，イ）見通しをもった活動，ウ）作品の記録，エ）拍のないリズムや調性にとらわれない音階などの観点から示されている。

▶ 内容の取扱い

「第2　各学年の目標及び内容」の「3　内容の取扱い」には，各学年で取り扱う教材が示されている。ここでは，歌唱分野と器楽分野の教材について説明する。

歌唱教材について

歌唱教材は，次のように示されている。

ア）選択の観点

（低）共通教材を含めて，斉唱及び輪唱で歌う曲
（中）共通教材を含めて，斉唱及び簡単な合唱で歌う曲
（高）共通教材の中の3曲を含めて，斉唱及び合唱で歌う曲

イ）共通教材

各学年とも，文部省唱歌，わらべうた，日本古謡などから4曲ずつ曲名が示されており，高学年では，4曲中の3曲を含めることとされている。

器楽教材について

主となる器楽教材ついては，次のように示されている。

（低）主旋律に簡単なリズム伴奏や低声部などを加えた曲（既習の歌唱教材を含む）
（中）簡単な重奏や合奏などの曲（既習の歌唱教材を含む）
（高）簡単な重奏や合奏などの曲（楽器の演奏効果を考慮して）

3 B鑑賞

(1) 鑑賞

「鑑賞の活動を通して，次の事項を身に付けることができるよう指導する」について

この事項は，鑑賞の領域で育成を目指すアとイ，すなわち「思考力，判断力，表現力等」と「知識」の資質・能力について総括的に示したものである。

事項ア：思考力，判断力，表現力等

ここには，曲や演奏のよさなどを見いだし，曲全体を味わって聴くことが示されている。

冒頭には，「鑑賞についての知識を得たり生かしたりしながら」と書かれている。思考，判断し，表現する一連の過程で，新しい知識を得たり，既習の知識を活用したりすることが必要となるからである。

「曲や演奏の楽しさを見いだ」すこと（低），「曲や演奏のよさなどを見いだす」こと（中・高）とは，曲の特徴を手がかりとしながら，児童自身が自分にとっての曲や演奏のよさなどを見いだすとともに，音楽の中にその理由を探して考えるということである。

また，鑑賞の活動は本来，曲全体を味わって聴くことを目指すものであり，そのためには，全体がどのようになっているのかを見通して聴くことが大切である。すべての学年に共通の「曲全体を味わって聴くこと」は，この思考力，判断力，表現力等の育成について示している。

なお，アの学習を実現するためには，次に示すイの事項との関連を十分に図り，曲の雰囲気や表情とその移り変わりを感じ取って聴いたり，音楽全体がどのように形づくられているのかを捉えて聴いたりすることが必要となる。

事項イ：知識

この事項は，曲想及びその変化と，音楽の構造との関わりを理解することについて示したものである。

曲想は，その音楽に固有の雰囲気や表情，味わいのことであり，音楽の構造は，音楽を形づくっている要素の表れ方や，音楽を特徴付けている要素と音楽の仕組みとの関わり合いのことである。曲想と音楽の構造との関わりは，例えば，「ゆったりした感じから弾んだ感じに変わった（曲想の変化）のは，途中からスキップのリズムが多くなった（音楽の構造）から」といったことである。

まず，「曲想と音楽の構造との関わりについて気付」き（低），だんだんと「曲想及びその変化と，音楽の構造との関わりについて気付く」ようにし（中），両者の関わりについての「理解」を深めるようにする（高）ことが重要である。

なお，「第3　指導計画の作成と内容の取扱い」2（7）に示されているとおり，鑑賞領域の学習においては，音楽を聴いて心の中に生じた情動や情景を，言葉や体を動かす活動，絵や図に置き換えて友達や教師に伝えるなど，音楽科の特質に応じた言語活動を適切に位置付けて，聴き方や感じ方を深めたり広げたりすることが大切である。

特に，体を動かす活動は，「第3　指導計画の作成と内容の取扱い」2（1）イに述べられているとおり，音楽を体全体で感じ取って音楽との一体感を味わったり，想像力を働かせて音楽と関わったりする上で重要な役割を果たすことから，指導のねらいに即して取り入れるようにしたい。

▶ 内容の取扱い

「第2　各学年の目標及び内容」の「3　内容の取扱い」には，各学年で取り扱う教材が示されている。ここでは，鑑賞領域の教材を取り上げる。

鑑賞教材について

鑑賞教材を選択する観点は，次のとおりである。

ア）いろいろな種類の曲

（低学年）

例　わらべうたや遊びうた，行進曲や踊りの音楽

- 体を動かすことの快さを感じ取りやすい音楽
- 日常の生活に関連して情景を思い浮かべやすい音楽など

（中学年）

例　我が国の音楽（和楽器の音楽を含む），郷土の音楽，諸外国に伝わる民謡

• 生活との関わりを捉えやすい音楽や劇の音楽
• 人々に長く親しまれている音楽など
(高学年)
例　我が国の音楽（和楽器の音楽を含む）や諸外国の音楽
• 文化との関わりを捉えやすい音楽
• 人々に長く親しまれている音楽など
イ）音楽を形づくっている要素の働きを感じ取りやすく
(低学年) 親しみやすい曲
(中学年) 聴く楽しさを得やすい曲
(高学年) 聴く喜びを深めやすい曲
ウ）いろいろな演奏形態による曲
(低学年)
• 楽器の音色や人の声の特徴を捉えやすい曲
• 親しみやすい曲
(中学年)
• 楽器や人の声による演奏表現の違いを聴き取りやすい曲
• 独奏，重奏，独唱，重唱を含む
(高学年)
• 楽器の音や人の声が重なり合う響きを味わうことができる曲
• 合奏，合唱を含む

鑑賞教材の選択に当たっては，ア〜ウの観点を相互に関連付けて，児童にとって親しみやすく，音楽のよさや面白さ，美しさを感じ取りやすい曲を選択するようにする。また，視聴覚教材を活用し，音楽の種類や指導のねらいによって，音源と映像を使い分けるなど，児童の興味・関心を引き出したり，聴き深めたりすることができるよう，配慮する必要がある。

▶「A表現」と「B鑑賞」の指導計画作成に当たって

これまで見てきたように，音楽科の指導内容は，「A表現」の歌唱，器楽，音楽づくりの各分野と，「B鑑賞」の領域に分けて示されている。

しかし，「第3　指導計画の作成と内容の取扱い」1（4）にも示されているとおり，指導計画を作成するに当たっては，一つの題材のみならず，年間を見通して，各領域や分野の内容を，適宜，関連付けることにより，それぞれの学習が深まるよう工夫することが求められる。

その際に要となるのが，表現及び鑑賞の学習において共通に必要となる資質・能力，すなわち〔共通事項〕である。

〔共通事項〕については，次節で詳しく説明するが，「第3 指導計画の作成と内容の取扱い」2（8）と（9）に示されたものの中から，各領域や分野の学習に共通する「音楽を特徴付けている要素」や「音楽の仕組み」，そしてそれらに関わる音符，休符，記号や用語を要として題材を構成していくことが大切なこととなる。

（山下薫子）

4 共通事項

▶〔共通事項〕とは何か

音楽科の内容は,「A表現」「B鑑賞」の2領域及び〔共通事項〕で構成されている。このうち,〔共通事項〕の趣旨については,「学習指導要領解説」「第4章　指導計画の作成と内容の取扱い」1の(3)に次のように示されている。

> (3) 第2の各学年の内容の〔共通事項〕は,表現及び鑑賞の学習において共通に必要となる資質・能力であり,「A表現」及び「B鑑賞」の指導と併せて,十分な指導が行われるよう工夫すること。

このように,各学年の内容に示した〔共通事項〕は,表現及び鑑賞の学習において共通に必要となる資質・能力である。また,「A表現」及び「B鑑賞」の指導を通して,指導するものであり,〔共通事項〕のみを扱う指導にならないよう,「表現」及び「鑑賞」の各事項の指導と併せて,十分な指導が行われるようにする必要がある。

▶〔共通事項〕の内容

〔共通事項〕は,各学年ほぼ共通に,次のように示されている。

> (1)「A表現」及び「B鑑賞」の指導を通して,次の事項を身に付けることができるよう指導する。
>
> ア　音楽を形づくっている要素を聴き取り,それらの働きが生み出すよさや面白さ,美しさを感じ取りながら,聴き取ったことと感じ取ったこととの関わりについて考えること。(思考力,判断力,表現力等)
>
> イ　音楽を形づくっている要素及びそれらに関わる音符,休符,記号や用語について,音楽における働きと関わらせて理解すること。(知識)

(　) 内は筆者による,第1学年及び第2学年のイについては,音符の前に「身近な」が入る

(1)〔共通事項〕と「資質・能力」との関係

〔共通事項〕は,従前(平成20年告示学習指導要領)は,ア「音楽を形づくっている要素を聴き取ることとその働きを感じ取ること」,イ「音符,休符,記号や音楽にかかわる用語を理解すること」の内容からなる二つの事項が示されていた。今回の改訂では,従前の〔共通事項〕の趣旨を踏まえつつ,アの事項は「思考力,判断力,表現力等」に関する資質・能力として,イの事項は「知識」に関する資質・能力として示されている。

この改訂は,中央教育審議会答申において,「学習内容を,三つの柱に沿って見直す」とされたこと,「見方・考え方」は,「表現及び鑑賞に共通して働く資質・能力である〔共通事項〕とも深い関わりがある」とされたことを踏まえたものである。

(2)〔共通事項〕アのねらい

アの事項は,音楽科における「思考力,判断力,表現力等」に関する資質・能力である,「音楽を形づくっている要素を聴き取り,それらの働きが生み出すよさや面白さ,美しさを感じ取りながら,聴き取ったことと感じ取ったこととの関わりについて考えることができるようにする」ことをねらいとしている。従前の「音楽を形づくっている要素を聴き取り,それらの働きが生み出すよさや面白さ,美しさを感じ取」ることに加えて,「聴き取ったことと感じ取ったこととの関わりについて考えること」が新たに位置付けられた。

ここでいう「聴き取ったことと感じ取ったこととの関わりについて考える」とは,感じ取ったことの理由を,音楽を形づくっている要素の働きから考える,または音楽を形づくっている要素の働きがどのようなよさや面白さ,美しさを生み出しているかについて考えることなどを意味している。

例えば,「強弱」という「音楽を形づくっている要素」を扱う場合,音の強弱の特徴を客観的に聴き取るだけでなく,「だんだん近づいてきた後,遠ざかっていく感じがしたのは,だんだん音が強くなった後にだんだん弱くなったからだ」など,強弱の変化とその働きが生み出すよさや面白さ,美しさとの関係を考えることである。

指導に当たっては,児童が音や音楽に出合い,

曲想と音楽の構造との関わりについて理解したり，このように表したいという思いや意図をもったり，曲や演奏のよさなどを見いだし，曲全体を味わって聴いたりするなどの学習において，聴き取ったことと感じ取ったこととの関わりについて考えることを適切に位置付けることが大切となる。

また，今回の改訂では，教科の目標において，音楽科の学習が，表現及び鑑賞の活動を通して，「音楽的な見方・考え方」を働かせ，「知識及び技能」，「思考力，判断力，表現力等」，「学びに向かう力，人間性等」に関する資質・能力の育成を目指すことが示されている。ここでいう「音楽的な見方・考え方」とは，「音楽に対する感性を働かせ，音や音楽を，音楽を形づくっている要素とその働きの視点で捉え，自己のイメージや感情，生活や文化などと関連付けること」であるとされる。「音楽的な見方・考え方」を働かせた学習活動を行うためには，〔共通事項〕アの学習を充実することが必要不可欠といえる。

(3)〔共通事項〕イのねらい

イの事項は，音楽科における「知識」に関する資質・能力である，音楽を形づくっている要素及びそれらに関わる身近な音符，休符，記号や用語について，音楽における働きと関わらせて理解できるようにすることをねらいとしている。

イについては，音符，休符，記号や用語に，「音楽を形づくっている要素」を加えるとともに，「音楽における働きと関わらせて理解すること」を位置付けている点が注目される。

指導に当たっては，単に音符や休符，記号や用語を音楽から切り離して名称や意味を学習するのでなく，表現や鑑賞の活動の中で，音楽における働きと関連させて，その意味や効果を理解することが大切である。

例えば，最初に「四分休符」があるフレーズを扱う場合，フレーズの最初にある四分休符が，音楽においてどのような働きをしているのか，四分休符がある場合とない場合でその効果を比較するなどして，その意味や効果を理解するような指導が求められる。また，児童の発達や学習状況に配慮しながら，見通しをもって，意図的，計画的に取り上げる必要がある。

(4) 音楽を形づくっている要素の示し方

〔共通事項〕ア及びイにおいて，学習の対象となるのが「音楽を形づくっている要素」である。

「音楽を形づくっている要素」については，小学生の発達の段階において指導することがふさわしいものを，音色，リズム，速度などの「ア　音楽を特徴付けている要素」と，反復，呼びかけとこたえなどの「イ音楽の仕組み」の二つに分け，「第3　指導計画の作成と内容の取扱い」2 (8) において，以下のように示している。

ア　音楽を特徴付けている要素

音色，リズム，速度，旋律，強弱，音の重なり，和音の響き，音階，調，拍，フレーズなど

イ　音楽の仕組み

反復，呼びかけとこたえ，変化，音楽の縦と横との関係など

従前は，学年別に示されていたが，今次改訂では一括して示されている。このことは，児童の発達の段階や指導のねらいに応じて，取り扱う教材や内容との関連から，必要に応じて繰り返し指導し，6年間を見通した継続的な学習によって理解を深めていくことの必要性を示しているといえる。

音楽は，「音楽を特徴付けている要素」と「音楽の仕組み」との関わり合いによって形づくられている。「音楽を形づくっている要素」を扱う際は，このことに配慮した指導を行う必要がある。

(5) 音楽を特徴付けている要素

「音楽を形づくっている要素」におけるア「音楽を特徴付けている要素」については，音そのものの特徴を表す「音色」，音楽の時間に関わる「リズム」，「速度」，「拍」，音の連なりが形づくる「旋律」，その土台となる「音階」，「調」，リズムや旋律のまとまりを形づくる「フレーズ」，音の強さの変化を表す「強弱」，複数の音色や複数の高さの音が鳴り響くことを表す「音の重なり」，「和音の響き」を示している。それぞれの学習については，次のようなことを扱うことが考えられる。

音色についての学習：身の回りの音，声や楽器の音色，歌い方や楽器の演奏の仕方による様々な音色など。
リズムについての学習：音符や休符を組み合わせた様々なリズム・パターン。
速度についての学習：速い曲，遅い曲などの曲全体の速度，「速くなる，遅くなる」などの速度の変化。
旋律についての学習：上行，下行，山型，谷型，一つの音に留まるなどの音の動き方や，順次進行，跳躍進行などの音の連なり方。
強弱についての学習：音の強弱を表す「強く，少し強く，少し弱く，弱く」や，強弱の変化を表す「だんだん強く，だんだん弱く」，「特定の音を強調して」など。
音の重なりについての学習：複数の旋律やリズムに含まれる音，複数の高さの音が同時に鳴ることで生まれる響きなど。
和音の響きについての学習：長調や短調のⅠ，Ⅳ，Ⅴ及びV_7を中心とした和音など。
音階についての学習：長調の音階（長音階），短調の音階（短音階）をはじめ，我が国の音楽に用いられる音階など。
調についての学習：長調と短調との違い，ハ長調とイ短調の視唱や視奏など。また，音楽づくりなどでは，調性にとらわれない音楽などを扱う。
拍に着目した学習：「拍のある音楽」と「拍のない音楽」との二つに分けることができる。「拍のある音楽」についての学習では，いくつかの拍が一定のアクセントのパターンを伴って繰り返される拍子のある音楽や，拍子がない伝承の遊びうたなどを扱うことが考えられる。また，「拍のない音楽」についての学習では，我が国の民謡や諸外国の音楽，現代音楽などの中から，そのような特徴をもつ音楽を扱う。
フレーズについての学習：歌詞の切れ目やブレス（息継ぎ）によって区切られるまとまり，数個の音やリズムからなる小さなまとまり，これらがいくつかつながった大きなまとまりなどを扱う。

(6) 音楽の仕組み

「音楽を形づくっている要素」におけるイ「音楽の仕組み」は，児童が主体的な音楽学習を展開するうえで，音楽がどのように形づくられているのか，また音楽をどのように形づくっていけばよいのかを学ぶための鍵となるものである。

イ「音楽の仕組み」については，「反復」，「呼びかけとこたえ」，「変化」，「音楽の縦と横との関係」などが示されている。具体的な学習については，次のようなことを扱うことが考えられる。

反復についての学習：リズムや旋律などが連続して繰り返される反復，A－B－A－C－Aの「A」などに見られる合間をおいて繰り返される反復，A－B－Aの三部形式の「A」などに見られる再現による反復など。
呼びかけとこたえについての学習：ある呼びかけに対して模倣でこたえるもの，ある呼びかけに対して性格の異なった音やフレーズまたは旋律でこたえるもの，短く合いの手を入れるもの，一人が呼びかけてそれに大勢がこたえるものなど。
変化についての学習：リズムや旋律などが反復した後に異なるものが続く変化，変奏のようにリズムや旋律などが少しずつ変わる変化など。
音楽の縦と横との関係についての学習：輪唱（カノン）のように同じ旋律がずれて重なったり，二つの異なる旋律が同時に重なったり，はじめは一つの旋律だったものが，途中から二つの旋律に分かれて重なったりするものなど。

(7) 音楽を形づくっている要素の扱い方

「音楽を形づくっている要素」を扱う場合，児童の発達の段階や教材曲に応じて，「音楽を特徴付けている要素」及び「音楽の仕組み」のうち，適切なものを選択したり関連付けたりしながら，見通しをもって繰り返し指導し，学習を深めていくことが重要である。また，同じ「音楽を形づくっている要素」についての学習においても，児童の発達の段階に応じて，理解が深まっていくような扱い方を検討する必要がある。

例えば，「音楽の縦と横との関係」ならば，低学年では輪唱の曲などを扱い，斉唱と輪唱で歌うときをそれぞれ比較し，ずれて音が重なることで音の重なりや和音が生まれる面白さを感じ取るなどが考えられる。そのような学習経験を土台としながら，中学年では，斉唱で始まった曲が，途中から二つの旋律に分かれて重なるものなどを扱い，斉唱の響きと合唱の響きの違いを比較しながら，響きの豊かさを感じ取るようにする。さらに高学年では，ある旋律の呼びかけに対して他の旋律がこたえながらずれて重なるものや，複数の旋律が同時に動いて和音を形づくったりするものなどを扱い，重なり方の多様な変化の面白さを感じ取るようにすることが考えられよう。

▶〔共通事項〕と各事項の関連を図る

(1) 各題材における両者の関連

歌唱，器楽，音楽づくり，鑑賞の学習活動においては，各事項に示す資質・能力と〔共通事項〕との関連を図った指導が求められる。すなわち，各事項と〔共通事項〕の両者の関係を十分踏まえて題材を構成する必要がある。

各事項とは，具体的には，曲想と音楽の構造との関わりについての理解すること（知識），音楽表現を工夫し思いや意図をもつこと，曲や演奏のよさを見いだすなどすること（思考力，判断力，表現力等）である。

今回の改訂では，歌唱，器楽及び鑑賞に関わる知識として，「曲想」と「音楽の構造」などとの関わりについての理解が位置付けられている。「曲想」とは，その音楽に固有の雰囲気や表情，味わいなどである。曲想は，音楽の構造によって生み出されると考えられるが，ここでいう「音楽の構造」とは，「音楽を形づくっている要素」の表れ方や，「音楽を特徴付けている要素」と「音楽の仕組み」との関わり合いである。

歌唱や器楽，鑑賞の活動においては，取り扱う曲の曲想と音楽の構造などとの関わりについて理解しながら，表現したり鑑賞したりすることが大切となる。このような学習は，〔共通事項〕の学習と併せて行う必要がある。

(2) 学習指導計画の作成と〔共通事項〕との関連

学習指導計画には，6年間を見通した指導計画，年間指導計画，各題材の指導計画などがあるが，いずれも〔共通事項〕を適切に位置付けることが必要である。その際，次の点に留意することが大切である。

- 〔共通事項〕の内容を要に，表現と鑑賞の各活動の関連を図る。
- 6年間を見通して継続的，発展的に取り扱う。

別表に示すような，〔共通事項〕と各活動の関連を十分意識しながら指導計画を作成することが大切である。

（笹野恵理子）

別表　〔共通事項〕と各活動の関連

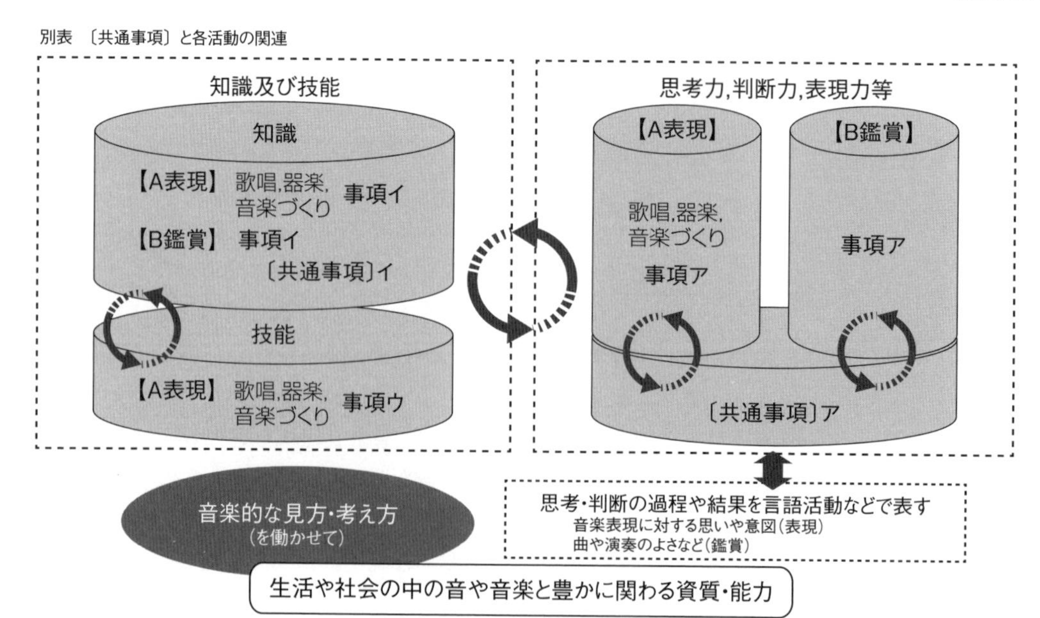

第3章 音楽科の学習指導計画

1 概論

▶ 教育に必要な教育計画

学校は，人間の成長と発達を目的とし，一定の年齢層の児童・生徒に対して一定の期間，意図的・計画に教育を行う機関である。

平成29年告示の学習指導要領では，これまでの学習指導要領が教育の理念としていた「生きる力」の育成を引き継ぎ踏襲している。この「生きる力」は,「確かな学力」「豊かな心」「健やかな体」の三つの柱から成る。「生きる力」の中核となる「確かな学力」については，平成19年の学校教育法改正で示されたものと重なる次の3点となる。

①生きて働く「知識及び技能」の習得。②未知の状況にも対応できる「思考力，判断力，表現力等」の育成。③学びを人生や社会に生かそうとする「学びに向かう力，人間性等」の涵養。

このような「確かな学力」を各教科や総合的な学習の時間，外国語活動，道徳科，特別活動などの学習指導を通して育成することが求められる。

音楽科においても教科の特性に即して，現代の子どもたちの教育に求められる，この「確かな学力」を育成するとともに，子どもの成長と発達という教育の目的を実現していくためには，教育課程や学習指導計画などの，より具体的な教育計画の立案が必要となる。

▶ 教育課程

教育課程とは，curriculumの訳語で，学習の目標実現までのコースを一定の順序や配列をもって編成した指導内容の計画のことをいう。

このことから教育課程は，学校教育の目的や目標を達成するために，学校や地域及び児童の心身の発達や実態に即して，各教科及び総合的な学習の時間，外国語活動，道徳科，特別活動に関する教育内容を時間数との関連を図りながら総合的に編成した教育計画となる。したがって，各教科の実際の学習指導に当たっては，さらに，具体的な計画が必要となる。それが，学習指導計画である。

▶ 学習指導計画の種類と意義

学習指導計画には，年間指導計画，月間指導計画，単元（題材）ごとの指導計画などがあるが，一般に学習指導計画という場合は長期的な計画を指し，1単元（題材），あるいは1単位時間の指導計画は「学習指導案」とし，これと区別されている。

なかでも年間指導計画は，児童の音楽活動の基礎的な能力を培い，音楽科の特性に即した学力を育成するための基本的な計画となるものである。

年間指導計画は，各学年の年間の指導計画で，学年ごとに児童の発達に即し，指導内容と教材などからなる題材を，1年間のどの時期に何時間かけて指導するのかなどを明示したものである。

年間指導計画の作成に当たっては，次の視点に留意し具体化する必要がある。

(1) 学校全体の教育課程の視点

作成に当たっては，学校の教育目標との関連を図るとともに学校全体の教育課程や学力育成における音楽科の役割を捉えることである。

(2) カリキュラム・マネジメントの視点

作成に当たっては，カリキュラム・マネジメントの視点から，①音楽科と他の教科や総合的な学習の時間，外国語活動などと指導内容を横断的に関連させて授業が展開できるように題材レベルでデザインしておくこと，②子どもたちの音楽への興味・関心や学力育成などの評価データに基づき指導計画を作成し，実施し，改善を図るようにすること，③音楽活動に必要な人的・物的資源を地域に求め活用できるように計画することである。

(3) アクティブ・ラーニングの視点

作成に当たっては，アクティブ・ラーニングの視点から，個々の題材において，「主体的」「対話的」「深い学び」が実現できるように計画することである。

（西園芳信）

2 | 年間指導計画の作成

年間指導計画は，学習指導要領に示された教科の目標，学年の目標及び指導内容を，各学年の授業時数に即して，題材と教材とによって具体化したものであり，次のような手順で作成される。

▶ 目標と指導内容との関連の把握

教科の目標を具体化したものが，学年目標と指導内容である。そのため，年間指導計画を作成する際には，まず教科目標の構成，学年目標の構成，指導内容の構成を分析し，それらの相互の関係性を捉えることが必要である。

上位目標である教科目標を達成するためには，その中位目標である学年目標，下位目標である指導内容が位置付けられ，そこから題材目標が設定される。このように，教科全体の目標から本時の目標に至るまで，すべての目標に意図をもった関係性を見いだすようにする。そうすることで，計画的な指導内容の構成が可能となり，子どもたちの資質・能力を十分に伸ばしていくことができる。

▶ 指導内容の構成

目標の関係性を捉えたら，次に音楽科を取り巻く各種目標（学校教育目標，学年の重点指導項目など）や，児童の実態を考慮し，年間授業時数に合わせて指導内容を確定する。その手順は，概ね次に示すようになる。

（1）主たる指導内容を確定する

学習指導要領の指導内容「A表現」「B鑑賞」の各指導事項と〔共通事項〕を関連させ，その指導事項での主たる指導内容を確定する。

例えば，第3学年及び第4学年の「A表現」（1）歌唱活動の指導事項「ア　歌唱表現についての知識や技能を得たり生かしたりしながら，曲の特徴を捉えた表現を工夫し，どのように歌うかについて思いや意図をもつこと。」を取り上げる。まず，児童の実態から「曲の特徴を捉えた表現を工夫」する力を育てるために，〔共通事項〕のアより旋律を窓口とすることに決める。そして，弾む旋律やなめらかな旋律などと特徴を捉えることで，それらを生かした表現になるように指導することを，今回の主たる指導内容として確定していく。

このように，学習指導要領の指導事項は，育成すべき資質・能力の形で表記されているため，そのまま指導内容とすることができるが，さらに細分化したり，児童の実態に応じて新しく指導内容を加えたりすることもできる。

（2）教材を決める

教材とは，学習に必要な素材を指す。この教材によって指導内容や学習活動が決定されることから，きわめて重要な選択となる。

音楽科の場合，伝承されている音楽作品が教材となる場合が多いが，自作の音楽作品やいわゆるポップス音楽も教材となる場合がある。どちらの場合も，指導内容を具現化できる音楽作品であることが前提となり，この音楽作品によってどのような指導内容や学習活動が設定できるのか，それをどのような視点と方法で評価するのかなどを検討してはじめて，音楽作品は教材となる。

▶ 題材の構成

「題材」（learning materials）は，「単元」（unit）と同義の年間指導計画の編成や学習指導の単位となるもので，児童にまとまりのある思考を形成するために，指導内容と児童の経験，そして教材とを有機的に組織付けたものである。題材は，目標，指導内容，教材，指導計画，評価規準，展開過程，資料などの要素から構成される。

題材の構成に当たっては，指導内容が具現化できるよう，時数などに応じて，題材の目標，教材，学習活動を設定していく。この際，設定した指導内容を再度意識して，それが有機的に関連し合って学習が進むよう，表現と鑑賞を組み合わせて教材や活動を配列していくことが重要である。

そして，いくつかの題材を構成したら，児童の発達特性，音楽的興味や音楽的発達，季節や学校行事などから，順序や発展性を決めていく。

▶ 年間指導計画作成上の留意点

（1）学習指導要領の基準に照らして設定する

我が国においては，法律で定められている学校の教育課程は，教育行政の定める基準に従うことになっている。それが，学習指導要領である。これには，教科の目標，学年の目標，指導内容，教材内容，指導計画の作成と内容の取扱いなどの基準が示されている。年間指導計画を作成するに当たっては，これらの内容を十分把握したうえで具体化を図る必要がある。歌唱共通教材，我が国や郷土の音楽に関する学習には，十分留意する。

（2）年間の授業時数を基礎とする

学校教育法施行規則によって，各教科の標準時数が決められている。小学校音楽科は，第１学年68時間，第２学年70時間，第３学年及び第４学年60時間，第５学年及び第６学年50時間と示されている。この時数から学期及び月ごとの時間を割り出し，各題材に時数を配分していく。

（3）学校の教育目標や研究主題との関連を図る

学校の教育活動すべてが有機的に関連し，機能するときはじめて小学校教育の目的が達成される。したがって，学校として大切にしている教育目標や，重点的に取り組もうとしている研究主題との関連性を図ることも大切である。

（4）児童の音楽的興味や能力の実態に合わせる

効果的に教科の目標を達成するためには，児童が主体的に学習に参加し，無理なく学習課題に取り組めるようにすることが必要である。そのためには，児童の音楽的興味や能力の実態に合った指導が求められる。簡単なアンケート調査やアセスメントテストを活用しながら実態を把握したり，音楽に対する興味･関心を聴き取ったりしながら，年間指導計画の作成に生かすようにする。

（5）学校の行事や地域の音楽素材を生かす

音楽科は学校行事と密接に関わっている。入学式，運動会，音楽会，卒業式などは，音楽的能力を育むよい機会となる。これらの学校行事を生かした題材構成や教材選択を行うことで，音楽的能力を効果的に育むとともに，学校全体の教育活動に寄与する音楽科となることを可能にする。

また，児童の生活する地域にあるわらべうたや民謡，伝統芸能，お祭りなどの実態を把握し，必要に応じて年間指導計画に導入することもできる。

（6）指導内容の発展性を図る

すべての児童に，育成すべき資質・能力が身に付くようにするには，一人一人の児童が確実に音楽的能力を身に付けられるようにする必要がある。そのためには，指導内容を発展的に構成し，音楽的能力が系統的に育成されるようにしなければならない。その際，当該学年だけでなく，6年間を見通した指導内容の発展性を図るとともに，各学年の重点目標にも配慮しながら，年間指導計画を作成する必要がある。

（7）表現と鑑賞の関連を図る

一つの主題の下に，表現（歌唱・器楽・音楽づくり）と鑑賞の指導内容を関連させて展開するほうが，学習が能率的となり深まりのある指導となる。そこで，年間指導計画の作成に当たっては，主たる指導内容や〔共通事項〕を軸にして，表現と鑑賞の活動が関連性をもって組織されるようにする。なお，教科書の教材配置は，各活動の関連を図って効果的に指導できるよう，意図的な配置となっていることが多い。もちろん，教科書以外からも広い視野で，指導内容や児童の実態に合わせた選択をするようにしたい。

（8）教育課程の4領域や教科等横断的な視点に立った資質・能力との関係性を見いだす

カリキュラム・マネジメントの視点から，各教科の学習と，総合的な学習の時間，道徳科，特別活動がつながりをもって位置付けられることが大切である。例えば，社会科で学習した平安文化の特色を視点に，音楽科で雅楽の特徴を紐解くなど，より多面的で深い学習ができる。また，道徳教育では，音楽科の特質を生かして，美しいものや崇高なものを尊重する心などと対応させることができる。音楽科で日本の歌から感じ取った風景を切り口にして，道徳科で自然を保全する活動に取り組む人の思いに迫っていくこともできる。

あわせて,「情報活用能力」「問題発見・解決能力」などの，あらゆる教科等に共通した学習の基盤となる資質・能力や,「健康・安全・食に関する力」などの，教科等の学習を通じて身に付けた力を統合的に活用して現代的な諸課題に対応していくための資質・能力についても，それぞれの教科などの特質を踏まえて指導していくように求められている。これらの資質・能力と，音楽科での活動との接点を見いだし，音楽科の特質を生かして取り扱っていくことも必要である。

（清水 匠）

第6学年の年間指導計画例（一部抜粋）

【音楽科の目標】
表現及び鑑賞の活動を通して，音楽的な見方・考え方を働かせ，生活や社会の中の音や音楽と豊かに関わる資質・能力を次のとおり育成することを目指す。
(1) 曲想と音楽の構造などとの関わりについて理解するとともに，表したい音楽表現をするために必要な技能を身に付けるようにする。
(2) 音楽表現を工夫することや，音楽を味わって聴くことができるようにする。
(3) 音楽活動の楽しさを体験することを通して，音楽を愛好する心情と音楽に対する感性を育むとともに，音楽に親しむ態度を養い，豊かな情操を培う。

【第５学年及び第６学年の目標】
(1) 曲想と音楽の構造などとの関わりについて理解するとともに，表したい音楽表現をするために必要な歌唱，器楽，音楽づくりの技能を身に付けるようにする。
(2) 音楽表現を考えて表現に対する思いや意図をもつことや，曲や演奏のよさなどを見いだしながら音楽を味わって聴くことができるようにする。
(3) 主体的に音楽に関わり，協働して音楽活動をする楽しさを味わいながら，様々な音楽に親しむとともに，音楽経験を生かして生活を明るく潤いのあるものにしようとする態度を養う。

		学期		2学期			3学期		
		題材名		和音の美しさを味わおう	曲想を味わおう	詩と音楽のかかわり	日本の音楽に親しもう	思いを歌にのせて	式典と音楽
		時数		8	9	3	3	5	2
		ねらい		音の響きに注目して，声部や楽器の重なりを工夫して演奏する。	旋律の特徴や反復・変化から曲想の変化を感じ取り，構造を理解する。	言葉のイントネーションに注目して，歌詞と音楽の一体感を味わう。	日本に古くから伝わる歌や楽器の特徴や音色に親しむ。	歌詞や曲想にふさわしい表現を工夫し，相手を意識して歌う。	式典での音楽の働きを理解し，日常生活の音楽に目を向ける。
		主な教材		星の世界 雨のうた 栄光の架橋	ハンガリー舞曲第５番 風を切って	滝廉太郎歌曲 おぼろ月夜 音楽づくり	越天楽 越天楽今様	ふるさと 卒業式の歌	国歌君が代 日常生活にある音楽
A表現	(1)歌唱	ア		○			○	◎	○
		イ				◎		◎	○
		ウ	(ア)			○			◎
			(イ)	○			◎		
			(ウ)	◎					
	(2)器楽	ア		○				○	
		イ	(ア)		◎		○		
			(イ)	○					
		ウ	(ア)				◎		
			(イ)	◎	○		○		
			(ウ)	◎	○		◎		
	(3)音楽づくり	ア	(ア)						
			(イ)			○			
		イ	(ア)			◎			
			(イ)						
		ウ	(ア)			○			
			(イ)			◎			
B鑑賞		ア		○	○	◎	◎	○	
		イ		◎	◎	○	○	◎	◎
共通事項				音色 音の重なり 和音の響き	速度・旋律 反復・変化 構造	リズム・拍 言葉のイントネーション	音色 拍の流れ 音階	音色 呼びかけとこたえ	フレーズ 調・速度
他教科・領域との関連						国語科 道徳科	社会科 道徳科	卒業式	キャリア教育

3 | 題材の構成

前項の2では，音楽科の年間指導計画及びその作成に当たっての留意点を述べてきた。日々の音楽科の学習指導は，こうした土台のしっかりした計画に支えられ，表現活動と鑑賞活動のバランスの取れた学習活動が展開される必要がある。すなわち，後でも触れるが，すべての音楽活動は“聴く”ことが出発点及び最終地点となることを，日々の学習指導の内容にしっかり位置付けて音楽学習を積み重ねていくことが大切だからである。そのためにも，年間指導計画の重要な要素を成す題材の設定とその構成を，音楽科の趣旨に沿って計画していくことが求められる。

▶ 題材設定の基本的な考え方

音楽科の学習指導を効果的に進めるためには，表現（歌唱，器楽，創作）及び鑑賞の様々な活動をバランスよく組み合わせて学習内容を決定していく必要がある。そして，歌を歌ったり，楽器を演奏したり，あるいは身体表現をしたりして，自分の心の中にある思いやイメージを深めながら友達と一緒に表現したり，価値ある音楽作品の素晴らしい演奏を聴いて，友達と一緒になって感動を深めたりすることができるよう，学習指導を工夫して進めることが大切である。このような学習指導を実現するため，音楽科では，学習指導の内容を構成するまとまりとして「題材」を設定し，そのねらいを明らかにし，適切な教材を選んで，具体的な学習活動を進めることになる。

題材の設定に当たっては，学習指導要領の目標や内容の趣旨を十分に踏まえ，子どもたち一人一人が身に付けるべき資質や能力を明確にする必要がある。またその配列に当たっては，題材そのものの学習の深まりを考えるとともに題材相互の脈絡を考え，学習指導の連続性や発展性，系統性などについて十分に配慮することが必要となる。

音楽科の授業における様々な音楽活動は，子ども一人一人にとって楽しいものでなければならない。そうしたことから，子どもたちの音楽に対する興味・関心，これまでの音楽経験やこれまで身に付けてきた活動の能力の実態などに十分配慮し，音楽的な思考力や判断力，表現力の育成を学習指導において具体化するような学習内容・学習活動を想定して題材を設定し配列することが重要なこととなる。

▶ 題材とは

ここで改めて「題材」について考えてみたい。音楽科では，年間指導計画を作成する際，学習指導の内容を構成するまとまりとして「題材」を設定し，そのねらいを明らかにし，適切な教材を選択して具体的な学習指導を計画している。この「題材」とは，学習指導のための目標，内容を組織付けた指導の単位であり，年間指導計画を構成する重要な柱となるものである。それは，他教科（例えば，国語や算数，理科，社会など）で見られる「単元」に相当するものと考えてよい。したがって年間指導計画は，題材という指導の単位の1年間の集合によって構成されたものなのである。しかし音楽科の学習指導の性格を考えるとき，歌唱や器楽，創作や鑑賞などの活動は小学校6年間を通じて継続的に積み重ねられるものであり，他教科の「単元」学習のように独立したものとは言い難いところがある。このことは学習指導要領の内容構成にも見られるもので，そうしたことから，学習指導要領における低・中・高学年の内容の示し方をよく検討して題材設定を考えることが大切なこととなろう。

▶ 題材構成の基本的な考え方

題材の構成の仕方については，その中心となる視点の違いによって，いくつかの考え方がある。

第一は，「主題による題材構成」と呼んでいるもので，音楽的なまとまりや生活経験的なまとまりを視点として主題を設定し題材を構成する考え方である。さらに音楽的なまとまりによるものの中には，音楽を成立させている様々な要素（リズム，旋律，和音・和声など）を中心とした視点と，それに加えて音楽活動そのものを重視した視点が含まれる。例えば，「リズムにのって表現しよう」や「音楽でおいかけっこ」といった題材が考えられる。いずれも，一つの主題のもとに複数の教材曲を取り上げることが可能であり，表現と鑑賞の活動を関連させた，幅の広い学習活動を展開することができる。

ところで今回の学習指導要領では，〔共通事項〕の事項アで思考力，判断力，表現力に関する内容，事項イで知識に関する内容が，身に付けるべき資質・能力として示された。そうしたことから，音楽を形づくっている要素を効果的に学習内容に位置付け，音楽の理解を深めていくことは今まで以上に重要なこととなっている。そうしたことから，例えば第2学年の題材構成を考えるとき，ある楽曲の中で繰り返し登場する旋律に着目して音楽全体の流れを把握する学習を計画した場合，「くりかえしのおもしろさを感じ取って聴こう」や「おなじ旋律を見つけて楽しもう」などといった題材が効果的であると考えられる。

教材としては，「アメリカン・パトロール」や「おどるこねこ」，「化石（サン＝サーンス）」などの作品が挙げられる。また，高学年では「日本の心を歌おう」という題材を設定して，「冬景色」や「おぼろ月夜」など多くの人々に長い間親しまれてきた唱歌，さらに地域に伝わる民謡を教材化して題材を構成していくことも考えられる。

第二は，「楽曲による題材構成」と呼んでいるもので，楽曲そのものの美しさや素晴らしさを視点として題材を構成する考え方である。この場合は楽曲名をそのまま題材名として用いることもできるが，指導内容を加えてポイントを明確にすることも考えられる。例えば高学年の歌唱指導では，「ふるさと」や「もみじ」を教材とし，楽曲との豊かなふれあいを通して，音楽の美しさや音楽活動の喜び，音楽的な感動を体験することをねらいとする題材が考えられる。また中学年の鑑賞指導では，サン＝サーンスの「白鳥」を教材とし，チェロやヴァイオリン，フルートなど様々な楽器の演奏を聴いて表現の多様な豊かさを楽しむ学習を進めることも考えられる。

以上の二つの視点は，具体的な学習指導を進めていくための題材構成の考え方であり，いずれの場合においても，楽曲との豊かな触れ合いを通して，音楽の美しさや音楽の喜び，音楽的な感動を体験させることをねらいとしているところに共通の考え方がある。

▶ 題材構成に際して配慮したいこと

題材の構成に当たっては，「題材名」「題材設定の意図」「題材の目標」「学習の内容」「教材」「評価規準」「題材の指導計画」「考察」など，具体的な項目に従って音楽科の授業を計画していくことになる。これらの項目の要点や考え方については，次項4「学習指導案の作成」で詳しく述べるが，ここで大切なことは，「題材設定の意図」を明確にするとともに，年間に配列される各題材間の関連をあらかじめ想定しておくことである。

まず，題材設定の意図については，

①子どもの発達上の特徴やこれまでの音楽経験，身に付けている音楽的な能力，音楽への興味・関心を踏まえること。

②年間指導計画における位置付けや教育的意義予想される活動内容や活動形態を踏まえること。

③題材の指導を通して期待する子どもの変容，育てたい子どもの姿などを踏まえること。

④子どもの学習に教師がどのように関わるのか，支援の具体的な姿を踏まえること。

の四つの視点を基盤において明確にする必要があろう。

次に題材の配列についてであるが，年間計画における題材相互の脈絡を考え，学習指導の連続性や継続性，発展性などについて十分に配慮する必要がある。このことは，学年間についても重視しなければならない。例えば，歌唱指導において「歌詞の表す情景を想像して豊かに歌おう」という中学年の題材が設定されるとする。そのとき，子どもたちが低学年で歌詞の内容を大事にした学習を十分に経験しておく必要があるとともに，声の響きを意識した歌唱学習を経験しておく必要がある。また，中学年におけるこの歌唱の学習は，「作詞者の気持ちになって歌おう」や「歌の心を感じ取って豊かに表現しよう」などの高学年の歌唱学習につながっていくようにすることも十分に配慮しておく必要があろう。

（金本正武）

4 | 学習指導案の作成

▶ 学習指導案作成に当たって

学習指導案は，教科や学校によっても，自治体や研究会,時代の流れや教師の考え方によっても，その書き方には様々なものがある。また，題材のレベルで書くこともあれば，本時案のみを取り上げて書くこともある。したがって,「これでなくてはならない」というものではない。いずれにしても，学習計画や授業において，子どもの実態を把握し，子どもが身に付けたい資質・能力を明確にしておくことは，何よりも大切なことである。その実現に向けては，資質・能力を身に付けるために適切な題材を設定し，その目標を明確にすること，それに到達するように子どもたちが主体的に関われる教材を選択したり，具体的な学習内容や学習活動を用意したりすることが重要となる。

つまり，学習指導案は，それらを言葉にして教師自らが授業展開をシミュレーションし，子どもの音楽的成長を予想するためのものであると言える。事前に計画された学習指導案によって，展開を予想しながら授業を進められるだけでなく，教師自身が授業について振り返りをし，子どもの状況に合わせて進め方を変えていくことができる。また，実際の授業では，思いもよらない子どもの反応によって，軌道修正することもある。そうした変化を記録し，次の学習に生かすことができるのも,学習指導案を作成しているからとも言える。

このように考えると，学習指導案は，授業を進める拠りどころとなるだけでなく，子どもの成長を促し，教師自らも成長していくために，必要なものであることが分かる。また，第三者が授業を参観する際は，学習指導案には客観的な視点をもたせる必要がある。学習指導案は，授業が何のためにどう行われているのか，子どもにとって価値あるものなのか，指導を行う教師の授業に対する考えをプレゼンテーションしているものでもあるとも言えよう。

▶ 学指導案作成の留意点

ここでは，基本的な題材レベルでの学習指導案の作成について，留意することを述べる。

(1) 子どもの実態の把握と理解

年齢による一般的な発達段階を理解するとともに，一人一人の子どもがこれまでにどのような音楽活動を経験し，どのような音楽に興味をもっているのかなど，各自の音楽的な能力，学習に対する適性や興味・関心，個々の性格なども把握しておくことが大切である。特に，学習指導案作成においては，題材の学習内容に関わる子どもの音楽経験やこれまで培ってきた知識や技能，思考・判断・表現，思いや意図などを記入する。また，本題材で育てたい資質・能力や目指す子どもの姿などについても触れるようにする。

(2) 題材の目標の設定

題材の目標を設定するには，まず，学習指導要領に示された音楽科の目標や学年の目標を把握し，目の前にいる子どもがどんな資質・能力を身に付けるようにするのかを明確にしておく必要がある。一人一人の子どもが自分の思いや意図をもって学習に取り組み，次の学習や生活に生かすことができる資質・能力を獲得していくことを重視し，具体的な学習目標を設定する。

教師が育てたい資質・能力と子どもが自分の願いや考えを思う存分発揮し満足できる活動が一致するように，目標の設定を工夫する必要がある。

(3) 教材研究の重要性

音楽科で扱う教材は，音楽作品，声や楽器，身の回りの音（自然音や環境音など），CDやDVDなどの音源や映像，演奏や情景を表す写真，作曲家の伝記や音楽に関わる読み物など，様々なものがある。どれをとっても，子どもが音楽を学習する上で重要な役割を担っている。こうした教材を吟味し，選択したり開発したりして，事前に教材研究を深めておくことが大切である。

①教材の捉え方

教材がもつ音楽的な特徴を分析し，理解することは言うまでもない。それに加え，何を指導するのか,目標を達成するのに適したものであるのか,子どもの実態に合ったものであるのかなど，子どもたちの活動を想定しながら，幅広い視野で扱う教材の教材性を分析することが必要である。

また，前述したように，教材は音楽作品だけではない。子どもの活動を助長するために扱うものも大切な教材である。教材の捉え方を柔軟で広がりがあるものとし，生活や社会の音や音楽の働きへの関心や理解につながるような教材を視野に入れるようにしたい。

②子どもが主体的に関わろうとする教材の準備

子どもが主体的に学習できるよう，主たる教材である教科書の活用の仕方を工夫することは，重要な教材研究である。一方で，子どもの実態に応じた多様な教材を準備することも大切である。教科書の巻末の教材や，地域にある音楽（わらべうたや民謡など），子どもの生活の中で親しんでいる音楽などを取り上げることも考えられる。

③学習を効果的に進める複数の教材の準備

確かな資質・能力を身に付けるためには，音楽科の領域・分野を関連付けて学ぶようにすることが効果的である。例えば，歌唱と器楽，音楽づくり・歌唱と鑑賞など，複数の領域・分野にわたる教材を準備するようにする。その際，〔共通事項〕を核として教材を配列することによって，何を学んでいるのかを明確にすることができる。

（4）評価規準の設定

題材の学習計画を立てる際，題材を通して子どもが身に付ける資質・能力をどのように見取り評価すればよいのか，具体的な評価計画を立てることが必要である。

題材の目標に照らして，指導要録に示されている評価の観点に基づく評価規準を，子どもの活動状況を予想しながら学習計画の立案とともに設定していく。この評価は，記録され集積されて学期末の評定に反映される。しかし，題材を展開する中では，そうした評価規準によらない形成的な評価も行われる。それについては，子ども一人一人の学習状況の過程や成果を継続的，総合的に把握し，評定に生かしていくことも大切である。

▶ 学指導案作成の実際

まず，「音楽科学習指導案」と表題を記し，授業を公開する日時，場所，対象（学年・児童数）指導者氏名（専科教員は担任名，教育実習生は指導教諭についても記載する）を記入する。

1　題材名

年間指導計画において設定した題材名を記す。現在は，「主題による題材構成」である。「～しよう」といった子どもが主体的に取り組む姿を目指す文言で示すことが多い。

2　題材の目標

題材の目標は，題材全体を通して子どもが身に付けるようにしたい資質･能力を具体的に表記し，音楽科，学年の目標の柱に基づく次の視点を踏まえるようにする。

①音楽への理解につながる知識や音楽表現に必要な技能に関わること　＜知識及び技能＞

②音楽表現への思いや意図，曲や演奏のよさを味わって聴くことに関わること　＜思考力，判断力，表現力等＞

③音楽との関わり方や学び方，音楽活動に対する態度に関わること＜学びに向かう力，人間性＞

3　題材について

（1）題材観

題材設定の理由や意図について，次の視点に立って記述する。

①題材の特徴と教師の考え方

年間指導計画での位置付け，教育的意義，音楽的意義などを客観的に述べる。さらに，題材についての教師の考え方についても触れる。

②期待する子どもの変容

題材を通してどのような資質・能力を育て，子どもがどのように成長してほしいのかなど，期待する子ども像を記入する。

（2）児童観（児童の実態）

年齢に即した一般的な子どもの発達の特徴，学習経験の状況，これまでの音楽経験や身に付けている音楽的な資質・能力，音楽への関わり方や学び方など，題材の学習内容と関連させて記述する。

（3）学習指導要領との関連

①本題材の学習が関連している学習指導要領の領域分野の内容をその文言どおりに記入する。

②本題材で扱う〔共通事項〕に示された「音楽を形づくっている要素」や「音符，休符，記号や用語」を記入する。

4　教材について

子どもたちが直接触れ，それとの出合いによって学習への興味・関心が決定づけられるといってもよいのが教材である。これを踏まえて，

◯教材名（作詞者，作曲者，編曲者）

◯教材性（音楽的な特徴や教材としての適性）

◯教材選択の観点

を，本題材の目標の実現に向けて取り扱う教材すべてについて記述する。教材選択の観点は，題材の目標及び児童の実態との関連を考慮して述べる。

視聴覚教材を使用する場合は，その出典や番号なども記入する。詳細な解説などが必要な場合は，資料として学習指導案の最後に添付する。また，学習に必要な楽器や絵，物語など，音楽表現を生み出すために必要な教材についても触れるようにする。

5　題材の評価規準

題材の評価規準は，すでに述べたとおり指導要録に示されている観点別学習状況の観点によって設定する。学習指導要領の改訂を受けて，資質・能力の三つの柱に示された目標に沿って，下記の3観点で評価する。題材を通して身に付けたい資質・能力の「おおむね満足できる」実現状況を示し，単位時間における具体的な評価規準として記述する。

ア　知識・技能

イ　思考・判断・表現

ウ　主体的に学習に取り組む態度

表現・鑑賞の両領域ともに，ア・イ・ウの観点で，評価規準を示す。これらの観点は，1単位時間にすべて見取るのではない。題材を通して，また，題材間の連携のもとに，評価計画を立てることが重要である。

6　題材の学習計画と評価計画

題材の学習計画は，題材の目標を実現するために，学習内容や学習活動を順序立てて示すものである。それぞれの内容にどのぐらいの時間を配分し，何時間かけて実施するのか計画を立てていく。

①**学習計画**…学習全体の流れを理解しやすくするために，学習内容のまとまりごとに<第一次><第二次>のように整理することが多い。その上で，各次のねらいを明確にし，扱う時間を示す。さらに，1単位時間ごとの学習内容と活動の概要，学習のポイントとなる教師の働きかけを分かりやすく記述する。

②**評価計画**…5に示した評価規準による子どもの学習状況を，どの時間にどのような方法で見取っていくのか，明確に把握できるよう評価計画を立案する。そのために活用するワークシートなどについては，最後に資料として添付する。指導場面を想定することにより，子どもの学習状況を予想しながら評価を進めることができる。また，Aと判断する子どもの状況，Cとなりそうな子どもへの支援なども記すこともある。

7　本時の展開

（第◯次　第◯時）と本時が題材全体のどこに位置付けられるのかを明記し，学習展開の詳細を示す。ここでは，必ず記載する項目について述べる。

(1) 本時のねらい

題材の目標に迫るために，本時で行う学習のねらいを記述する。

(2) 本時の展開

①**学習内容**…学習指導要領との関連から何をどのように学ぶのか，学習の流れが分かるように記す。

②**主な学習活動**…子どもがどのような活動を行うのかを具体的に表すように記述する。

③**教師の働きかけ**…子どもへの教師の指導や支援，指導上の留意点を教師の立場から記入するが，可能な限り，～させるという文末は避け，「～ように助言する，促す」といった子どもの主体性を引き出す文言にする。

④**評価規準と評価方法**…評価計画に準じて，本時の評価規準とその方法を示す。1単位時間で見る評価規準は，1～2項目に絞りたい。

8　資料

教材研究の詳細な記述，使用する楽譜，ワークシート，教室内の配置や座席表などを添付する。

また，板書計画や発問計画，子どもの状況や支援計画などを添付することもある。座席表など，個人情報に関わるものは，回収する。

（石上則子）

第4章 音楽学習の評価

1 | 概論

▶ 学習評価の意義と目的

歌やリコーダーのテストでいやな思いをしたから，学校の音楽は嫌い。音楽はそれぞれの児童が，あるいはクラス全体で楽しんで演奏したり聴いたりすればそれだけで十分で，それに点数を付ける必要などない。――そのように考える人は多い。テストや点数は，判定や値踏みの性格が強く表れる**「評定」**として機能してきたからであろう。

しかし本来，**学習評価**は学習を深めるために不可欠な教育的営みである。それは例えば，こんな場面である。「和太鼓と締太鼓の息がぴったり合っているね。練習のとき，グループで相談していたことが生かせているよ」と，先生が声をかける。「3班の発表は，リコーダーの音色がきれいでした。打楽器の音が少し強かったので，リコーダーの音を聴きながら演奏するとよいと思います」と，友達が発言する。「もっと厚みのある音をつくりたいけど，低音を足すといいのかな」と，児童がつぶやく。日常の授業で見られるこうした場面は，学習を調整する評価として機能している。

学習評価は，「認めるべきことを，認めるべきときに認める」「必要なときに，必要なアドバイスをする」「どうしたらよくなるかを考えて改善を図る」といった活動である。それは，教師の活動の中で指導と分かちがたく結び付いており，学習と指導を改善するための「方向付け」や「調整」の機能を果たす。特に授業においては，より深い学習を目指すフィードバック，コミュニケーションとして行われてこそ，意義ある活動となる。

また，教育評価は児童の学習だけでなく，教師の授業実践，カリキュラム，学校運営，教育行政や財政支出など，教育に関わるあらゆることを対象にして，その改善のために行われる。教師が自らの実践を評価し，指導改善につなげることも学習評価の重要な意義であり，自分の授業を見る眼を鍛えることは教師の力量形成に直結している。

▶ 評価の種類

(1) 準拠基準

評価の基準は，何に基づいて判断するかの枠組みとなるものである。現在，学校での学習は「目標に準拠した評価」を基本としているが，これは他の準拠基準と比較すると理解しやすい。

相対評価は，個人を一定集団内の位置として評価する，「集団に準拠した評価」である。正規分布に基づいて一定の人数を段階に割り振る方法や偏差値，席次が代表的である。こうした相対評価では，どのようなことができて何が不十分かを表しておらず，学習改善の情報には適さないとの考えから，2001年通知の児童指導要録以降，指導要録の準拠基準には用いられていない。

個人内評価では，人と比べることなく個人の中に準拠基準を設定する。以前と比べて技能が向上した，楽器を使う活動に意欲的に取り組むといった，児童一人一人のよい点や可能性，進歩の状況などを評価する。目標に準拠した評価を補完するものとして，工夫と活用が求められており，指導要録では「学びに向かう力，人間性等」のうち，観点別評価や評定にはなじまない「感性，思いやりなど」を個人内評価にすることとなっている。

目標に準拠した評価は，**絶対評価**と言い換えることもできる。学習指導要領に示された目標や，題材ごとに設定した目標に照らして行う評価である。教育は目標に基づいて行う活動であり，教育目標の実現を図るためには評価を充実させる必要があることから，各教科の観点別学習状況評価も目標に準拠して行なわれる。

(2) 評価の時期

学習評価は，指導過程のどこに位置付くかで次のように区別される。**事前の評価**（診断的評価）は，これから行う授業内容に対する児童の関心や知識などを把握して，指導計画の作成や授業展開に役立てるものである。評価を学習と指導を改善するための方向付け，コミュニケーションとして考えるとき，**学習過程**における評価が最も重要となる。

学期末，学年末など一定期間の学習活動終了後に成果を確認したり，授業を振り返ったりするのが**総括的評価**である。

(3) 評価の主体

評価は教師のみが行うものではない。学習主体である児童は評価の主体でもあり，**相互評価**でお互いに認め合ったり，**自己評価**で自らの学びを見つめたりする評価活動は，そのまま学習活動としても機能する。自分や友達がつくったり演奏したりする音楽をどのように捉えるか，どれほど深く聴き合えるか，適切な言葉で表現できるか，といった評価の活動は，それ自体が音楽学習の高次の目標だといってもよい。児童が自らの学習を振り返って次の学習に向かうことを目指すためにも，児童自身による評価を大切にした授業づくりを心がけたい。

▶ 評価の過程

どのような授業展開を目指そうか，どの教材を使おうかと考えるとき，そこには教師が児童に「何を伝えたいか」「どのような力を付けたいか」，この音楽を子どもたちと「どう共有したいか」という思いが込められている。「目標に準拠した評価」の出発点は，その思いを目標として意識するところにある。評価論はつまるところ目標論なのであり，目標の明確化が評価の過程の第一歩である。

目標には，大別して二つのタイプがある。「4分音符と8分音符のリズム模唱ができる」というのは習得させたいことがらを示しており，**到達目標**という。一方，「管楽器の音色の違いに関心をもつ」というのは学習の方向性を示しており，**方向目標**といわれる。音楽科では両方のタイプの目標が大切であり，目標を明確にしておくことは，指導のためだけでなく，児童が学習を進めていく上でのめあてとして大きな手がかりとなる。

学習指導要領に示された各学年の目標から，題材の目標，1時間の授業ごとの目標が導かれることは当然だが，目標は児童の実態に即して立てられなくてはならない。そして，どの児童も「おおむね満足」することを目指せる目標であることが重要であり，目標と学習評価の方針を児童たちと共有することも必要になる。

目標は，評価を行うに当たって「**観点**」ごとの「**評価規準**」として設定され，構造化される。各教科における評価は，「知識・技能」「思考・判断・表現」「主体的に学習に取り組む態度」の三つの観点に整理されている（次項参照）。

評価規準は，何を評価するかという着眼点であるが，それは目標と完全に対応している。また，学習と指導が効果的に進んでいるかを判断し，指導に生かすためのものであるから，評価規準の作成は指導計画の立案過程に含まれる。つまり，指導と評価は計画段階から一体なのであり，特に題材及び具体の評価規準は，どのような方法を用いて，いつ評価を行えば適切かを意識して作成する。

ここで注意しなくてはならないのは，評価が授業の流れを阻害しないことと，いわゆる「評価のための評価」に陥らないことである。評価計画には，相互評価や自己評価，学習カードなど，学習としての評価活動を有機的に位置付けたい。また，観察法による評価が重要であることから，チェックリストや座席表など，記録方法の工夫も求められる。音楽科の授業は，教師も児童とともに音楽活動を行う一員として伴奏や範唱や指揮などを行う機会が多く，児童の様子や演奏は録画，録音を行わない限り後に残らないことを考えると，時間をかけず簡潔なメモがとれるようにしたい。どんなに精緻な評価規準も，手間がかかりすぎるのでは実践にとってマイナスとなる。

1時間ごと，題材ごとの評価の積み重ねは，総合されて学期ごとの通知表や年度ごとの児童指導要録にまとめられる。**通知表**は，児童と保護者へ向けての大切なメッセージであり，総括的評価ではあるが，あくまでその後の学習をよりよいものとするためのメッセージとしたい。**児童指導要録**は法定表簿であり，学籍に関する記録は20年間，指導に関する記録は卒業後5年間の保存が義務付けられている。

（有本真紀）

2 | 評価の観点と評価方法

▶ はじめに

新小学校学習指導要領は，令和2年度から全面実施となった。本書でも示しているように，新小学校学習指導要領音楽によって育成する資質・能力は，その示し方において従前より大きく改善された。ここではまず，学習指導要領の改訂にかかわらず理解しておきたい観点別評価の意義を示し，続いて新学習指導要領音楽で求める資質・能力とそれに対する評価の観点，そして評価の手順と方法について説明する。

▶ 観点別評価と評価の観点

(1) 観点別評価とは

評価は目標に対してそれが実現できたかどうかを見るために行われる。目標には育成すべき資質・能力の具体が掲げられる。したがって評価は，児童にとっては目標がどの程度実現できたかが分かるようにすること，教師にとっては評価で得た結果を踏まえて指導を振り返り改善点を明らかにすること，の二つがその教育的意義となる。

ところで，教育に限らず物事を評価するときに，物事全体をまるごと評価しようとすると，曖昧になったりかえって評価が難しくなったりする。例えば，収穫したリンゴを選果場の人々が選別するとき，色づきはどうか，糖度はどうか，形はどうか，大きさはどうか，というようにいくつかの側面からリンゴを評価する。教育も同様で，教育ではその側面のことを「**評価の観点**」といい，観点によって評価することを「**観点別評価**」という。

観点別評価を行う場合，資質・能力が身に付いたかどうかを的確に判断するための拠りどころが必要となる。例えばリンゴの場合なら，糖度がいくつ以上で，大きさが何グラム以上なら秀，それに満たなければ優，さらにその下のランクなら良というように基準をもって選別される。

しかし，教育における観点別評価はリンゴのように選別することが目的ではない。また，そのための数値のようなはっきりとした基準を設けることは難しい。したがって，「意欲的に合唱に取り組んでいる」とか「イメージをもって表現しようとしている」のように，実現を確認することができる具体的な姿をあらかじめ設定して行うことになる。その姿のことを「**評価規準**」という。

こうして観点別に評価規準に照らして評価し，各々の評価結果を関連付け，総合することによって，音楽科で育成する資質・能力の全体を評価することができるようになる。

(2) 新学習指導要領で育成を目指す資質・能力

学習指導要領を含む新教育課程全体の骨格や方針を定めた中央教育審議会答申（平成28年12月）では，教育課程全体を通して育成を目指す資質・能力を「資質・能力の三つの柱」として，次のように示している。

① 生きて働く「知識・技能」
② 未知の状況にも対応できる「思考力・判断力・表現力等」
③ 学びを人生や社会に生かそうとする「学びに向かう力・人間性等」

これに即し，新小学校学習指導要領の目標及び内容も「**知識及び技能**」「**思考力, 判断力, 表現力等**」「**学びに向かう力，人間性等**」の三つの柱で整理された。

小学校音楽科の教科目標も，三つの柱ごとに分けて明示され，各学年の目標も同様に区分されている。それらが，教科として，また各学年で育成する資質・能力となる。

(3) 新学習指導要領における評価の観点

先に，「評価は目標に対してそれが実現できたかどうかを見るために行われる」と述べた。これは，目標と評価は表裏一体である，という原則を意味する。今回の改訂で目標が「資質・能力の三つの柱」に即して示されたことにより，評価の観点もそのままそれぞれに対応して三つの観点で示された。それらの観点名は，「知識・技能」「思考・判断・表現」「主体的に学習に取り組む態度」である。

以上をまとめると表1のようになる。

表1 「資質・能力の三つの柱」と新学習指導要領小学校音楽における目標，及び評価の観点名

「資質・能力の三つの柱」	「知識及び技能」	「思考力，判断力，表現力等」	「学びに向かう力，人間性等」
小学校音楽科の目標	表現及び鑑賞の活動を通して，音楽的な見方・考え方を働かせ，生活や社会の中の音や音楽と豊かに関わる資質・能力を次のとおり育成することを目指す。		
	(1) 曲想と音楽の構造などとの関わりについて理解するとともに，表したい音楽表現をするために必要な技能を身に付けるようにする。	(2) 音楽表現を工夫することや，音楽を味わって聴くことができるようにする。	(3) 音楽活動の楽しさを体験することを通して，音楽を愛好する心情と音楽に対する感性を育むとともに，音楽に親しむ態度を養い，豊かな情操を培う。
各学年の目標 第1学年及び第2学年	(1) 曲想と音楽の構造などとの関わりについて気付くとともに，音楽表現を楽しむために必要な歌唱，器楽，音楽づくりの技能を身に付けるようにする。	(2) 音楽表現を考えて表現に対する思いをもつことや，曲や演奏の楽しさを見いだしながら音楽を味わって聴くことができるようにする。	(3) 楽しく音楽に関わり，協働して音楽活動をする楽しさを感じながら，身の回りの様々な音楽に親しむとともに，音楽経験を生かして生活を明るく潤いのあるものにしようとする態度を養う。
各学年の目標 第3学年及び第4学年	(1) 曲想と音楽の構造などとの関わりについて気付くとともに，表したい音楽表現をするために必要な歌唱，器楽，音楽づくりの技能を身に付けるようにする。	(2) 音楽表現を考えて表現に対する思いや意図をもつことや，曲や演奏のよさなどを見いだしながら音楽を味わって聴くことができるようにする。	(3) 進んで音楽に関わり，協働して音楽活動をする楽しさを感じながら，様々な音楽に親しむとともに，音楽経験を生かして生活を明るく潤いのあるものにしようとする態度を養う。
各学年の目標 第5学年及び第6学年	(1) 曲想と音楽の構造などとの関わりについて理解するとともに，表したい音楽表現をするために必要な歌唱，器楽，音楽づくりの技能を身に付けるようにする。	(2) 音楽表現を考えて表現に対する思いや意図をもつことや，曲や演奏のよさなどを見いだしながら音楽を味わって聴くことができるようにする。	(3) 主体的に音楽に関わり，協働して音楽活動をする楽しさを味わいながら，様々な音楽に親しむとともに，音楽経験を生かして生活を明るく潤いのあるものにしようとする態度を養う。
評価の観点名	「知識・技能」	「思考・判断・表現」	「主体的に学習に取り組む態度」

(4) 各観点の趣旨と評価における留意点

新学習指導要領において，小学校音楽科で育成する三つの資質・能力が，そのまま教科や各学年の目標，及び評価の観点に整合して示されたことで（表1の縦軸），各評価の観点の趣旨は，それに該当する目標の実現を見取るためのものとなる。各観点の趣旨は表2の通りである。この趣旨について留意点などを述べておく。

① 観点「知識・技能」について

目標の文中にある「…について気付く」「…について理解する」の「…」部分，すなわち「曲想と音楽の構造などとの関わり」が，習得させる知識事項に当たる。音楽科で求める知識とは，曲名や作曲者名，音楽用語や記号の名称などに対する知識のみを指すものではない。表現や鑑賞の学習活動を通して，〔共通事項〕に示された内容を基盤に，「音楽的な見方・考え方」である「音楽に対する感性を働かせ，音や音楽を，音楽を形づくっている要素とその働きの視点で捉え，自己のイメージや感情，生活や文化などと関連付け」ながら「曲想と音楽の構造などとの関わり」を理解させ，その実現をこの観点で評価する。

「技能」は，歌を歌うために，楽器を演奏するために，音楽をつくるために必要となるものであ

表2　小学校音楽科における評価の観点とその趣旨

		知識・技能	思考・判断・表現	主体的に学習に取り組む態度
評価の観点の趣旨		・曲想と音楽の構造などとの関わりについて理解している。 ・表したい音楽表現をするために必要な技能を身に付け，歌ったり，演奏したり，音楽をつくったりしている。	音楽を形づくっている要素を聴き取り，それらの働きが生み出すよさや面白さ，美しさを感じ取りながら，聴き取ったことと感じ取ったこととの関わりについて考え，どのように表すかについて思いや意図をもったり，曲や演奏のよさなどを見いだし，音楽を味わって聴いたりしている。	音や音楽に親しむことができるよう，音楽活動を楽しみながら主体的・協働的に表現及び鑑賞の学習活動に取り組もうとしている。
学年別の評価の観点の趣旨	第1学年及び第2学年	・曲想と音楽の構造などとの関わりについて気付いている。 ・音楽表現を楽しむために必要な技能を身に付け，歌ったり，演奏したり，音楽をつくったりしている。	音楽を形づくっている要素を聴き取り，それらの働きが生み出すよさや面白さ，美しさを感じ取りながら，聴き取ったことと感じ取ったこととの関わりについて考え，どのように表すかについて思いをもったり，曲や演奏の楽しさを見いだし，音楽を味わって聴いたりしている。	音や音楽に親しむことができるよう，音楽活動を楽しみながら主体的・協働的に表現及び鑑賞の学習活動に取り組もうとしている。
	第3学年及び第4学年	・曲想と音楽の構造などとの関わりについて気付いている。 ・表したい音楽表現をするために必要な技能を身に付け，歌ったり，演奏したり，音楽をつくったりしている。	音楽を形づくっている要素を聴き取り，それらの働きが生み出すよさや面白さ，美しさを感じ取りながら，聴き取ったことと感じ取ったこととの関わりについて考え，どのように表すかについて思いや意図をもったり，曲や演奏のよさなどを見いだし，音楽を味わって聴いたりしている。	音や音楽に親しむことができるよう，音楽活動を楽しみながら主体的・協働的に表現及び鑑賞の学習活動に取り組もうとしている。
	第5学年及び第6学年	・曲想と音楽の構造などとの関わりについて理解している。 ・表したい音楽表現をするために必要な技能を身に付け，歌ったり，演奏したり，音楽をつくったりしている。	音楽を形づくっている要素を聴き取り，それらの働きが生み出すよさや面白さ，美しさを感じ取りながら，聴き取ったことと感じ取ったこととの関わりについて考え，どのように表すかについて思いや意図をもったり，曲や演奏のよさなどを見いだし，音楽を味わって聴いたりしている。	音や音楽に親しむことができるよう，音楽活動を楽しみながら主体的・協働的に表現及び鑑賞の学習活動に取り組もうとしている。

文部科学省（平成31年3月29日）「小学校，中学校，高等学校及び特別支援学校等における児童生徒の学習評価及び指導要録の改善等について（通知）」の別紙4より。

る。それは発声や楽器の操作，記譜といったもののみならず，表現を楽しんだり，思いや意図といった「表したいもの」を音楽によって表現したりするために必要な技能である。また，知識や技能はその学習で身に付けて終わるものではなく，それ以後の学習や生活において「生きて働く」ものでなくてはならない。したがって，当該授業や題材で求める知識・技能とともに，それ以前に習得した知識・技能が活用されたり更新されたりしているかも含めて，この観点で評価することとなる。なお，技能の習得に関する目標と評価は表現領域のみに該当するものである。

②　観点「思考・判断・表現」について

表現領域においては，表現された音楽の質や技能のみならず，そこに至る過程において，表現に対する思いや意図，また，それらを表すためにどのような工夫をしたらよいかなどを考え（思考），決定し（判断），言葉でそれを伝えたり音で試してみたり（「思考・判断・表現」のうちの表現）する力の育成が重要となる。

鑑賞領域においては，曲全体を味わって聴くために，曲や演奏の楽しさやよさなどを考え（思考），見いだし（判断），言葉などで伝え合う力（表現）を育成することとなる。これらの実現をこの観点で評価する。

③ 観点「主体的に学習に取り組む態度」について

表1を見ると，「学びに向かう力，人間性等」を評価する観点が，「主体的に学習に取り組む態度」として示されていることに，求める資質・能力と評価する観点が一致していないのではないか，と疑問を感じるかも知れない。このことについて，中央教育審議会答申（平成28年12月）では次のように示している。

> 「学びに向かう力・人間性等」に示された資質・能力には，感性や思いやりなど幅広いものが含まれるが，これらは観点別学習状況の評価になじむものではないことから，評価の観点としては学校教育法に示された「主体的に学習に取り組む態度」として設定し，感性や思いやり等については観点別学習状況の評価の対象外とする必要がある。
>
> （中教審答申 p.61）

それでは小学校音楽科において「学びに向かう力，人間性等」として観点別評価によって見取ることができるものは何だろう。目標に記載されたもののうち，「楽しく音楽に関われたか」「進んで音楽に関わることができたか」「主体的に音楽に関われたか」「協働して音楽活動をすることができたか」は，「主体的に学習に取り組む態度」として観点別評価の対象となり得るものである。

一方，「音楽に対する感性」「音楽経験を生かして生活を明るく潤いのあるものにしようとする態度」「豊かな情操」，あるいは児童一人一人のよさや可能性，進歩の状況などは観点別評価にはなじまない。けれどもそれは「評価しない」とか「評価できない」ということではない。毎回の授業や題材を通じたまとまりの中で児童個々の変容を見取り（これを「**個人内評価**」という），見取ったことを積極的に児童に伝えるよう心がけなければならない。

▶ 評価の手順と方法

次に，どのような手順と方法で評価を進めていったらよいかを示す。

手順1：題材の目標に対応する評価規準を立てる

題材の指導計画（学習指導案）を立案する際，音楽科で育成すべき三つの資質・能力を題材に即して具体化させ，「**題材の目標**」を定める。そして，定めた「題材の目標」に対応させて，その実現を確認できる「**題材の評価規準**」を設定する。

手順2：実現の状況を判断する基準を定める

評価規準があれば目標の実現状況を判断することはできるのだが，実現の度合いには幅がある。そこで評価規準ごとに，（A）十分満足できる状況，（B）おおむね満足できる状況，（C）努力を要する状況，という三つの基準を設ける。それを「**評価基準**」という。評価規準と評価基準の違いは，評価規準が目標の実現を表す状態，評価基準は実現の度合いを判定するためのラインと覚えておくとよい。評価基準を定めておくことは評定と関わっている。年度を終了するとき，児童一人一人についてその教科の成績として評定を出さなければならない。そのためには各題材における観点別評価の結果を総括し，そこから正しく客観的な評定を導き出すことになる。

手順3：授業ごとに目標と評価規準を立てる

一題材を数時間の授業によって構成する場合，授業ごとに，その授業の目標（めあて）とそれに即した評価規準を立てることになる。それらは「題材の目標」に対応させ，「題材の評価規準」からそのまま選んだり，「題材の評価規準」をさらに具体化させたりして設定する。一題材を1時間の授業で構成する場合は，「題材の目標」や「題材の評価規準」がそのままその授業の目標と評価規準になる。

手順4：評価方法を考える

音楽科の評価方法には様々なものがある。「知識及び技能」の実現を確認するためにはワークシートや演奏・作品などの成果，アセスメントシートなど。学習過程における「思考力，判断力，表現力等」を確認するためには児童の発言を対象とする観察やワークシート，アセスメントシートなど。「学びに向かう力，人間性等」を確認するためには活動の姿や学習に取り組む態度を対象とする観察などがある。また，それぞれにおいていくつかの評価方法を組み合わせたり，ポートフォリオによって学習の成果を蓄積させたりして目標の実現を多面的に確認していくことも重要である。

手順5：以上を学習指導案に組み込み実践する

以上を学習指導案に記載して，実践することとなる。なお，評価基準についての記載は省略する場合もある。記載の例を表3にまとめておく[(1)]。

また，授業中に得られた評価情報は，可能な限り記録して保存しておかなければならない。それらは評定を行うときや，児童自身や保護者に対して評価結果を説明する際の重要な根拠となる。

表3　題材の目標と評価規準の設定（例）

題材名 「ようすに合う音でえんそうしよう」 （第1学年・器楽）
題材の目標 〈「知識及び技能」に関わる目標〉 ①演奏の仕方とそれによって生み出される楽器の音色の違いによる曲想の変化に気付く。（知識） ②楽器の音色を生かして演奏の仕方を工夫するなどして曲想にふさわしい演奏をする。（技能） 〈「思考力・判断力・表現力等」に関わる目標〉 ③《きらきらぼし》について自分なりのイメージをもち，音色や演奏の仕方の工夫についてどのように演奏をしたいのか思いをもつ。 〈「学びに向かう力，人間性等」に関わる目標〉 ④楽曲のよさや感じ取ることや友達と一緒に演奏することに楽しさを感じながら主体的に取り組む。
題材の評価規準 〈観点「知識・技能」〉 ①音色や曲想の変化に気付いている。（知識） ②表現したい音色を見つけ，鍵盤ハーモニカを演奏している。（技能） 〈観点「思考・判断・表現」〉 ③どのように演奏したいのか思いをもち，音色や演奏の仕方を工夫している。 〈観点「主体的に学習に取り組む態度」〉 ④楽しさを感じながら主体的に学習に取り組んでいる。
評価基準（抜粋） 観点① について （A）と判断される例 • 演奏の仕方とそれによって生み出される楽器の音色の違いを曲想の変化と関連付け，詳しく述べたり記述したりしている。 （B）と判断される例 • 演奏の仕方とそれによって生み出される楽器の音色の違いによる曲想の変化に気付き，述べたり記述できたりしている。 （C）と判断される例 • 演奏の仕方とそれによって生み出される楽器の音色の違いには気付いているが，曲想の変化と関連付けるには至っていない。
各授業の評価規準と評価方法 ① 演奏の仕方とそれによって生み出される楽器の音色の違いによる曲想の変化に気付くことができている。…観察・ワークシート ②-1 表現したい《きらきらぼし》に合う音色を見つけ，鍵盤ハーモニカを演奏することができている。…演奏 ②-2 伴奏や友達の音と合わせて演奏することができている。…演奏 ③-1 どのように演奏したいのか思いをもっている。…観察・ワークシート ③-2《きらきらぼし》に合う音色や演奏の仕方を工夫している。…演奏・ワークシート ④-1 楽曲のよさを感じ取ったりする学習に楽しく取り組んでいる。…観察 ④-2 友達の音や伴奏に合わせて演奏したりすることに楽しさを感じながら主体的に取り組んでいる。…観察・アセスメントシート

（宮下俊也）

(1)　ここで記載する例は，山田貴子主幹教諭（堺市立桃山台小学校）が作成した学習指導案から許可を得て一部を抽出し，本稿掲載のために加筆修正したものである。

第 2 部
実践編

序　授業実践にあたって

1　児童期の発達特性と音楽的発達

▶ 発達段階ごとの学習特性

学校教育に影響を与えてきた発達段階説としては，J.ピアジェの認知的発達の三つの段階がある。①行動を通して世界を操作する（～6歳）。②具体的な事物や事象を用いて，論理的な思考が可能になる（～11歳）。③抽象的な記号や概念を用いて論理的な思考が可能になる（12歳～）。

このピアジェにより，認識の三つの様式を出したのがJ.S.ブルーナーである。まずは，手足を使って操作して知る（行動的把握）。次に，感覚器官,特に視覚でイメージとして知る(映像的把握)。そして，記号で知る（記号的把握）。この三つの認識様式は上記の順で発現するが，同時にどの年齢においてもこの三つの認識様式が積み重なって認識が成立するとした。この考え方が，カリキュラムにスパイラルという系統性を生み出し，幼い子どもでも自身の認識様式によれば，科学者がなすのと本質においては同じ認識が可能となるという有名なブルーナーの仮説が提出された。

このような説に立つと，〔共通事項〕についても三つの認識様式を考慮した教え方ができる。例えば旋律を指導する場合，旋律線の上昇や下降が生み出すエネルギーを，実際に身体を動かして認識する活動がくる。次に，動いたり，歌ったり，楽器で弾いたりした旋律の動きを，黒板に線で書いて上昇下降を目で確認する活動がくる。そして，楽譜を見て記号で確認する活動がくる。これら三つの認識様式の結合を考慮することはどの学年においても必要であるが，三つの認識様式のどこに重点を置くかは発達段階に応じて異なってくる。

▶ 音楽的発達の特性

【低学年】 規則的に打つ拍や，反復されるリズムパターンなどが生み出す音楽のリズム感を楽しんで音楽に関わる。また，音そのものへの興味が強く，同じ楽器でも叩く場所による音色の変化に反応できる子どももいる。いろいろなものを鳴らしては，主に擬音語や擬態語で直接的に反応をする。自発的な音楽行動では，まだ表現媒体が未分化であるので，音楽が体の動きや言葉と結び付いて出てくる。音楽を聴くと自然に体を揺らしたり，動かしたりする。ただし，音楽に合わせて拍を保持することは容易ではない。また，日本語の抑揚に沿ったわらべうたは歌うことができるが，歌唱についてはまだ音域が狭く，教科書にあるような歌の音程が取りづらい子どもも見られる。

身体や言葉を使ってわらべうたで遊ぶ環境は失われ，生活の中にある言葉の抑揚やリズム，動作のリズムといった音楽的な萌芽を育てる機会は貧しくなっている。テレビからの音楽を聴いて模倣し再現するというような，狭い音楽環境にある。

【中学年】 音を鳴らす行為から鳴らされた音を分離し客観的に捉えられるようになるので，音が何かを表せるという可能性に気付く。事象の時間的な認識も可能となり，音楽における時間的な変化の醸し出す雰囲気を豊かなイメージをもって感受できるようになる。音楽のかたちについては，音の高低を認識できるようになり，音楽の線的な動き，すなわち旋律に関心をもつ。音楽の動きを線などで紙に記すこともできるようになり，楽譜の存在意義も理解される。

音を実際に操作すれば因果関係が分かるようになるので，強弱や速度を変えて表現効果を試すなど，表現を工夫することに関心が出てくる。

生活では，テレビのアニメやドラマの主題歌，J-POPになじみ，ピアノを習っている子どもはクラシックにも関心をもち始める。学校での給食時間でも放送委員会がJ-POPを流すところもあり，商業音楽が浸透してくる。

【高学年】 楽曲の全体的な構造が把握できるようになり，曲全体の構造が醸し出す雰囲気や形式に関心がいくようになる。同時に部分間の関連性にも注意がいき，旋律と旋律の重なり方や和音・和声にも関心をもつ。

内容的には，感情を抽象化できるようになり，音楽でフィーリングや感情を表現しようとするようになる。特に思春期を迎え，自分の内的な葛藤やあこがれなどを表現したいという欲求をもつようになる。そして，観察力の成長に伴い，細部にわたる表現の工夫が気になり，人に伝わるようにしたいと思うようになる。

生活では，テレビからの影響が強く，好きなアーティストができ，好みが細分化されてくる。自分のこだわりが出てくることで，自然音や日本の伝統音楽など，普段自分の耳にしていない音楽に対して自発的に聴こうという態度がもちにくくなる。

▶ 学年に応じた音楽学習

小学校学習指導要領（音楽）は，低学年，中学年，高学年という区分で学習内容を示しており，基本的には，同じ学習内容をめぐって拡充・深化していくというスパイラル型をとっている。したがって低学年ではリズムを，中学年では旋律をという扱いをするのではなく，すべての学年で音色，リズム，速度，旋律などの音楽的要素を学習する。そのうえで，音楽的発達の観点より，低学年ではリズム，中学年では旋律，高学年では和声を含む音の縦と横との関係（テクスチュア）に重点を置いた学習が中心になると考えられる。

【低学年】 範唱や範奏を耳で聴いて模倣することが中心となる。自己中心性があるので，みんなで歌うときも自分勝手に歌ったり，ただ感情の発散をしたりという面も見られる。指導者は，児童の表現を否定的に排除するのではなく，きちんと受け止めたうえで，音を聴く状況，音と向かい合う状況を設定する。交互唱などで音のコミュニケーションの場面をつくってやれば，伝えたい気持ちとともに歌い方が変わる。斉唱でも丸くなったり，2列になったりして隊形を変えるなど，声を聴き合うのに有効な場面設定が工夫できる。曲想を話し合ったり，絵に描いたりしてイメージ形成を図ることも歌い方を考えるうえで重要である。

低学年では，あらかじめ「こうしたい」と表現意図をもって歌うということはまだないので，実際に歌ってみて，聴いてみて，自分の考えや感じをもてるようにする。それらは言葉で言うことは難しいが，絵や身体の動きで補完しながら人に伝えるよう試みさせ，本人が意識できるように促す。

【中学年】 音の組合せを工夫する学習が中心となってくる。歌唱や器楽では，主旋律に「副次的な旋律」という音の高さやリズムが違う旋律を合わせる活動を入れる。音楽づくりでも，低学年でいろいろ探った素材としての音を，今度は組み合わせるところに自分らしい発想を出すことを求める。

また，「もう少し遅くしたら落ち着いた感じが出せるようになるかな」というように，因果関係を意識させて，曲想や表現したいイメージにふさわしい表現を自分で工夫できるようにする。

鑑賞では，楽曲の時間的な変化を追って，曲想の変化するところを感じ取ることが期待される。感じの違いとそれを生み出している楽曲の構造の違いを関わらせるところに学習のねらいを置く。

【高学年】 自我が意識され，音楽的嗜好も出てくる。自分の表現を大事にする姿勢が強くなるが，一方で，演奏を聴いてよさや美しさを判断する力が身に付いてくるので，自分たちの演奏を客観的に見ても満足がいくようにしたいと思う。そのために，つくる音楽のかたちやそれに至る方法を考えることができる。そこに作詞者及び作曲者の意図を考える学習も有効に働く。集団における自分の役割を考えさせ，みんなで協働してつくり上げることは仲間づくりにも働く。

そういった活動を通して，音楽における音の重なり方を縦，時間的な流れを横と考え，音楽を縦と横との関係から聴き取り，その働きを感じ取る指導をする。縦と横との関係を楽譜で確認すれば，感覚的な把握を確実にすることができる。

また，音楽的嗜好の形成期なので，世界には多様な音楽があることや，同じ音楽でも人によっていろいろな感じ方があるという点から，広がりのある学習を考える必要がある。なお，歌唱では変声期への配慮が必要となる。無理に大声で歌わせたりせず，音域を考慮し，歌いやすい活動を配慮する。教材曲に歌いやすいパートを編曲して加えることも考えられる。

（小島律子）

2 教材研究の視点

▶ 教材研究の進め方

学習指導計画や授業実践に際して，教師は取り扱う教材を事前に熟知しておくことが必要である。授業を展開する可能性は，その教材に対して教師がどれだけ多くの〈引き出し〉をもっているかに左右される。これは，楽曲による題材構成，主題による題材構成，児童が教材を選択するような学習活動のいずれにも共通することである。

(1) 楽曲の音楽的特徴・構成を捉える

授業において，どのような音楽的感覚や能力を子どもから引き出すかを構想･計画するためには，教材として取り上げる楽曲の音楽的な特徴を理解することが重要である。

具体的には，曲想・歌詞の内容，リズム・速度・拍子，旋律・フレーズ，調性・音階，和音・和声，音の重なり（テクスチュア）などの要素，形式・段落・反復・変化などの構成といった〔共通事項〕に示されている内容との関連を把握する必要がある。さらに，楽器編成，必要とされる技能や知識などの分析的な視点から楽曲を捉え，どの側面に重点をおいた学習指導の展開が，その教材で児童の実態に応じて可能であるかを考察・検討する。

以上を踏まえた上で，〈題材〉との関連，児童の実態などを考慮し，その教材を通じて〈何を〉〈どのように〉学習するのがふさわしいかを検討し，学習指導案を作成する。

(2) 楽曲の背景を理解する

作曲者，作詞者に関することも含め，その曲がどのような時代背景や状況でつくられ，どのように社会や人々に受け入れられてきたかを理解する。すなわち楽曲のもつ文化的・芸術的・歴史的・地域的・教育的な価値を，教師自身が十分に認識することが必要である。教育的価値のみならず，〈文化財〉としての価値を理解していなければ，教材は練習曲のような無味乾燥なものになってしまう。楽曲の価値を教師自身が明確に意識するためにも，教材研究は重要な意味をもつのである。

(3) 表現の工夫の可能性を考える

表現領域に関する教材では，その楽曲がどのような〈表現の工夫〉の可能性を有しているかを検討しておく必要がある。具体的には，①テンポの設定や緩急（アゴーギク），②強弱の構成（ダイナミクス），③まとまりや構成（フレージング），④音の長短やことばの発音（アーティキュレーション），⑤音色や楽器編成の工夫（オーケストレーション），などの視点から表現の可能性を十分に把握する。音楽的表現の多様性にまで学習を深め，子どもが自ら感じ取り，工夫できるような学習が求められる。

(4) 児童の実態から課題を検討する

児童が何に興味をもち，どのような知識や技術を既に習得し，新たにどのような学習が必要なのか，個々の実情によって学習指導計画は異なる。教師用指導書に掲載されている学習指導案どおりに，必ずしも授業が展開できるものではない。子どもの実情をよく理解し，どの部分に学習の困難が生じ，その解決にどのような手だてが必要かという，児童理解に基づいた教材研究が学習指導計画の作成には不可欠なのである。

▶ 各学習活動に応じた教材研究の留意点

(1) 歌唱教材研究の留意点

歌唱教材に関しては，歌詞の意味や解釈についての理解が必要である。歌詞には，文語，方言，外国語など子どもには難しい語句が使われていることも多く，分かりやすく伝えるための工夫が必要である。歌詞の解釈も，いくつかの可能性を検討しておく必要がある。共通教材には現代の生活では実感しにくい歌詞，合唱曲では行間を読むような深い解釈が必要な詩もあり，子どもたちが曲の詩情や世界観に共感をもてるようなアプローチを考えたい。歌詞の構成(まとまりや反復)の理解は，フレージングやブレスなどに，ことばの発音はアーティキュレーションや表情などにもつながる視点である。歌いにくい音程やリズムなど，技術的側面も，授業計画に反映させる必要がある。

(2) 器楽教材研究の留意点

器楽では，楽器固有の演奏技能の側面に注意し，子どもの実情に応じた各楽器の課題を明確にする必要がある。リコーダーの運指やタンギング，打楽器の奏法やリズム型，鍵盤楽器の基本奏法などから，その楽曲を演奏するために何を学習する必要があるか，どのような手だてと時間が必要か，といった学習の見通しを立てる。さらに，演奏困難な箇所，予備練習の必要性，学習進度の違いなどを考慮して計画に生かす。また，読譜に関する知識や説明などにも留意しなければならない。同一曲で複数の編曲を比較検討することや，可能であれば部分的に実情に応じた編曲をすることも，器楽教材研究においては重要である。

(3) 鑑賞教材研究の留意点

鑑賞に当たっては，複数の視聴覚教材を入手して比較検討することが望ましい。演奏者や楽曲解釈によって，同一楽曲でも様々な音源や映像があり，その選択によって児童の鑑賞時の興味や集中力も変化する。演奏場面の映像は，楽器の奏法や編成の理解に結び付くので可能であれば準備する。聴くことに集中する場合には，映像を意図的に提示しないことも可能である。さらに，異なる解釈・編成・編曲などを比較鑑賞へ発展させることや，表現活動との関連を検討することも重要である。楽曲の構成を示したグラフィックな楽譜(絵譜・図形楽譜)，譜例やスコア，作曲家や楽器に関する資料などのプリントや学習カードなど，補助的な資料の作成も有効である。

(4) 音楽づくりに関連する教材研究

音楽づくりでは，既存の楽曲が中心的な教材になるとは限らない。学習の各段階でどのような素材・活動・楽曲を提示するかを整理し，活動の見通しを立てることが重要である。取り上げる表現技法，使用する音素材や楽器など，関連のある鑑賞教材の検討も必要である。何よりも教師自身が実際に，その活動を体験するということが，音楽づくりでは不可欠である。

いずれの学習活動においても，より充実した教材研究を行うためには，普段から多様な音楽に接して自らの音楽的感性と視野を広げ，音楽の構造や背景などの理解を深め，音源や楽譜などを収集しておくことが重要である。

▶ 教材研究の演習

広く小学校で歌われている「ドレミの歌」を例に，個人やグループで教材研究を演習してみよう。

この曲は，ミュージカル「サウンド・オブ・ミュージック」のナンバーのひとつである(p.101参照)。1965年に公開された映画版は，アカデミー賞を主要5部門で受賞し，最も有名なミュージカル作品のひとつとして知られている。日本でも広く愛唱されており，子どもたちはこの曲を通じて「ドレミ」を覚えるといっても過言ではない。この曲は，歌唱以外にも，様々な展開の可能性を有している。例えば，〈器楽教材〉としてベル，チャイム，リコーダーなどの演奏を加えたり，〈鑑賞教材〉として表現との関連を図ったりすることもできる。また，音階に関する理論の学習への展開も可能である。

課題

- 「ドレミの歌」の楽譜及び音源を複数探して比較し，それぞれの特徴と長所を考察しよう。
- 階名を覚えるために，工夫されている点はどこか，歌詞と音楽的構成の両面から考察しよう。
- 英語の原詞と日本語の訳詞を比較してみよう。
- 子どもが歌いにくい部分はどこか，検討しよう。
- ミュージカルの場面を視聴し，歌唱方法や演出を参考に，表現の工夫を考えよう。
- どのような楽器で，どの部分を，どのように演奏できるかを考え，実際に試してみよう。
- 「サウンド・オブ・ミュージック」と「ミュージカル」について調べよう。
- ドレミが，いつどこで生まれ発展したか(起源と歴史)，〈階名〉と〈音名〉の違いは何か，移動ド唱法と固定ド唱法とは何か調べてみよう。
- 教科書などで，「ドレミの歌」がどのように取り上げられているかを調べて比較しよう。
- どのような題材でこの曲を教材として活用できるか，それは何学年に適しているかを検討しよう。
- 題材の可能性から一つを選び，学年を設定し，関連教材を検討して学習指導案を作成しよう。

(中地雅之)

第1章　主体的・対話的で深い学び

1　概要と意義

「主体的・対話的で深い学び」とは

「主体的・対話的で深い学び」は今回の学習指導要領で登場した重要なキーワードである。これは，子どもたちが学習内容を人生や社会の在り方と結び付けて深く理解し，これからの時代に求められる資質・能力を身に付け，生涯にわたって能動的に学び続けることができるようにするため，教科等を越えて共有していく授業改善の視点であるとともに，教科の特質に応じて実現されるべき学びの本質でもある。

学習指導要領に登場した背景

平成26年11月，新しい時代にふさわしい学習指導要領などの在り方について諮問する中で，文部科学大臣は，これからの厳しい時代を見据え，次のような視点の重要性に触れている。

> ある事柄に関する知識の伝達だけに偏らず，学ぶことと社会とのつながりをより意識した教育を行い，子供たちがそうした教育のプロセスを通じて，基礎的な知識・技能を習得するとともに，実社会や実生活の中でそれらを活用しながら，自ら課題を発見し，その解決に向けて主体的・協働的に探究し，学びの成果等を表現し，更に実践に生かしていけるようにすること

そして，具体的に，以下のような提案がなされた。

> そのために必要な力を子供たちに育むためには，「何を教えるか」という知識の質や量の改善はもちろんのこと，「どのように学ぶか」という，学びの質や深まりを重視することが必要であり，課題の発見と解決に向けて主体的・協働的に学ぶ学習（いわゆる「アクティブ・ラーニング」）や，そのための指導の方法等を充実させていく必要があります。

つまり，新しい時代に求められる資質・能力を子どもたち一人一人に確実に育めるよう，「何を教えるか」という指導内容だけではなく，「どのように学ぶか」というプロセスが重視され，指導過程・指導方法の改善が求められたのである。

これを受け，平成28年12月に出された中央教育審議会答申では，資質・能力の育成を目指して「どのように学ぶか」に関わって，優れた教育実践に普遍的に見られる「主体的な学び」「対話的な学び」「深い学び」を位置付け（下図），次のような「学びの姿」としてその視点を示した。

> ①学ぶことに興味や関心を持ち，自己のキャリア形成の方向性と関連付けながら，見通しをもって粘り強く取り組み，自己の学習活動を振り返って次につなげる「主体的な学び」が実現できているか。
> ②子供同士の協働，教職員や地域の人との対話，先哲の考え方を手掛かりに考えること等を通じ，自己の考えを広げ深める「対話的な学び」が実現できているか。
> ③習得・活用・探究という学びの過程の中で，各教科等の特質に応じた「見方・考え方」を働かせながら，知識を相互に関連付けてより深く理解したり，情報を精査して考えを形成したり，問題を見いだして解決策を考えたり，思いや考えを基に創造したりすることに向かう「深い学び」が実現できているか。

主体的・対話的で深い学び（「アクティブ・ラーニング」）の視点からの学習過程の改善

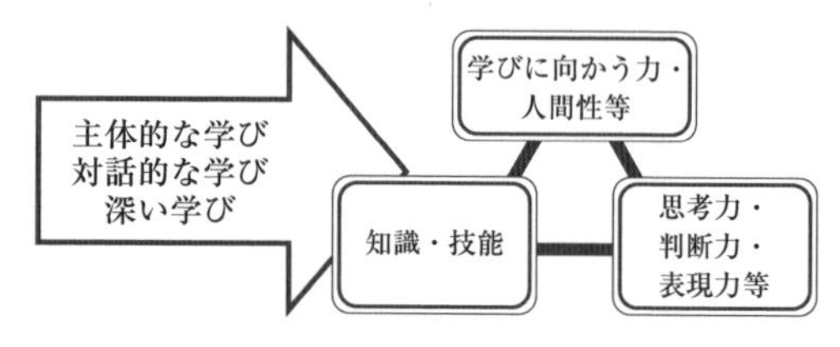

図　どのように学ぶか

中央教育審議会答申補足資料「学習指導要領改訂の方向性」より（平成28年12月）

この答申を踏まえ，平成29年3月に告示された小学校学習指導要領では，「主体的・対話的で深い学び」の実現に向けた授業改善の推進が改訂の基本方針の一つとされた。以下は，そこで示された留意点の概要である。

・これまでの実践を否定して全く異なる指導方法を導入しなければならないと捉える必要はない。
・授業の方法や技術の改善のみを意図するものではなく，目指す資質・能力を育むためのものである。
・通常行われている学習活動の質を向上させることを主眼とするものである。
・必ずしも1単位時間の授業の中ですべてが実現されるのではなく，単元や題材など内容や時間のまとまりの中で実現を図っていくものである。
・各教科などの特質に応じた物事を捉える視点や考え方（「見方・考え方」）を働かせることが学びの深まりの鍵となる。
・基礎的・基本的な知識及び技能の確実な習得を重視する。

▶ 音楽科における三つの視点と授業実践

最初に述べたように，この視点は教科等を越えて共有していく授業改善の視点である。しかし，同時に，各教科には固有の学びが存在し，その教科ならではの「見方・考え方」を働かせて子どもたちが学習対象に向き合って深く学べたときに，はじめて質の高い学習が成立する。言い換えれば，どんなに子どもたちが活動的で多くの発言をしたとしても，音楽的な見方・考え方を働かせていない音楽科の授業では「深い学び」は成立しない。「音楽に対する感性を働かせ，音や音楽を，音楽を形づくっている要素とその働きの視点で捉え，自己のイメージや感情，生活や文化などと関連付ける」，すなわち，音楽的な見方・考え方を働かせる学習過程だからこそ，「主体的・対話的な学び」が「深い学び」になることができる。三つの学びの視点を相互に関わらせ，学習内容の本質に迫り，学習が深まった子どもの姿の具体を想定し，題材や授業の計画をすることが求められるのである。

それでは，音楽科での「主体的・対話的で深い学び」を実現するにはどうすればよいだろう。例えば，この題材で付けるべき資質・能力（目標）や学ぶ対象（内容）を定めたら，①知っていること，これまでに学んだことと関連付けながら，②子どもの心が動きだすような課題を設定し，子どもたちの心に「学びの火種」を植え付ける工夫を考えてみよう。そこを原動力としながら，③子どもたちが学びの過程を見通し，振り返りを生かして自ら学びを創り出すプロセスを構想する。お互いの演奏を聴き合ったり拍手したりすることも含め，④音楽科ならではの対話や協働，多様な学習活動，発問を工夫し，⑤〔共通事項〕などを手がかりに試行錯誤しながら思考・判断，表現し，⑥音楽の本質に迫るような学習活動を目指したい。

音楽科の学習指導要領では，「指導計画の作成と内容の取扱い」で次のように示されている。

> 題材など内容や時間のまとまりを見通して，その中で育む資質・能力の育成に向けて，児童の主体的・対話的で深い学びの実現を図るようにすること。その際，音楽的な見方・考え方を働かせ，他者と協働しながら，音楽表現を生み出したり音楽を聴いてそのよさなどを見いだしたりするなど，思考，判断し，表現する一連の過程を大切にした学習の充実を図ること。

▶ 授業改善の視点をもつことの意義

子どもたちの「学びの質」を変えることができるのは授業者である教師である。授業改善の視点は授業構想の視点でもある。①学習内容の深さ（教材研究），②学習へのアプローチの深さ（発問・指導の工夫・多様な学習活動の組み立て），③その内容への子どもたちの関わり方の深さ（夢中になって学習に取り組む姿）という三点を意識しながら，子どもたちが「どのように学ぶか」，教師の側から言えば，授業を改善するための視点，授業を設計するための視点を身に付けよう。一人一人の学びを捉え，子どもを見る教師のまなざしを鍛えることによって，「教えたいこと」が「学びたいこと」になり，「学びの質」を高めることができる。

（権藤敦子）

2 ｜実践との関わり

音楽活動は本来，主体的・対話的なものであるといえよう。自ら声や音を出し，感性を育み合いながら，自己や他者の心と深く関わる活動であるからだ。その特性を生かした**音楽科ならではの活動を仕組み**，子どもたちが互いの思いを伝え合いながら表現を紡ぐとき，様々な会話が弾み，生き生きとした表情が引き出され，活動はどんどん活気に満ち溢れていく。本稿では実践例から，主体的・対話的で深い学びを実現する具体的な活動について提案したい。

▶ 音楽科の実践例 題材名　私たちの海のオノマトペ（4年生）

●題材の概要

海に関するオノマトペを活用した音楽づくりの事例である。実践校は日本海を教室の窓から臨み，海は子どもたちにとって身近な存在である。また，オノマトペは誰でも簡単に唱えられる楽しい声の表現であり，自分が伝えたい思いや情景を表しやすい方法でもある。音楽づくりの過程では，仲間とアイデアを出し合い，自分たちの音楽を意味付けしながら表現を高めていく。なお，総合的な学習や図画工作科との関連も図っている。

●活動の流れ（抜粋）

・総合的な学習の時間に海に出かけ，浜辺での体験などを経て，海への思いを広げる。さらに図画工作科において，自分たちが伝えたい海をグループごとに大きな絵に描く。絵の協働制作を通じ，つくりたい音楽のイメージを共有する。
・音楽づくりに生かせるように，子どもたちが制作した絵や，総合的な学習の時間に海に訪れた際の子どもたちの活動写真を掲示しておく。
・鑑賞曲や友達のグループの発表からヒントを得て，自分たちの音楽を高めていく。
・図形楽譜の作成によって仲間と表現を共有する。思いや意図を言葉で伝え合いながら協働して楽譜に書き込み，自分たちがつくる音楽の意味付けをする。グループごとに図形楽譜を書き込みながら音楽を作り，考えを共有する。繰り返し書き換えられるよう，ラミネート加工した楽譜と水性ペンを使用する。
・グループごとに発表し，感想，意見を交換する。指摘を得て作品の改善に取り組み，グループごとの最終発表を行う。

楽譜に書き込みながら対話を重ねる

この題材では，子どもたちにとって身近な海をテーマにすることで**作品づくりへの思いを深め，子どもたち自身が手軽に楽しく取り組める表現手段**を選択している。また，**絵を協働制作したり，発表・意見交換したりする場**を多く設け，それらを経て**作品を一層深めていく**など，前項で示された主体的・対話的で深い学びの意義に基づいた活動が諸所に設けられていることに気付くだろう。

さらに，実際に海へ行き，絵や写真を掲示するなどしてイメージを膨らませ，子どもたちの主体性を喚起したり，対話・試行錯誤しながら考えを深められるようにラミネート加工の楽譜を用いたりするなど，**主体的・対話的で深い学びを活性化・支援するための手だて**が工夫されていることも分かる。

▶ 学校行事における実践例

筆者が勤める上越教育大学には，40年以上にわたり「全校音楽集会」の取組を続けている附属小学校がある。子どもたちによって企画・運営されるこの集会では，学級ごとにダンスパフォーマンスを披露し，発表者も観客も一体になって楽しむ。各学級が表現したいメッセージをもち，協働して振付を考え，対話しながら表現を磨き上げて発表し，学年を超えて交流する。この一連の活動は，主体的・対話的で深い学びの先進的な一例といえるだろう。

学級ごとのダンスパフォーマンスの様子

また，この活動で起こる問題やその解決過程は，主体的・対話的で深い学びの実践に当たってのヒントになる。例えばある学級では，持ち寄られた複数の振付案の中から一人のアイデアに絞らざるをえない状況が生じた。子どもたちは「○○さんのアイデアだけが採用されて，自分の案は使われなかった。それならなぜ自分が案を出す必要があったのか」と葛藤したが，その後の対話を経て「みんなが意見を出し合うからこそ，より良いものを選ぶことができ，全体の向上につながる」と気付きを得られた。これは音楽的な学びに留まらず，心の成長に大きく関わる経験であった。**主体的・対話的で深い学びを適切に実践することは，人間性の育成にも深く寄与するのである。**

さらに，同学級では集会当日の成功で活動を終えるのではなく，その成果や準備過程での反省を話し合う時間を設けた。良かったこと・惜しかったこと，改善すべきことなどを振り返り，整理することで，子どもたちの主体的・対話的な活動を価値付けし，次の活動への意欲につないだのである。音楽は時間芸術であり，その場で消えてしまうものであるが，このように**活動を振り返ったり，言語化したりすることで，音楽経験を深い学びにつなぐことができるだろう。**

子どもたちの思いを項目ごとに整理した板書

▶「主体的・対話的で深い学び」実践の留意点

○伝え合いによる思考・表現の深化

主体的・対話的で深い学びを図る授業においては，伝え合いや教え合いの場面がしばしば設けられ，子どもたちはそこで「どうすればより相手に伝わるか」という視点から自分の考えを整理することになる。このプロセスにおいて，**考えがより深まり，そこから生まれる表現も一層質の高いものになる**のである。

○基礎的な知識・技能の重要性

子どもたちが主体性をもち，対話によって学びを深めていくためには，「音楽が好きだ」「自分で考え，表現することが楽しい」という**意欲や自信が必要不可欠となる。**それを育むのは，常時活動や日々の学習で積み重ねられる「楽しかった！」という経験である。また，基礎的な知識・技能が定着していることが，そのような活動を支える重要な要素となるのである。

○体を動かす活動

体を動かす活動も，主体的・対話的で深い学びの一助となる。**体を動かすことで，子どもたちは音楽を聞き流すことなく，注意深く聴き，自ら主体的に音楽と関わることに意識を向けるようになる**からだ。また，他人と触れ合ったり，他者の動きを手がかりに自分の動きを広げたりするなど，非言語的なコミュニケーションを通じた他者との学び合いを実現することも容易になる。

○多様な表現への理解

また，興味・関心を抱く表現方法，心が動かされる場面，深い学びを得るきっかけは，個々の子どもによって異なる。表現における「見方・考え方」に幅をもたせることで，多岐にわたる興味・関心に応えた授業づくりができ，子どもたちの多様な表現への理解ができる。そのため**教師自身も，アート，文学など多彩なジャンルから見識を深め，表現の発想を得ることに日頃から努めたい。**

（時得紀子）

【参考文献】
第 57 回関東音楽教育研究会新潟大会　上越市立国府小学校 4 年生「国府の海のオノマトペ」2015 年

第2章 歌唱の学習と指導

1 「歌唱」の意義と留意点

はじめに

音楽の授業の中で「歌唱」は最も広く一般的に行われている活動である。しかし，「歌唱」は現在学校の現場では様々な問題を抱えている。授業で歌わない児童や生徒がいるケースは少なくない。さらに，教師による「歌唱」指導によって「音楽授業嫌い」を生み出していることも否定できない。

人間にとって「歌」とは生活の一部であり，生きるための糧であるはずである。そうでなければ，大昔から今日まで歌は受け継がれることもなく，ライブ演奏やネット配信による今日の繁盛もなかったであろう。しかし，音楽が大好きであっても音楽の授業は嫌いという児童・生徒にとっては，学校の「歌唱」は苦痛でしかない。以上を踏まえ，本稿では，教師と児童が歌を歌う喜びや音楽する意義を共有できることを目指した歌唱指導のあり方について概説する。

歌唱指導に不可欠なスキル

歌唱指導において最も大切なことは「何を」「どのように」歌うか，歌わせるかではなく，「なぜ」「いま」「ここで」歌わなければならないのか，教師と児童の双方において共有されていることである。歌を歌うにはその理由が必ずある。なぜこの曲をこの先生と一緒に歌うのかが児童たちに納得されていなければその授業は実りのあるものになるとは言い難い。この前提があって初めて学習指導要領が意味をなし，指導が効果をあげる。以下述べる歌唱指導のスキルは「僕たちが歌う理由(わけ)」が確認できていることが前提となる。

(1) 範唱の能力と階名の理解

教師は模範歌唱を行い，階名（移動ド）で曲を歌えることが必要である。特に低学年の児童は，教師の範唱によって歌を覚えていくケースがほとんどであり，範唱によって児童の歌唱のクオリティが決定されるといっても過言ではない。また，授業では単に歌うだけでなく，歌唱を通して音楽の構造と機能を学ばせることが求められており，その方法として，学習指導要領に記載された「階名で曲を歌えること」が不可欠である。なお，階名唱とは「移動ド」「固定ド」に関わらず「ドレミ」で歌うことではない。「階名唱」はすなわち「移動ド唱法」である。

(2) 発声指導の能力

学習指導要領では「自分の歌声及び発音に気を付けて歌うこと」「呼吸及び発音の仕方に気を付けて，自然で無理のない，響きのある歌い方で歌うこと」が求められている。教師は，呼吸法，児童に自然で無理のない声の出し方，声に響きをつける方法，発音の仕方について指導できることが必要である。また，「変声期の児童に対して適切に配慮すること」より，児童の変声についての知識及び対処の仕方を知らなければならない。

(3) 音程やリズムを揃えて合唱させる能力

教師は，児童に正確な音程とリズム伴奏や自分の歌うパート以外を聴きながら歌わせることが求められている。そのためには，教師自身が伴奏や他声部を聴きながら正確な音程とリズムで歌うことができなければならない。そして，児童が誤って歌ったり，声を合わせることができないときに適切な注意や指導ができることが必要である。世界共通のハンドサインを用いた階名唱による指導は，きわめて有効な方法である。

(4) 教材の楽曲を分析し，説明できる能力

教師は教える曲それぞれの「音楽を形づくっている要素」すなわち「音色，リズム，速度，旋律，強弱，音の重なり，和音の響き，音階，調，拍，フレーズなど」及び「反復，呼びかけとこたえ，変化，音楽の縦と横の関係」などの「音楽の仕組み」について理解し，かつ児童に説明できることが必要である。

(5) 伴奏の技術

伴奏は，教師が授業をスムーズに展開させるためにもぜひ身に付けておかなければならない技術であろう。その際必ずしもピアノ伴奏である必要はなく，ピアノが不得手な人は，ギター，電子ピアノ，アコーディオン，その他様々な楽器を使用してもよい。

▶ 歌唱指導のポイント

(1) 児童のモチベーションを上げる

歌を歌うことは，何かを表現する意思や意欲がないと成立しない意図的な活動である。教師は単に「歌いましょう」と呼びかけるだけではなく，「なぜ歌うのか」その理由を言葉と行動で十分に示してから指導を行うべきである。また，歌う雰囲気を教師自身が前もって作っておくことが必要とされる。何よりも教師自身が歌う気持ちをもっていることが重要であろう。

(2) 「大きい声」を要求しない

教師がよく使う言葉に「大きな声でうたいましょう」というのがある。指導語としては一見当たり前のようなことであるが，これは決して児童のためではなく，児童が声を出すことで教師自身が安心したいために発する言葉である。児童にとっては，歌詞や声の響きを味わうことや，心を合わせて歌うことよりも音量を大きくすることが何よりも重要であると受け取る可能性がある。歌唱指導で重要なのは物理的に「大きな声」が出ていることではなく，たとえ音量が小さくても，児童の心が開かれ，歌うことに没頭するような環境を教師が整えていくことである。

(3) 声を合わせて歌うための基本技術を身に付ける

児童の声が合わず，バラバラになってしまうことがないよう，声を合わすための基本技術が必要である。教師が歌う前に歌いだしの音やリズムを示さずにいきなり歌わせたり，児童の顔を見ないで下を向いていると，児童は声を合わせたり，お互いに聴き合おうとする気持ちが生まれない。教師は，歌うときに最初の出だしの音をハミングなどで確認した後，手拍子か口頭でテンポを示すことは最低限する必要があろう。また，児童が歌っている間，教師自身は歌わずによく聴きながら指揮をすることが重要である。

(4) 児童にポジティブな評価をしよう

児童の歌唱意欲が低く，授業が活性化しない一つの原因として，教師による評価が不十分である場合がある。無評価，否定的な評価などは，児童の歌唱の意欲を減衰させる。また，「よかったです」「よくできました」などという通り一遍の評価は，授業の中で何回も使用されると，詳細なところまで評価しているのかどうか疑問に感じるようになり，児童の信頼は減少してしまう。評価を与えるタイミングとしては，できるだけ歌った後，あるいは同時進行で行うことが効果的である。

(5) 表情や表現の工夫に重点を置きすぎず，曲に共感を呼び起こし，シンプルに「歌うよろこび」を追求しよう

歌唱指導の授業でよく見られるのが，過度な「表現の工夫」の指導である。クラスをグループに分けて，教材をどのように表現するか話し合い，それぞれに演奏発表させるという授業は現在最もポピュラーなパターンである。しかし，いかに細かく強弱やレガートなどの工夫を考えさせても教材曲そのものへの共感や児童一人一人の歌う喜びが見られなければ，何のための工夫なのか，その根本的な意義を失ってしまう。表現や表情の付け方については，教材曲に親しむ過程で自然に湧き上がってくるものであり，何度も繰り返して歌うことによってはじめて可能になってくる。歌唱経験が少ない児童にとっては，むしろ教師の表現や表情に合わせることのほうが容易であり，表現や表情を無理矢理こじつけるよりもはるかに楽しく歌えるはずである。教師は表現や表情の工夫を児童に問いかける前に，児童が教材曲にどれくらいの愛着をもっているかを確認し，自然に表現する欲求が出てくることを見届けてほしい。

▶ おわりに

教師は，歌を歌う喜びの原点を忘れることなく，児童と共同で音楽をつくりあげているという気持ちを忘れずに指導に臨む必要があるだろう。音楽教師は音楽学習のプロフェッショナルであることを自覚して取り組むことが重要である。

（小川昌文）

2 | 発声とその指導

▶ 声の仕組みと発声

(1)「自然で無理のない歌い方」とは

歌唱指導において，平成元年告示の学習指導要領までは**頭声的発声**による発声指導が求められていた。しかし，頭声的発声を特定の発声法と受け止めて指導することも見られたため，平成10年の改訂以降，その語は用いられなくなり，**自然で無理のない歌い方**という文言に改められた。ここでいう「自然で」ということは，児童一人一人の声の持ち味を生かしながら，曲想に合った歌い方を児童自身が工夫していくということを意味しているのであり，一人一人の個性を生かし，主体的な学習活動に取り組んでいけるように，との観点から発声指導を見直した結果だといえよう。

とはいえ，子どもがどのような声で歌っていても放任してよいということでは決してない。「無理のない歌い方」という文言の意図は，高い音域を表声（普段話しているときに使う声）のまま無理に出そうとして，喉に負担がかかるような歌い方をするのではなく，ある音域以上は**上の軽い声**（**裏声**や**頭声**などと呼ばれる）を用いて歌うことを指しているのであり，そのための指導が不可欠となるのである。このとき，まず児童が自分の声の特徴に気付き，また友達など他の人の声や歌に意識を向けるような指導を心がけたい。

(2) 声の仕組みを知ろう

1点ハの4度下のト音のあたりから表声で歌い始め，次第に高い音域に上がっていくと，途中で声が裏返ったり，表声のままでは喉が締まって声を出しづらくなったりする音域があることに気付くだろう。これより上は表声で出すには無理があるので，上の軽い声で歌う必要がある。このように，いわば「声のギアチェンジ」（これを**換声**と呼ぶ）が不可欠であり，それにより無理なく高い音域を歌うことができるのである。子どもの場合，1点ヘ～1点イあたりで上の軽い声に変わる場合が多い。なお，この声の変わり目を**換声点**という。

動物の鳴き声や風の音など，イメージをきっかけにして上の軽い声を出すといった指導が有効であるが，そのときの感覚や声の音色を，児童にしっかりと感じ取らせることが肝要である。そして何よりも教師の歌が発声の手本であり，そういう自覚をもって歌の技術を磨くことも大切である。

▶ 姿勢，呼吸

歌声をつくるうえで土台となるのが姿勢と呼吸である。それゆえ教師は，もちろん姿勢や呼吸，そして発声に関する正しい知識をもっていなければならないが，それ自体が学習の目的となっては本末転倒である。

また，姿勢についての指導が過剰になると，特に低学年の子どもの場合，身体が硬直し，円滑な発声が妨げられる恐れもある。身体に緊張が感じられるようならば，適度に身体を動かしながら歌うことも効果的であろう。子どもにとって，歌いながら身体が動くのは，ごく自然なことなのである。ただし，動きすぎて歌うこと自体への意識がおろそかになり，声が粗雑にならないよう注意が必要である。いずれにしても，見た目に自然で美しい姿勢が，よい声を生み出すことを念頭に置きたい。

呼吸の指導では**腹式呼吸**という言葉がよく用いられるが，お腹を動かすことや力を入れることばかりを意識しすぎると，かえって不自然な呼吸になりかねない。身体の力を抜いた状態で息を吐き切り，音を立てないように静かに口と鼻から吸うと，自然とお腹が膨らむことが分かるだろう。このように身体がリラックスして，自然に腹式呼吸になっている状態を感じ取ることができるようにしたい（息を吸う方から始めると身体に力が入ることがあるので，息を吐く方から練習するとよいだろう）。

なお，よく耳にする「口を大きく開けて」という指導は，発声面でも口の開けすぎが頭部共鳴を損ねることになるばかりか，顎関節症を引き起こしかねないので，安易に口にすべきではない。口の前面を開けることよりも，口の中や喉を開くことが重要である。

▶ 学年に応じた発声指導

低・中学年では，換声がなめらかにできず声の変わり目が目立ったり，上の軽い声がなかなか響きのある声にならなかったりというケースが少なくない。しかし，焦って低学年から歌声の体裁を整えようとする必要はない。

低学年では，まず児童が声で表現する様々な経験を積むことで，声を出すことの面白さを感じ，自分の声の特徴や可能性に気付くようにしたい。そのとき，範唱の声や自分の声，また友達の声をよく聴くことがポイントとなろう。それが声そのものに対する感受性を高めることにつながり，声が育つための基盤となっていく。

「自然で無理のない歌い方」という文言が学習指導要領に出てくる**中学年**では，無理なく子どもの声の可能性を伸ばしていきたい。この時期，民謡など我が国や郷土の音楽の歌唱を体験することで，自分の声の可能性に気付いたり，歌い方の幅が広がったりしていく可能性も大いにある。その際，その歌のよさなどを感じ取りながら，歌のよさを生かすことができるような曲に合った歌い方を工夫したり，範唱の特徴やよさを捉えて，その歌い方に近づこうとしたりすることが大切である。

また，高学年の児童の歌を聴き，「あのように歌いたい」という目標をもたせる機会をもつなど，声のよさ，声の美しさを感じることができるようにしたい。

高学年になると，学習指導要領にも「響きのある歌い方」という記述が現われる。低学年で培った声に対する感受性を働かせ，中学年で広げてきた可能性を生かし，高学年では自分が心地よく，なおかつ曲想にふさわしい歌い方を見付け，それを磨いていく段階にあるといえよう。このように長い目で声を育てていくという見通しをもって，じっくりと指導していきたいものである。

▶ 変声期の児童への配慮と指導

小学校高学年（早いケースは中学年）から**変声期**に入る子どもが多く見られるようになる。通常，経過期間は半年から1年ほどだが，本人が気付かないまま経過する場合もある。また変声期は男子特有のものと考えられがちだが，女子にもあり，音域の変化は男子ほど大きくはないものの，声質の変化やそれに伴う不安への対応が必要となろう。

変声期の指導として最も優先すべきは，声の急激な変化による児童の不安や，羞恥心を取り除くことである。そのためには，変声期に入った子どもに，自分が変声期であることに気付かせるとともに，本人や周りの児童に正しい知識をもたせることが肝要である。

具体的な指導としては，高い声が出しにくい場合には，オクターヴ下げて歌うように指導したり，教師が一緒に歌って模範を示したりすることが必要となる。また，教材の選択にも配慮が不可欠であるが，**二部合唱**になっている教材の下のパートを歌わせるといった対応が有効となろう。

また，この時期は，大人の歌っている鑑賞教材を取り上げるなどし，声への関心を高める絶好の機会であることも念頭に置きたい。

▶ 発音

美しい日本語で歌えるようにするためだけでなく，音としての言葉に対する感性を豊かにするという点においても，歌う際の発音には，十分配慮して指導するようにしたい。

日本語で歌う際の留意点として，**鼻濁音**（語頭以外のガ行音に現れる）や，**ん**の発音（基本的には口を閉じないで発音し，直後にm，b，pといった口を閉じる子音が来る場合には，口を閉じて発音する）など，多くの注意すべきポイントがあるが，いずれにしても，話しているときの発音を生かして歌うということが基本である。そのためには歌詞を声に出して読み，その発音を歌うときにも大切にしたいものである。

（志民一成）

3 | 歌唱教材研究

①共通教材

▶ 共通教材を学習する意義

学習指導要領には歌唱共通教材が各学年4曲ずつ，6年間で全24曲挙げられている。そのうち17曲が文部省唱歌である。これら文部省唱歌は，明治の終わりから大正の初めにかけて作詞作曲され，文部省が全国の尋常小学校で共通に歌わせるために編纂した尋常小学唱歌がもとになっている。この尋常小学唱歌によって，明治黎明期からの唱歌教育普及への創意が実を結んだといえる。

共通教材にはこの文部省唱歌に加えて，わらべ歌，日本古謡，童謡などが取り上げられており，いずれも世代を越えて広く歌われてきた歌である。これら共通教材学習の意義を考えると，次の3点にまとめられるだろう。

(1) 文語表現を含む歌詞において，言葉の響きや意味を捉える。
(2) 日本の風土である四季折々の情景や人々の暮らしを感じ取る。
(3) 上記2点と音楽的表現がどのように関わるかを捉えて歌唱する。

ここでは「茶つみ」と「冬げしき」の2曲を取り上げ，教材研究と実際の指導方法について考えていきたい。

●「茶つみ」

文部省唱歌

明治45年刊『尋常小学唱歌（三）』に初掲載された。ここちよいテンポとリズム感をもつこの曲は，わらべうたのような親しみやすさがあり，手合わせ遊びをともなって幾世代にもわたって歌い継がれてきた。また郷土の民謡，茶摘み歌の晴々とした雰囲気ももっているので，これらの要素を歌唱指導に生かしたい。

(1) 歌詞について

歌詞第1節にある八十八夜とは，立春（2月4日）から数えて88日めの5月2日ごろを指し，茶摘みの最盛期である。立夏（5月5日）の数日前であることから，「夏も近づく」と歌われる。第3学年の児童には二十四節気（立春，春分，夏至など）や雑節（節分，彼岸，土用，八十八夜，入梅など）について詳しく教える必要はないが，この歌を通して，昔からこれら節が気候の変化や農作業，また伝統行事と関わってくらしの中に根づいていることに触れるといいだろう。

歌詞は七七調で書かれ，最後の4小節のみ七五調という構成である。まず声に出して読み，この詩の調子を味わう。歌詞に表現されている情景について，教師が一方的に説明するのではなく，児童がもつ知識や体験と関連させて理解を図る。

(2) 歌い方について

・はじめに教師は4小節ずつ範唱し，児童に模唱させる。リズムにのって明瞭な発音で歌えるよう促す。
・「はちじゅうはちや」を取り出して練習をする。語頭「は」の発音で息の弾みをうまく捉えて，この高音を開放的に響かせるよう指導する。ここでつかんだ響きが曲全体の高音の発声に生かせるようになることがねらいである。

(3) リズムを生かして

・この曲を特徴付けている ♩.♪♩♩ のリズムを手拍子や打楽器を使って児童に体感させる。
・数人の児童にウッドブロックなどの打楽器を担当させ，オスティナート・リズム（例）を歌唱に伴わせる。せっせっせの手合わせ遊びを適宜活動に取り入れる。

(4) 交互唱の形態を生かして

二つのグループに分かれて，4小節ずつ交互に呼びかけ合うように歌う。この活動は，互いの声を聴き合うとともに，歌声の空間的な広がりを体感することにもつながる。山々を望む茶畑の広がりをイメージさせるといいだろう。

「茶つみ」を通して，晴天の新緑の季節を感じながら，すがすがしい気持ちで歌えるよう指導する。また児童の栽培や収穫の体験とも関わりをもたせ，働く人々に共感し，作物に対して感謝する気持ちを育みたい。

●「冬げしき」

文部省唱歌

大正2年刊『尋常小学唱歌（五）』に初掲載された。共通教材24曲中で3拍子の曲は，この「冬げしき」と第6学年の「おぼろ月夜」,「ふるさと」の3曲である。いずれの曲もワルツのように軽快に弾む3拍子ではなく，レガート（*legato* なめらかに）に歌いながら，言葉の抑揚を生かして情感豊かに表現することが求められる。その意味で高学年にふさわしい課題といえる。

(1) 情景をイメージしながら歌詞を読む

歌詞を声に出して読み，思い描く情景をどのように表現すればよいかを試行する。例えば「さぎり消ゆる　港えの　船に白し　朝のしも」という情景は，いつごろ，どのような場面で，どのような体感や心情をともなうのかをイメージしながら読むことが大切である。この経験は言葉に対する感性を磨き，歌詞が旋律にのせて歌われるときに生きてくる。

歌詞第1節は早朝の入り江，第2節は昼の田畑，第3節は夕べの里と情景が移り変わり，そこに暮らす人々の姿が想像される。霧や霜，麦踏み，小春日，時雨といった語に関心をもたせ，さらに理解を深めたい。

(2) 階名唱をつかって

「移動ド」唱法を用いて4小節ずつ教師が範唱し，児童にそれを模唱させながら，正しい音程で歌えるよう繰り返し指導する。

(3) フレーズのまとまり・ブレスのとり方

4小節を1フレーズとする構成である。4小節を一息で歌うことは自然であるが，フレーズ末尾の二分音符を大切に歌うために，息が足りない場合は2小節ごとにブレスをとる。ただし，このブレスをとるタイミングは難しいので，はじめは意識的にゆっくりブレスをとり，慣れてきたらテンポの中で吸えるように進めていく。このときブレス直前の3拍目が強調されないよう気を付ける。

(4) 強弱の変化・レガート

フレーズのまとまりを意識し，ブレスのタイミングを図って歌えるようになったら，旋律線の高低に合わせて自然に強弱の変化が付けられるよう指導する。全体にレガートでのびやかに，そして第3フレーズは，ニ音に向かってクレシェンドしながら山を描くように歌いたい。

♪「移動ド」唱法にチャレンジ

（中嶋俊夫）

②その他の教材

●「やまのおんがくか」

水田詩仙作詞／ドイツ民謡

(1) 教材分析・解釈

歌詞は前半が八六調で書かれ，後半は主に擬声語が展開される。山の動物たちがそれぞれ自己紹介をして，競って自らの得意な楽器を披露し合い，音楽を楽しむ様子が描かれている。低学年の児童が情景や気持ちを想像したり，楽曲の気分を感じ取ったりしやすく，思いをもって歌える曲である。

曲は4分の2拍子，a（4小節）a（4小節）b（4小節）c（2小節）で構成されている。2回繰り返されるaの付点リズムの弾んだ歌い方や後半の初めの2小節を $\boldsymbol{f}$，次の2小節を $\boldsymbol{p}$，「いかがです」を $\boldsymbol{f}$ で朗らかに歌うなど，ダイナミクスの表現を工夫させたい。

(2) 学習指導へのヒント

①リズムをよく感じて歌う

2拍子のリズムを感じるために，例えば曲に合う2小節のバッテリー・リズムを考えて，手拍子や簡易打楽器を演奏しながら歌ったり，動物たちの演奏の様子をイメージしたりして，実際に体を動かしながら歌う。また，$\boldsymbol{p}$ で歌うところでは，リズムやテンポが遅くならないように気を付ける。

②表現を工夫した歌い方を心がける

登場する動物のイメージや楽器の音色から，それぞれ異なった歌い方を工夫する。例えば2番の「ことり」では全体を軽やかで美しい音色で歌い，3番の「たぬき」では剽軽でおどけた歌い方で表現する。子ども自身の声の可能性や良さを自覚させ，声で様々なイメージが表現できる喜びを分かち合えるようにしたい。

③様々な発想を引き出す

曲に登場しない他の動物（人など）を皆で考えて出し合い，擬声語や擬態語をつくって楽しむ。このとき，様々な発想が子どもたちから引き出されるように，自由な雰囲気の中で活動が展開できるように配慮する。

●「Believe」

杉本竜一作詞・作曲

(1) 教材分析・解釈

歌詞は友情の深い絆と輝かしい未来へのあこがれを歌った青春の応援歌で,「信じる」ことや「愛する」ことの尊さがおおらかに表現されている。テレビ番組「生きもの地球紀行」のテーマソングとして知られ，卒業式などでもよく歌われている。

曲は4分の4拍子，8小節ずつ四つのブロック（A～D）で構成されている。まずAは8分音符のリズミカルかつテンポのよい調子で始まる。Bではコードの変化により曲の雰囲気が一瞬変わり，4分音符を中心に流れるような旋律になる。Cの前半は弾むようなリズムで，後半は滑らかな感じで対照的に歌われる。DはCと同じような形式で進行する。終わりの4小節間はクレシェンドをして「しんじてる」の歌詞を確信をもって歌わせたい。また，二部に分かれるところでは，互いに聴き合いながら歌い，音の重なりの美しさが十分に得られるよう心がける。

(2) 学習指導へのヒント

①呼気の流れを意識して歌う

発声の基本である，呼気によって支えられた声を意識して（呼気の流れを感じて）歌うように心がける。力まず柔らかい声で歌うことにより，美しい2部合唱の響きの実現が可能になる。

また，変声期中の児童の場合もこの呼気を優先して歌うことで，喉頭への負担がある程度軽減される。

②フレーズの歌い方を工夫する

フレーズ感の違いによって歌い方の工夫が求められる。Bのようにメロディーが跳躍しているところでは，歌い出し直前の息つぎをしっかり行い，フレーズの終わりの音が不安定にならないように，一息で歌い切る到達点をイメージして歌う。

③ダイナミクスなどの工夫

歌詞の内容やフレーズ感の違いから，ダイナミクスなどの工夫を考え，なぜそのように考えたのかについてクラス全体で話し合い理解を深める。導き出された考えに基づき演奏を試行し，録音などでフィードバックして再検討を行い達成感を高める。

④歌詞を大切に歌う

歌詞の意味やイメージに従い，母音や子音の音色に留意して歌う。例えば，「そのかたを」では倒置法が使われているため，やや強調して歌う。

（吉田秀文）

Believe

杉本竜一 作詞・作曲

4　音高・音程を合わせられない児童に対する指導

▶ 生涯にわたり歌唱活動を楽しめるために

歌唱経験を重ねても音程が合わせられない児童は，必ずといってよいほどクラスにいる。そのような児童に対して，彼らの心を傷つけないようにと音程についての指導を躊躇するのは，児童の歌唱技能が発達する機会を失うだけでなく，歌唱への苦手意識をもたせることにつながりかねない。

音高・音程を合わせて歌うことは，教師が適切な指導を行うことにより向上する技能である。小学校の6年間は，自分自身の歌声を肯定的に捉え，自信をもって歌えるための基礎づくりの時期であり，教師の関わりは極めて重要である。

では，音高・音程が合わせられない児童に対して，どのような指導が必要であろうか。

▶ 自分自身の歌声を聴くことの難しさ

まず，歌唱で音高・音程を合わせる際の仕組みを理解しておこう。音高・音程を合わせるためには，**自分の歌声を客観的に聴く**ことができなければならない。しかし器楽と異なり，歌唱は自分の体そのものが楽器となる。そのため，自分の声は，空気伝導の音と骨伝導の音が合わさって伝わり，他者の歌声よりも，客観的に聴くことが難しい。

児童が，「よく自分の歌声を聴くように」と指摘されても，何に気をつけて聴いたらよいのかが分からないこともあることを，教師は認識しておく必要がある。

▶ 指導のポイント

児童は，ピアノの音よりも，声で音を提示される方が，はるかに音高・音程がとりやすい。ピアノの音は，教師が音程を確認するために鳴らす程度にとどめ，特に音取りの段階では，教師が歌って音高・音程を示すようにする。

音高・音程を合わせられない児童に対する具体的な指導の手だてとして，教師が「あー」とロングトーンで発声し，同じ音高で児童に歌ってもらう。その際，教師と自分の声の高さが同じかどうかについて児童が認知できているかどうかを確認する。児童が音高を合わせられないが，認知はできている場合は（1）を，音高を合わせられず，認知もできていない場合は（2）を試みてみよう。

（1）**自分の音高が合っているかどうかを認知できるにもかかわらず，音高を合わせられない**のは，曲の音域と児童の声域が合っていないことが原因として考えられる。その場合は，児童の声域に合わせて移調し，児童と一緒に歌ってみる。

（2）**自分の音高が合っているかどうかを認知できていない**児童に対しては，教師が児童の歌いやすい音高に合わせて一緒に歌ってみよう。その際，「今，同じ高さで歌えている」ということを必ず児童に伝え，同じ音高で歌う感覚を意識させることが重要である。

これらの練習を繰り返し行うことで，同じ音高で歌う感覚を実感し，徐々に他者の音高・音程に合わせて歌えるようになる（小畑 2017）。

▶ 心理的な配慮

高学年になると，歌うことに苦手意識をもったり，俗に言う「オンチ」だと自分のことを思ったりする児童も少なくない。歌唱は**自分の体が楽器**であることから，歌声に対しての指摘を，自分自身を否定されたように感じても不思議ではない。児童が安心して教師の指導を受け入れるためには，教師との信頼関係が成り立っていることが不可欠であり，日頃から「先生となら一緒に歌いたいな」と児童から思われる存在であることが望ましい。

児童が自分自身で「歌える」と心から実感できるために，すべての児童に対して，表出された歌声だけでなく，児童の音高・音程に関わる認知に着目した指導を行うことが重要であり，そのことが生涯にわたって歌唱活動を楽しむことにつながると考えられる。

（小畑千尋）

【参考文献】
村尾忠廣『［調子外れ］を治す』音楽之友社，1998年
小畑千尋『オンチは誰がつくるのか』パブラボ，2015年
小畑千尋『〈OBATA METHOD〉によるオンチ克服指導法 さらば！オンチ・コンプレックス』教育芸術社，2017年

第3章 器楽の学習と指導

1 「器楽」の意義と留意点

▶ 器楽指導の意義

楽器を用いて様々な音楽表現を行う器楽指導の主な意義は，次のとおりである。

①楽器がもつ多彩な音によって，自分の声では表現できない音域や音色や音量を表現できる。

楽器は，その材質や形状の違いによって，生み出される音が異なる。様々な楽器による音色を味わいながら音楽表現することにより，自己表現する世界を広げることができる。

②楽器の演奏を通して，自分の身体感覚や身体の使い方と向き合うことができる。

器楽学習では，表現の工夫をしたり表現したい音を探求したりする活動が行われる。その際，児童が，楽器の特性に応じながら耳を澄ませて自らの指の感覚や呼吸の感覚などに向き合うことは，児童の身体を育成することに繋がっている。

③友達と呼吸を合わせて音を重ねたり響かせ合ったりすることで，音を通じて身体感覚や感情を共有することができる。

友達と協働して音を合わせて合奏したり，新しい音の響きを生み出したりすることによって，その瞬間に沸き起こる言葉だけでは言い表せない感情や身体感覚を共有できる。これを通して，他者の感情や感覚を理解するだけでなく，コミュニケーション力や，協力する心も育むことができる。

④曲や楽器がもつ特徴や文化的背景を知ることによって，我が国や諸外国の音楽文化への理解へとつなげることができる。

楽器は，これまで演奏してきた人々の思いや知恵，また各国の文化の特徴を背負って，現在の形へと作られてきた。中・高学年での学習では，曲の背景だけでなく，楽器の構造や育まれてきた文化を知ることによって，音楽表現力とともにその楽器に関する知識を深めることができる。

▶ 器楽指導の留意点 ―楽器との出合いを大切に―

児童は新しい楽器に出合ったとき，どんな音がするのか，どうやったら音が出るのか試してみたいという好奇心をもっている。器楽学習では，その気持ちを大切にして進めてほしい。そのために，最初に児童が自由に音を出して楽しむ時間を存分に取りたい。とはいえ，ぶつけたり投げたりするのではなく，あくまで音を奏でる楽器として向き合わせるということに留意する必要がある。あわせて，楽器を扱う際の安全面についても，学習をする際に確認しておく必要がある。

児童の楽器を大切にする気持ちを育むためには，教師が楽器のもつ可能性を把握し，楽器に対する知識や尊重の気持ちをもっておくことが大切である。まずは，教師自らが楽器に触れ，実際に音を出して研究を行い，楽器がもつ文化的背景や構造などの特徴，あるいはそれぞれの楽器特有の表現方法を知っておきたい。楽器との出合いの場面では，児童自らの探求心を大切にしつつ，美しい音や面白い音を生み出すものとして，教師が丁寧に楽器を扱い指導してほしい。

▶ 器楽指導のポイント

学習指導要領には，「思考力，判断力，表現力等」「知識」「技能」に関する資質・能力の3点に沿った以下の事項が，器楽指導の内容として示されている。

ア　曲の特徴にふさわしい器楽表現を工夫し，思いや意図をもつこと。

イ　曲想と音楽の構造との関わり，多様な楽器の音色や響きと演奏の仕方との関わりについて理解すること。

ウ　思いや意図に合った表現をするために必要な聴奏・視奏の技能，音色や響きに気を付けて，楽器を演奏する技能，音を合わせて演奏する技能を身に付けること。

(1) 表現したいという思いや意図をもつには

教師が主導で「ここはこのように表現しなさい」

というように教え込むことは避け，児童がこんな風に演奏したいという思いや意図をもって取り組むことを大切にしたい。そのためには，曲の雰囲気を感じ取ったり，曲に対するイメージをもったりしながら，それらを生み出している音楽の特徴に気付き，曲想と音楽の構造との関わりを理解する必要がある。各曲の特徴は，旋律の動きやリズムのメリハリ，または音の重なり方や響きの美しさ，繰り返しや変化の面白さなどによって生み出されている。これらについて教師が教材研究を通して理解し，児童とともにその曲の美しさや面白さを楽しんで味わいながら，表現活動の支援をしていきたい。

(2) 曲の特徴にふさわしい表現を工夫するには

表現の工夫を行う際には，学習する曲が本来もっている音楽の特徴を無視した工夫にならないように留意したい。そのため，まずは〔共通事項〕に示されている音楽を特徴付けている要素や音楽の仕組みに気付く学習を行うことが重要である。それを踏まえて，児童が自分なりにその曲の良さを表現するにはどのように工夫すればよいのかという課題意識をもつこと，そして速度や強弱を変えてみたり，スタッカートやスラーを工夫したりして，音楽表現を楽しみながら自分ならではの工夫を追求していく学習を展開することが大切である。ここで留意したいのは，児童の工夫が学習に使用する楽器の表現力の限界を超えないことである。例えば，リコーダーの曲を学習する際に，強弱を付けすぎると音が上ずったり下がったりしてしまい，児童が思っている工夫や美しい音楽表現から逸れてしまうことがある。やみくもに工夫するのではなく，曲の特徴や楽器の特性を理解した上で，児童の工夫に対する思いを大切にしたい。

(3) 読譜や視奏に関する技能を身に付けるには

器楽の学習では，楽譜に書かれている音と自分の出している音を照らし合わせながら学習を進めることが求められる。リコーダーや鍵盤ハーモニカは，各音に対する運指や鍵盤の位置が決まっているため，五線譜に書かれている音符と結び付けてそれらを学習しやすい。特に中学年からは，目で見る情報と耳で聴く音とを瞬時に結び付けていくことによって，楽譜を読む力=「読譜力」を伸ばすとともに，音を聴きながら楽譜を見て演奏する「視奏力」を育てていくことが重要となる。

(4) 楽器を演奏する技能を身に付けるには

技能に関する学習は，教師の「教え込み」になってしまうという危険を常にはらんでいる。そうならないためには，児童自身が，自分のイメージを表現したり，表現の質を高めたりするためにどのようにすればよいのか，あるいはどのような演奏方法が有効なのかといった課題意識をもち，技能の習得や向上に対して必要性を感じることができるような指導を行うことが大切である。また，特に技能を身に付ける学習では，自分の身体の使い方に向き合う時間を大切にしたい。例えば，様々な感覚を用いて自分の音をよく聴きながら，「タンギングを優しくすれば，柔らかい感じの音になるよ」というように友達に伝え合うことは，音のコントロールと舌や呼吸のような身体操作との関係性への気付きを促す。この気付きを重ねることが，児童の技能の向上を促進していくのである。

(5) 音を合わせて演奏するとは

音を合わせて演奏する活動とは，友達とタイミングを合わせて音を響かせ合いながら音楽表現をつくり出す音楽活動である。この活動には，自分だけでは表現できない音の広がりや音楽の迫力をつくり上げることができる面白さがある。この活動においては，まずは使用する楽器の特質や演奏方法を十分に知っておくことが必要である。さらに，曲から感じ取ったことや想像したこと，表現したい工夫などを友達と伝え合って相違点や共通点を共有すること，そして実際に同じ楽器や異なる楽器同士を一緒に演奏して豊かなハーモニーを作り出したり，打楽器などと協奏してリズミカルな表現を味わったりする活動を行うことが重要となる。そのための学習の手だてとしては，旋律や旋律同士の重なり合いの特徴を学習したうえで，曲想やイメージに沿った強弱や速度などを追求し，それに合った楽器の組合せや演奏方法を探るなどして，自分たちで工夫したり楽譜に載っている情報から読み解いたりすることが挙げられる。

（山中和佳子）

2 | 各楽器の奏法と指導法

①打楽器

人類がはじめて手にした楽器は，打楽器の一種であると考えられている。打楽器は，比較的容易に音が出せ，身体打楽器・小打楽器・手づくり楽器・日本や諸外国の打楽器まで多くの種類を取り上げられるという特長を有している。また，低学年から高学年までの年齢に応じた展開が可能で，器楽分野のみならず，歌唱や音楽づくりと関連させた多様な活用の可能性を有している。打楽器の指導には，身体反応やリズム運動（動き），ことばのリズムやリズム唱（ことば），さらにはリズム譜（楽典）などと関連付けた，音楽性の基礎となるリズム感の育成が同時に求められる。

打楽器の演奏においては，無駄な力の入らない自然な姿勢（フォーム）の形成が重要で，姿勢がくずれないように椅子や楽器の位置（スタンドやベルトの調節）を調整することが必要である。楽器演奏の姿勢は，歌唱同様に腰骨を安定させ，背骨を伸ばし，胸郭を開げた形が基本となる。肩・腕・ひじ・手首は関節部を硬直させず，指は硬（かた）く伸ばさずに軽く内側に曲げ，脱力に注意する。以上は，各楽器に共通する基本的な姿勢である。

▶ 無音程打楽器

(1) 身体打楽器（ボディー・パーカッション）

日常の様々な場面（例えば野球の応援，宴席，子どもの遊びなど）で，人間は身体のいろいろな場所を使って音を出しリズムを取る。ドイツの作曲家カール・オルフ（1895～1982）は，身体自体を原初的な<楽器>として音楽教育に活用することを提唱し，様々な学習モデル（オルフ・シュールヴェルク）や楽器の開発によって，そのアイデアが国際的に広く知られるようになった。

身体打楽器は，手拍子に限らず，指鳴らし，ひざ打ち，足拍子を基本に，様々な方法を用いることができる。身体打楽器は，ドイツ語でKlanggesten（響きのジェスチャー）と呼ばれ，単にリズムを打つだけに留まらず，運動の全体的流れからリズムを感じ取り，全身で表現することが重要である。

課題

- 手を使っていろいろな音を出してみよう（手のひらで，手のひらをくぼませて，指で，手のひらと指で，手の甲で，叩いて，擦り合わせてなど）。
- 好きな食物の名前を言って，その語のもつリズムを手で叩いてみよう（例：パイナップル，ヨーグルト，ケーキ，チョコレートなど）。
- 短いリズムフレーズを身体打楽器で即興的に奏し，二人で，また一人対グループで模倣してみよう。さらに，別の異なるパターンをつなげて問答をしてみよう。
- カール・オルフの「リズムのロンド」（p.201）のテーマを演奏してみよう。また，8小節の間奏を即興的につくり，ロンドに発展させてみよう。
- 「マンボNo.5」（p.204）のリズムパートを身体打楽器で演奏してみよう。

(2) 小打楽器

低学年から広く用いられる小打楽器は，体の動きが音に直接反応し，奏法の工夫によって多様な音色がつくり出せる。クラス全員で楽器を鳴らすと互いの音が聴き取れなくなるので，指導の際には数個の楽器をローテーションさせるとよい。

タンブリン

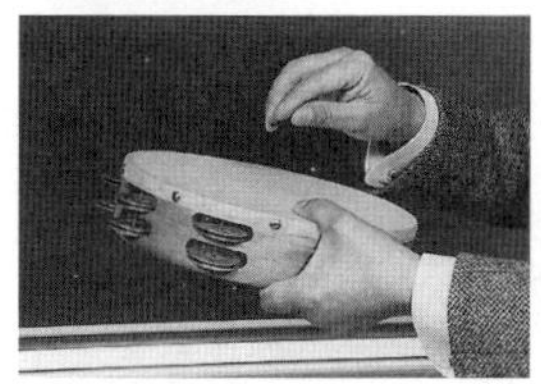
▲正しい持ち方

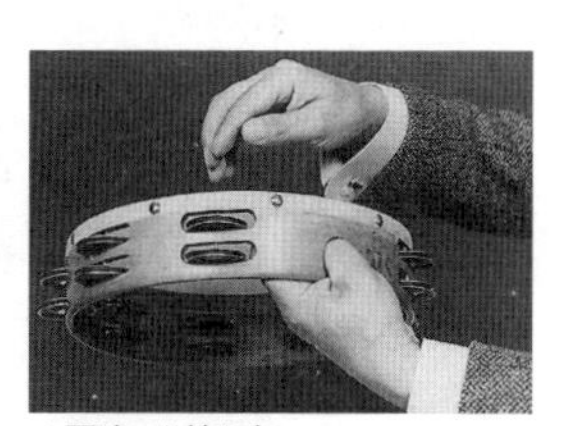
▲間違った持ち方
（指を穴に入れない）

- 左手で枠の丸穴の部分を握るように持ち，親指を鼓面の縁に置いて安定させる。丸穴は，スタンドに固定するときなどに使用するもので，けがの原因にもなるので指は入れない。
- 右手は，指をそろえて打つのが基本で，強い音を出すときにのみ手のひら全体で打つ。また鼓面の中央を打つと大きな音が得られ，枠に近い部分を打つと音が小さくなり，ジングル（鈴の部分）の音が強調される。右手首で鼓面を押さえ，指を1

本ずつ使うと小さく軽い音が得られる。
・楽器を水平に構えるとジングルの余韻が短く，垂直に構えると余韻が長くなる。

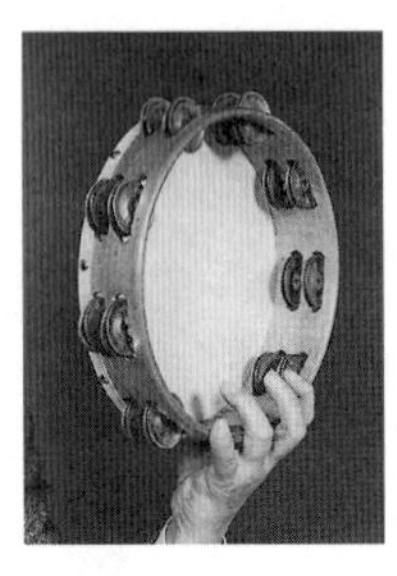

◀トレモロ奏のときの左手の構え

▲モンキータンブリンとハンドドラム

・楽器を振ってジングルを鳴らすトレモロ奏（シェイクロール）のときは，左手の親指・人さし指・小指の3点で楽器を支え，楽器を垂直に持ち手首を回転させて振る。他に，右手の親指の腹で鼓面をこすり，ジングルを振動させるフィンガーロールというトレモロ奏もある。
・皮が張っていないモンキータンブリンは，ジングルの音だけを使いポップスなどでよく用いられる。右手で枠をしっかり握って手首から左右に振り，左手に枠を当ててアクセントを付ける。
・ジングルのないハンドドラムは，皮の部分の音色の変化がはっきりと聞こえ，鼓面をこすったり，指で打つ位置を変えて多様な表現を生むことができる。

トライアングル

・左手の人さし指をホルダーに通し，親指と中指で両側から軽く挟み込む。
・ホルダーが短いと楽器が手に触れ，長すぎると楽器が安定しないので長さを調節する。
・ホルダーに指を通さない持ち方は，楽器を落とす危険があるので気を付ける。

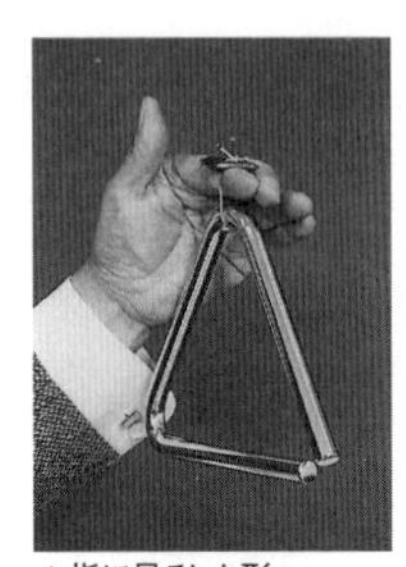

▲指に吊るした形

▲構え方

・右手は，親指と人さし指でビーター（楽器を打つ棒）を持ち，他の指を軽く添える。
・ビーターの重みを利用して落とすように打ち，素早く戻す。打つ位置によって音色が変わるので，曲に応じて打点を選択する。
・トレモロ奏は，ビーターをトライアングルの角で細かく振るようにして奏する。
・トレモロ奏は，上の角が奏しやすいが，響きの面からは下の角が効果的である。

鈴

・輪の形のものは，軽く握り込むように持つ。柄が付いた棒状のものは，鈴の数が多い場合下向きに，少ない場合は上向きに構える。
・手首のスナップを使って振る。
・はっきりとリズムを出す場合は，左手に持ち，手首の辺りを右手で叩く。
・トレモロ奏は，手首をねじるようにして振る（シェイクロール）。手首を支点にして，さらに楽器を左右に振ると，細かいトレモロが得られる。

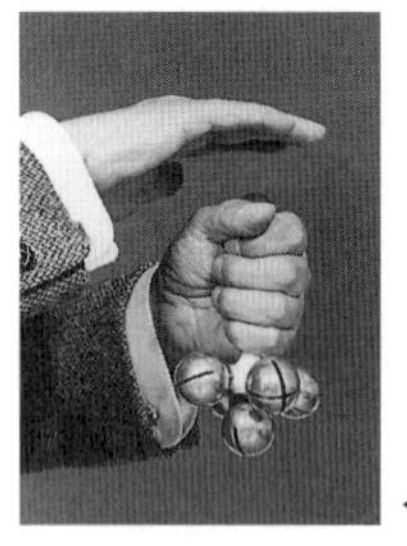

◀鈴

カスタネット

・左手の人さし指または中指の付け根までゴムの輪を通し，手のひらで軽く包み込む。このときゴムの結び目が下にくるようにする。
・右手の指先を使って打つ。細かいリズムは，人さし指・中指の2本を交互に使って打つ。
・身体表現などの際に片手だけで奏する場合，親指に輪を通し，他の指で握るようにして打つ。

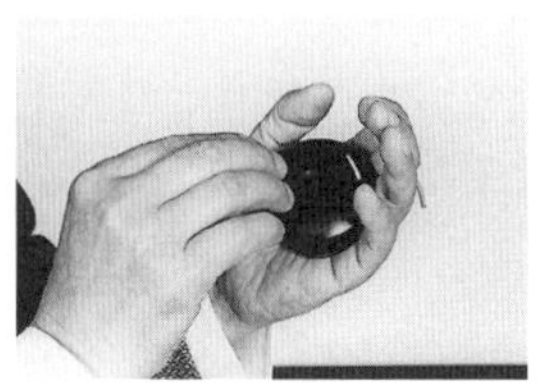

▲カスタネット

(3) マーチング用打楽器

小太鼓

▲マッチドグリップ

▲トラディショナルグリップ

・ばちは，後方3分の1の部分を握る。両手を同じようにばちを上から握るマッチドグリップと，左の手のひらを上方に向けて，親指の付け根と中指と薬指の間に挟むトラディショナルグリップの2つの方法がある。マッチドグリップは，導入期に適しており，他の打楽器の演奏にも適応できる。
・楽器の高さは，下腹部の辺りに鼓面がくるようにし，各人の打ちやすい場所にスタンドで調節する。マッチドグリップでは楽器を水平に，トラディショナルグリップでは奏者の右手側を低く傾けてセットする。
・手首を支点にスナップをきかせて打つ。両脇の力を抜き，手首の力を抜いて重みでばちが落ちるように打つ。トラディショナルグリップの左手は，手首を回転させて打つ。
・一般的に鼓面の中心より前方2分の1～3分の1くらいの部分を打ち，大きな音を出すときは中心部を打つ。
・スネア（響き線）を外したり，ワイヤーブラシを使うなどの奏法がある。
・導入段階の単純なリズムは利き手のみで演奏してもよい。また，片手でばちの反動を利用して2回打つ方法（復打）や，それらを左右交互に連続させる高度な奏法（ロール打ち）もある。

大太鼓

◀構え方

▲右手

・右手でばちの後方3分の1を握る。親指を上に乗せ，他の指は軽く握りこむ。手首のスナップを使って打つと，小さい音や細かいリズムが，ひじを支点にして打つと大きい音が得やすい。
・打点が見えるよう，楽器のやや右寄りに立つ。
・打つ場所や角度によって音色が変わるので，求めたい音に応じて打つ位置を工夫する。
・残響は，左手で鼓面をなでるようにして，また右手も添えて止める。

シンバル

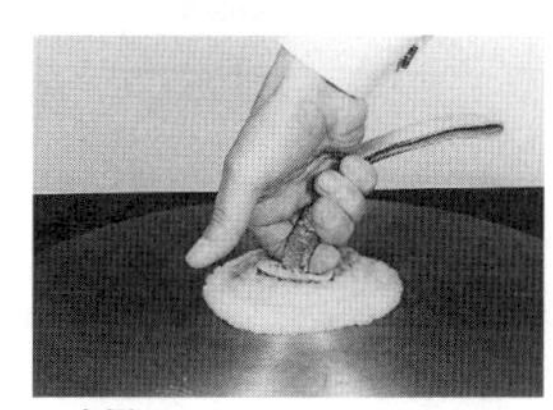
▲内側

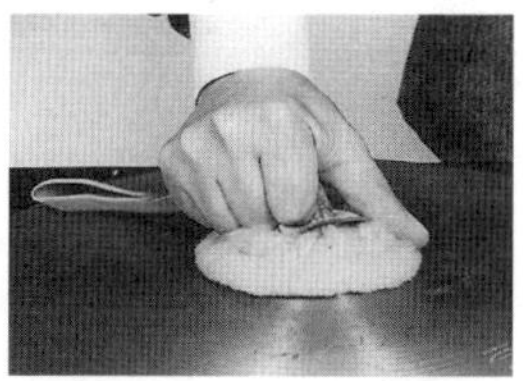
▲外側

・親指と人さし指の間に手皮の根元を挟み，残りの指で手皮を握り込む。親指で楽器を安定させ，角度を調節する。

◀構え方

▲吊りシンバル

・腹の前に楽器を構え，右手の楽器を自然に落とすようにして打ち込み，左手で受け止める。左利きの場合は，逆にする。
・楽器を腹・胸・腕に当てて残響を止める。
・吊りシンバル（サスペンデッド・シンバル）は，マレットかばちで演奏する。打つ位置が中心から外側にいくほど残響が長くなる。

(4) ラテン系打楽器

クラベス

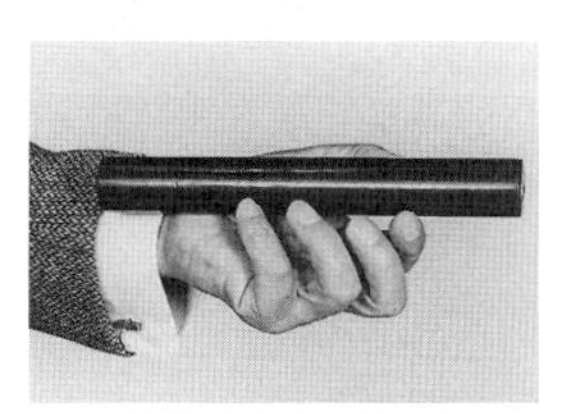
▲左手

▲両手

・楽器の振動を止めないよう，両手ともにできるだけ軽く持つ。
・左手を軽く卵を持つように握り，指の先に楽器を乗せる。楽器の前方・後方4分の1の部分を2点で支えるように構える。
・右手でつまむように楽器を持ち，もう片方の中心付近を，スナップをきかせて打つ。

マラカス

▲通常の構え

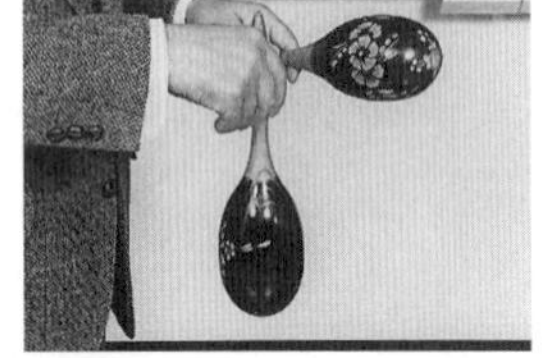
▲下に向けたロール

・親指を上にして軽く握り，腰の少し上で構える。親指は柄を支え，握り込ませない。
・軽く水を切る感じで降り下ろし，楽器の中の粒（小石など）が同時に下面に当たるよう，瞬間的に手首を小さく振りコントロールする。
・楽器を立てて，手首から回して音を得るロール奏法もある。

ギロ，カウベル，アゴゴー

・ギロは左の手のひらで共鳴孔側を包むようにして，傾けて持つ。
・右手は，人さし指を軽く伸ばしてスティックを支える。こぶしの形で握らない。

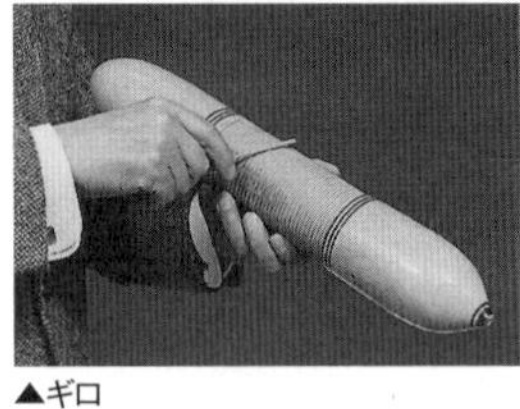
▲ギロ

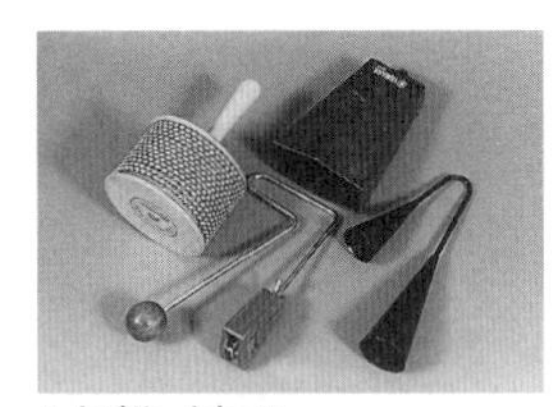
▲カバサ，カウベル，
ビブラスラップ，アゴゴー

・カウベルは左手で，楽器の細くなっている後方部分を持つ。アゴゴーは，小さい方を上に持つ。
・右手でスティックを軽く握り，ベルの開いている先の部分を打つ（オープン奏法）。
・カウベルの閉じている方やアゴゴーを左手で握ったり，アゴゴーの両方のベルを一緒に打つ方法もある。

コンガ，ボンゴ

・コンガは親指以外の指の付け根で，ボンゴは人さし指または中指の第2関節の部分で，鼓面（ヘッド）の縁を打つ（オープン奏法）。
・他に，左手の親指以外の指先，手のひらの付け根（コンガ）や親指の第1関節（ボンゴ）で打つミュート奏法がある。

▲コンガ

▲ボンゴ

(5) 日本や諸外国の打楽器

・その他に日本や諸外国の伝統的な打楽器も用いられる。奏法は，地域の楽器や伝承方法によって異なるので，ここでは省略する。

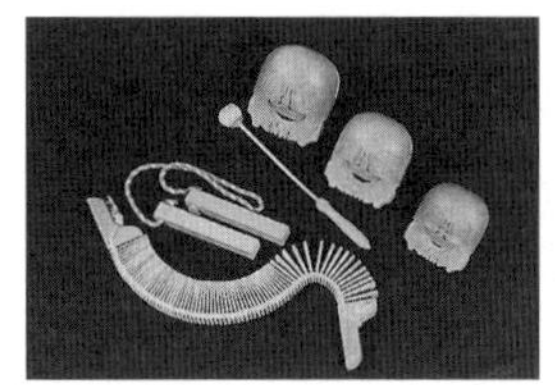
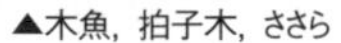
▲木魚，拍子木，ささら

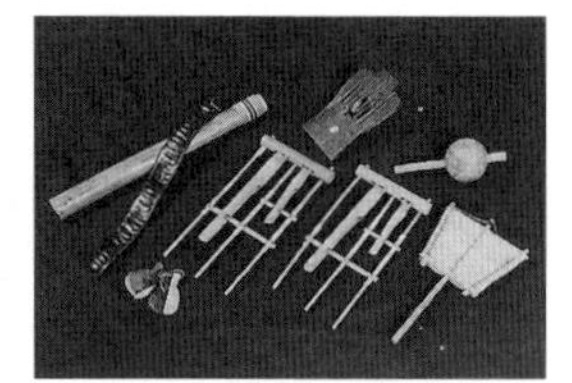
▲アジア，南米，アフリカの楽器
（アンクルン，レインスティックなど）

課題

・身の回りのものを，打楽器として使ってみよう。さらに手を加えて楽器を作ってみよう。
・一つの打楽器から，様々な方法で音を出してみよう。
・打楽器を使って，自然の音（風，雨，波……）を表現してみよう。
・オルフの「リズムのロンド」（p.201）を，様々な打楽器で演奏してみよう（音色の組合せ＝オーケストレーションの工夫）。
・リズム打楽器を加えやすい歌を探して，歌詞や旋律に合ったリズムを探してみよう。（例：「おもちゃのチャチャチャ」「タンブリンのわ」「あわてんぼうのサンタクロース」「幸せなら手をたたこう」）
・地域の芸能から和太鼓を用いるものを探し，楽器の種類や奏法，唱歌（しょうが）（ダンコン，ダコスコなどの学習用シラブル）などを調べてみよう。
・「マンボ No.5」（p.204），「翼をください」（p.206）を，打楽器を加えて演奏しよう。

▶ 有音程打楽器

音板楽器 (木琴，鉄琴，オルフ楽器)

▲様々な音板楽器　奥からマリンバ，シロフォン（木琴），
手前左からオルフ音板楽器，グロッケンシュピール（鉄琴）

木琴・鉄琴などの音板楽器は，複数のマレットを用いて旋律や和音を演奏することができる。音板楽器による旋律奏には，音名の正確な認識や技術的な習熟が必要なので，簡単なオスティナート伴奏（同音型の反復）や2・3音のわらべうたや副次的な旋律から導入するのがよい。必要な音板だけをセットできるオルフ楽器は，演奏技能の軽減や取り扱いやすい大きさなどから，導入段階において活用範囲が広い。また，マレットの種類(毛糸，フェルト，ゴム，プラスチック，木，金属）に応じ，様々な音色を選択することができる。

▲シロフォン

構え方▶

・マレットの持ち方は，小太鼓のマッチドグリップと同じで，体の前で左右のマレットが直角をつくるように，左手を前方に右手を体の側に構える。
・音板の中央を手首を使って瞬間的に軽く弾ませるように打つ。同音を反復するトレモロ奏は，右手から始めることが多い。
・鉄琴は，ペダルの使用や踏み替え，余韻を手で止めるなど，残響への配慮が必要である。

ベル，チャイム

一人が曲の数音を担当し，小グループで合奏する。ベルは旋律奏に，チャイムは和音奏に比較的適しており，いずれも細かいリズムの演奏は困難である。楽譜中の担当音に目印を付けると見落としが少なくなる。

・握る部分を親指で支え，ひじと手首を使って振り，音を出す。
・ベルのトレモロ奏は，前後または左右に手首を使って細かく振る。
・金属部分を手で握り，残響を少なくするミュート奏法もある。

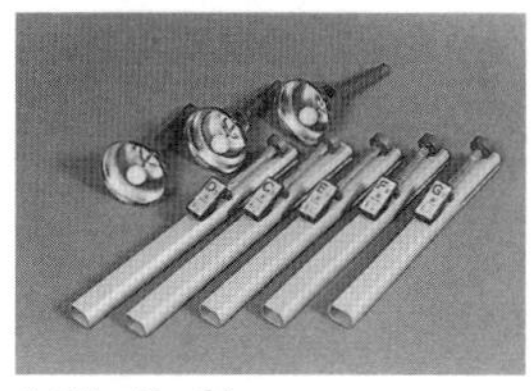
▲ベル，チャイム

▲ティンパニ

ティンパニ

曲中に使用される重要な低音（2～4音）を演奏する。チューニング（事前の音合わせ）が必要で，手締め式，マシーン（ハンドル）式，ペダル式の3種のシステムがある。

・ばちは，小太鼓のマッチドグリップと同じように構える（フレンチグリップ）。ばち先の固さによってハード，ミディアム，ソフトの3種に大別でき，曲想に応じて使い分ける。
・腕を軽く曲げて，楽器の手前の縁に近い鼓面（半径の3分の1の部分）にばちの先がくるようにゆったりと立つ。
・残響は，ばち先を構える辺りの鼓面を，3本の指で擦るようにして止める。どちらの手を用いてもよいが，左は右方向に，右は左方向に擦る。

〔協力〕塚田 靖（「打楽器」の項）

課題

・有音程打楽器を用い，オスティナートで輪唱を伴奏してみよう。(「かえるの合唱」,「かねがなる」〔譜例⑦〕［Cの和音］,「静かな湖畔」,「1年中の歌」［CとG7の和音］,「雪のおどり」〔譜例⑧〕［Dmの和音］
・民謡音階（譜例①）を使って「ひらいたひらいた」(p.142)，都節音階（譜例②）を使って「うさぎ」(p.152)「さくらさくら」(p.160) のオスティナート伴奏（同じパターンをくり返す伴奏）をつくってみよう。

・様々な旋法を用いて旋律を即興的に演奏してみよう（譜例①＋②，③＋④，⑤＋⑥）。

・鉄琴，ベル，チャイムのCEGC（ドミソド）の音を使って，オリジナル・チャイムをつくってみよう。

・ベル・チャイムで「よろこびの歌」,「聖夜」（譜例⑨，⑩）を演奏してみよう。曲で使用する音を，演奏人数に応じて分担し，担当音を決めよう。楽譜の担当をチェックして印を付けてから演奏しよう。演奏回数が少ない音，一人で連続しての演奏が難しい音があったら，担当音を交換するなどの工夫をしよう。

（中地雅之）

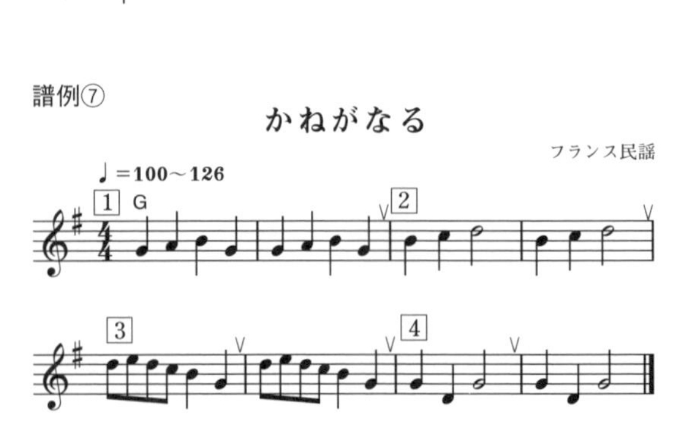

②リコーダー

▶ リコーダーの歴史と名称

リコーダーは，中世ヨーロッパの絵画や文献にも見ることができる木管楽器である。ルネサンス期には様々な大きさのものが作られ，主にアンサンブル楽器として発達し，多くの舞曲や多声作品の演奏に使用された。また，バロック期においては，ソナタや協奏曲，カンタータなどに数多く用いられ，独奏に適した音色のリコーダーが製作された。古典・ロマン期には，音楽環境の変化とともにリコーダーに代わりフルートが使用されたが，20世紀初頭の古楽復興運動により再びリコーダーが注目されるようになった。20世紀半ばから今世紀にかけては，現代作品が数多く作曲されている。

名称の語源は，古語英語record（記録する，小鳥のようにうたう）に見られるように，小さなリコーダーで小鳥に歌を教えていたことに由来するといわれている。ドイツではブロックフレーテ，フランスではフリュート・ア・ベック，イタリアではフラウト・ドルチェと呼ばれる。

▶ 学校教育におけるリコーダー

小学校学習指導要領では，昭和22年に第3学年から「笛」が使用され，26年に第4学年に改訂されたが，43年に再び第3学年からの使用となり，現在に至っている。平成元年に「笛」「たて笛」が「リコーダー」と改称された。新学習指導要領では「音の高さに応じたタンギングの仕方を身に付けるようにする」と具体的な奏法に触れている。

▶ リコーダーの教育的特性

①発音が簡単なため，早期のうちに完成度の高い音楽体験ができる。
②歌唱法と共通する部分があるため，音楽表現法を学びやすい。
③管楽器奏法の基礎を習得しやすい。
④多種多様なアンサンブルの展開が容易にできる。
⑤中世から現代までの豊富な作品と多くの曲種をもつため，児童をはじめ幅広い年齢の人々の知的好奇心や美的要求を満たすことができる。
⑥演奏家だけでなく愛好家のための楽器として長い歴史をもち，自然な呼吸の応用で発音することから，生涯学習楽器としての性格をもつ。
⑦古楽や現代音楽などの芸術音楽の演奏楽器としてだけでなく，教育楽器としての要素をもつ。

▶ 運指法（指づかい）[1]

リコーダーは時代や楽器により運指法が異なっていたため合理化しようと，1919年頃にイギリスのA.ドルメッチがバロック式〔B〕（イギリス式〔E〕ともいう）を，1932年頃にドイツのP.ハルランがジャーマン式〔G〕（ドイツ式〔D〕ともいう）を考案した。小学校ではこの2種類が使用されている。バロック式リコーダーは4番より5番の音孔が大きいことで判別できる。ジャーマン式は導入しやすく，多くの学校で採用されているが，後に派生音の運指が難しくなるため，バロック式の使用が望ましい。

▶ 種類

ガー・クライン（クライネ・ソプラニーノ），ソプラニーノ，ソプラノ，アルト，テノール，バス，グレート・バス，コントラバス（サブバス）などがある。小学校ではソプラノ，中学校ではアルトの活用が一般的であるが，小学校高学年でアルトの導入が行われている地域もある。

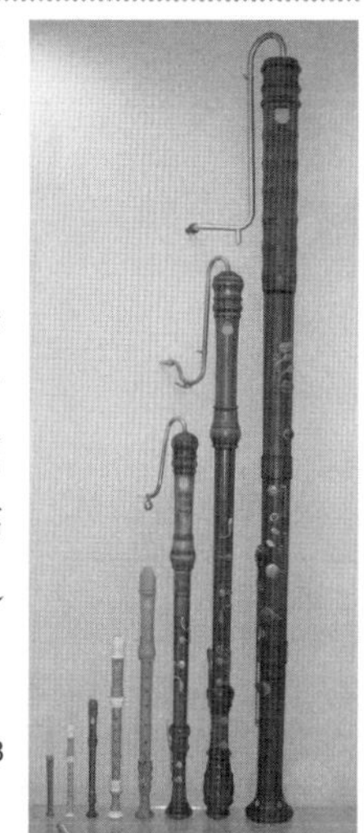

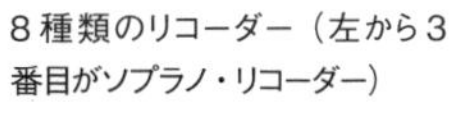

８種類のリコーダー（左から３番目がソプラノ・リコーダー）

▶ 楽器の取扱い

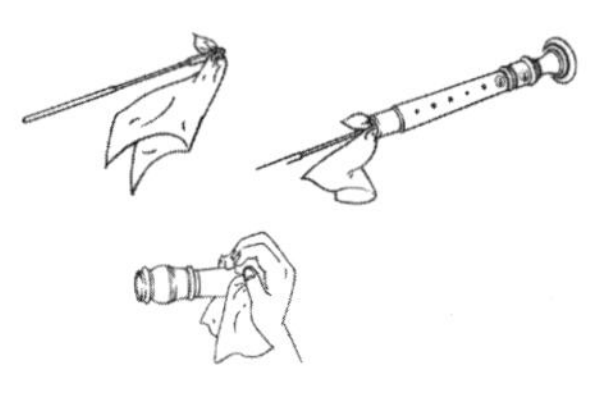

直接口に触れるため，演奏する前に手洗いや歯磨きをして清潔にする。演奏後は，掃除棒にガーゼを巻き，管の内側の水滴を拭き取り，管の外側も

清潔に保つ。演奏中にウィンドウェイが結露して詰まった場合，エッジに触れないよう指をウィンドウにそっと当て，息を強く吹き込んで詰まった水滴を除く。

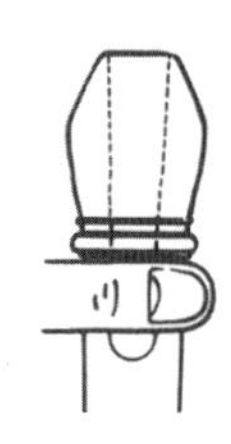

▶ 呼吸法と音づくり

・呼吸法は歌唱の呼吸法と共通しており，腹式（側式）呼吸で行う。
・うたうときの身体の状態で，頭声発声のように発音することで美しい響きを得られる。
・「吹く」ことは，「吹き込む」ことではなく，うたうときのような呼気で身体に響かせることである。
・ヴィブラートは装飾法の一種であるため，基本的にはヴィブラートを用いて演奏しない。

▶ 音合わせ（チューニング）

息のスピードが速いと音程が上がり，息のスピードが遅いと音程が下がるため，相互の音を観察し，息の調節により音程を合わせる。音程が合わない場合は「うなり」が生まれる。また，楽器のピッチが高い場合は，頭部管を少し抜き音程を下げて音を合わせる。

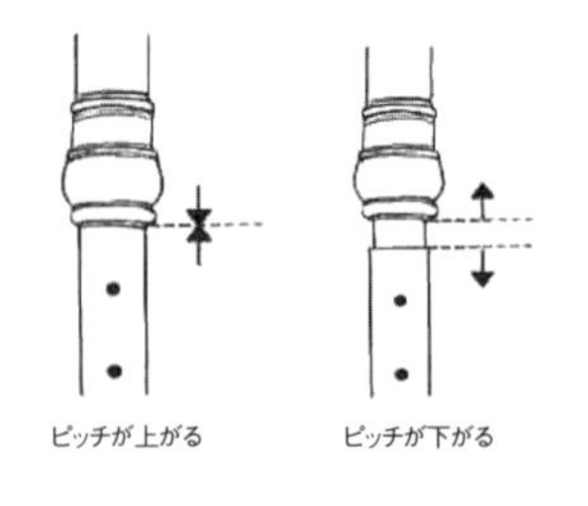

▶ タンギング

・タンギング・シラブル（後述）を用いて発音したり，音を止めたりする舌の動きをタンギングという。舌は図のように上あごに当てるが，楽器にはまったく触れない。

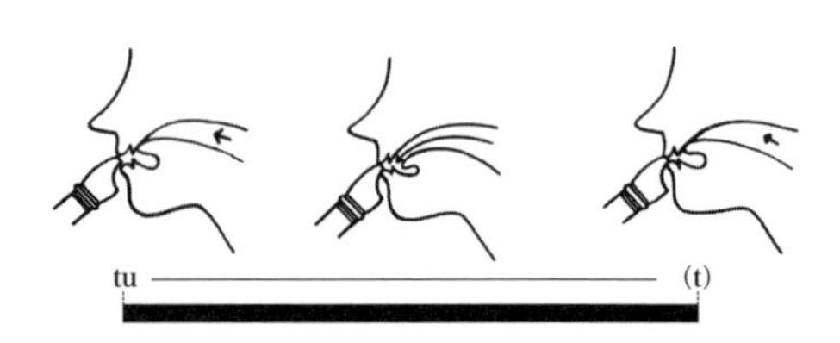

・タンギング・シラブルは破裂音を無声音で発音するが，その種類は，tu du ru ku，te de re ke, ti di ri ki（tü dü rü kü）など非常に多く，音の強弱や硬柔，濃淡の変化を付けることに役立つ。舌を筆のタッチのように使い，空気に音の絵を描くイメージでニュアンスを付ける。

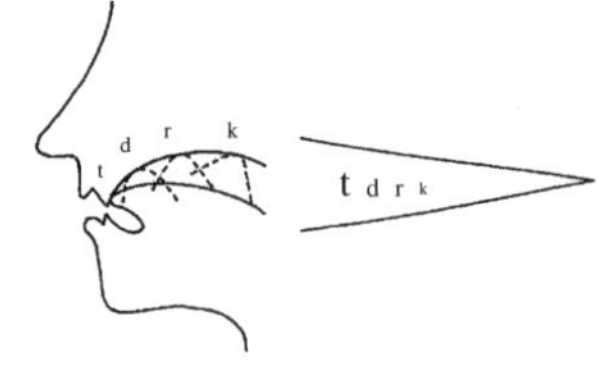

・基本はtuであるが，導入に当たり低音域のミ・レ・ドはtoでoの母音を用いた緩やかな息づかい，中音域はtuでuの母音を用いた中庸な息づかい，高音域はti（tü）の速い息づかいを指導すると発音しやすい。ただし，toとtiの発音はtuの変形で，アゴや唇を動かさず口腔内だけで行う。母音は息の速さに関係し，子音はその破裂力により強弱に関係する。

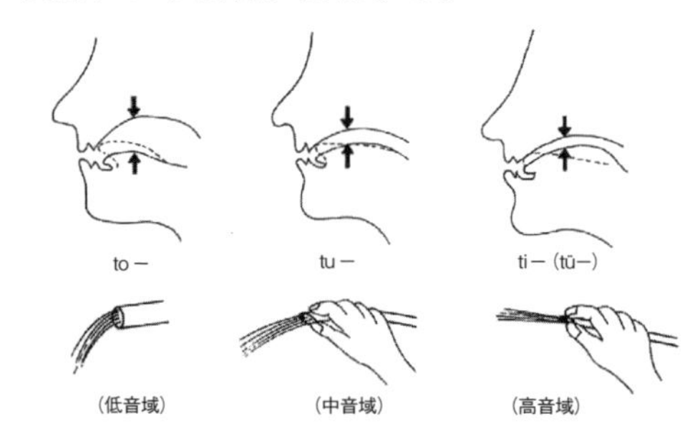

▶ 指づかい（指番号＝音孔番号）

・指番号は音孔番号と一致する。

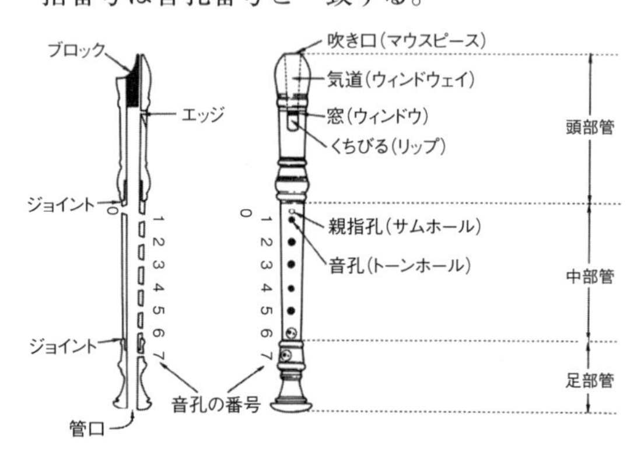

・足部管は小指（7）が触れやすい角度に調節する。
・左手親指の形は，指の腹を音孔に当てるのではなく，音孔に対して斜めの自然な角度がサミングしやすい。
・サミングには指の関節を曲げて爪を立てる方法Ⓐと，親指全体を少し下にすべらせる方法Ⓑがある。どちらも力を抜くことが大切である。

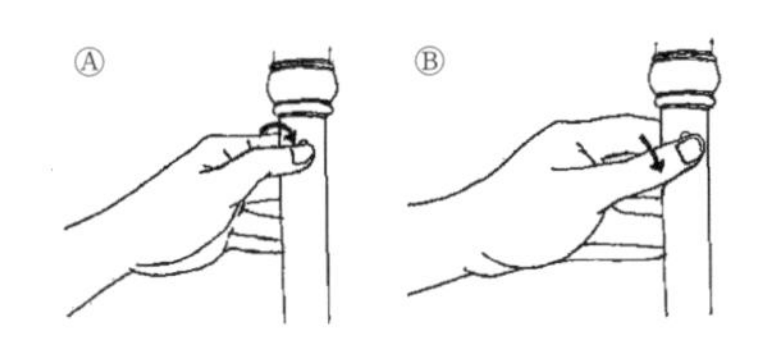

▶ アーティキュレーション

レガート，ポルタート，ノン・レガート，スタッカートの4種類に大別される（譜例）。音符は台本に書かれた文字ともいえ，音符のみに従って演奏することは台本の棒読みと同じである。曲想を感じ，それに合った表現を工夫し，ニュアンスをもって音表現する語り方を「アーティキュレーション」という。句読法と同様に「何を語るか」を明確にすることを「フレージング」という。

▶ 指導のポイント

（1）美しい音の指導

①自分の胸に手を当てたり，児童同士が互いに背中に耳を当てたりして，血液の流れる音，心臓の鼓動，呼吸の音などを聴き合いサウンド・スケープにより，温かな身体の響きのように柔らかな生命ある響きのイメージをつくる。

②身体の音で一番大きな音は「声」である。互いに声を出して身体に響いている音を確かめ合うことにより，声が驚くほど身体に大きく響いていることに気付かせ，身体はヴァイオリンやギターの弦の振動を響かせる胴体と同様の機能をもっていることを体感させる。

③リコーダーの呼吸法は歌をうたうときと同じであることを児童自身に発見させることにより，前述の「呼吸法と音づくり」の項目で述べた美しい響きをつくる。

④身体の音を絵に描き，この絵を絵譜として様々な楽器で即興的に音表現させ，絵譜を音に表す体験をすることにより，音符に潜んでいる情報の読み方や美しい音表現の始原的な体験をさせる。

（2）タンギングの指導

①タンギング・リレー：クラスをグループに分け，「tu-tu.tu.tu-」などのリズムを内緒話でリレーし，各グループの最後の児童にリコーダーで実際に発音させる。

②言葉のリズム遊び：宮沢賢治の『風の又三郎』にある「どっどど　どどうど」や，谷川俊太郎の『ことばあそびうた』にある「てとてとて」などの破裂音のある言葉のリズムを使い，これらを組み合わせてシュプレヒコール（言葉の合唱）を楽しみ，タンギングへと応用する。

③タンギング唱：タンギング・シラブルで旋律を歌い，破裂音を無声音で発音することに慣れてから，実際にリコーダーで演奏する。

（3）指づかいの指導

①中音域のシの音から導入し，左手を用いる音から右手へと徐々に音域を広げていく方法が指導しやすい。

②高いレの音により，楽器は持つものではなく「3点支持」でバランスよく支えることを指導できる。

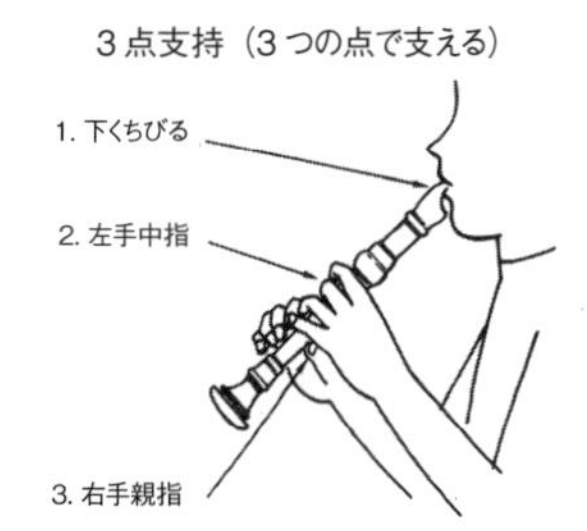

③指先ではなく指の腹で音孔に触れさせ，音孔をそっとさすることで力を入れずに音孔を閉じるようにする。

④指で音孔を軽く叩くと，レの音孔はレの音が弱くポンと響く。各音孔を軽く叩くことで，指だけの運動を行い運指に慣れさせる。

（吉澤　実）

（1）運指表はp.107に掲載。

【参考文献】
吉澤実，市江雅芳編著（2009）『基礎から学ぶ　みんなのリコーダー　楽しくウェルネス！』音楽之友社

③鍵盤楽器

小学校で使用される主な鍵盤楽器には，鍵盤ハーモニカ，オルガン，アコーディオン，ピアノ，電子キーボードなどがある。鍵盤は，オクターヴや半音・全音など，音階の基礎的構成を視覚的に把握できるため，理論の学習にも活用できる。

▶ 姿勢と基本奏法

・演奏の際に，腕や肩にむだな力が入りやすいので，自転車のハンドルを操作するときのように，腕を柔軟な状態に保つよう注意する。

・手の甲は鍵盤と平行になるように，また手首やひじが鍵盤より下がらないように構える（写真左）。

・手首が鍵盤より下がり，手の甲が小指に傾きがちになるが，手に負担がかかるので注意する（写真右）。

・基本的な手の形は各鍵盤楽器に共通で，指を軽く内側に曲げ指先で鍵盤に触れ打鍵する。

・指は，弾く鍵盤の上に準備しておき，高く持ち上げずに下に落とし，打鍵後は直ぐ力を抜いて，必要以上に鍵盤を押し付けない。

▲よい手の形

▲悪い手の形

▶ 指導の基本的流れ

鍵盤楽器演奏には，①指番号の理解，②鍵盤と音名の理解がまず必要となる。

・指番号は，リコーダーと異なり，両手の親指が1，順に人さし指2，中指3，薬指4，小指5と，左右対称に番号が付けられている。

・鍵盤と音名の理解には，黒鍵の二つと三つのグループの識別が前提となる。黒鍵から白鍵の音名は判別され，黒鍵を隠すと白鍵の音名は理解できない。

・指導の最初歩では，黒鍵によるわらべうたや童謡の探り弾きなどで鍵盤の配列になじませ，そこから白鍵の音名の理解に導く（「ねこふんじゃった」を楽譜を用いずに子どもが演奏できるのは，黒鍵が多用され視覚的にパターンが把握しやすいからである）。

・白鍵の導入には，5音内の音域（一般にはC～G）で弾ける耳慣れた旋律を取り上げ，指と鍵盤が1対1対応になる5音のポジションで指導する（例：「メリーさんの羊」「かっこう」「ぶんぶんぶん」など）。

・音域が6音以上の曲を演奏する際には，指の拡張や置き換え（手のポジションの移動）など，新たな奏法の学習指導が必要になる（例：「かえるの合唱」「きらきら星」「こぎつね」など）。

・低学年の歌唱教材でも，音域の広い曲や派生音を用いる曲は，器楽教材としては適切でないので注意が必要である（例：「かたつむり」「うみ」）。

・重音や和音奏，音階や両手での演奏は，手の大きさや，学習の進度，学年の進行を考慮し，片手での旋律奏に習熟してから導入する。

鍵盤ハーモニカ，アコーディオン

鍵盤ハーモニカとアコーディオンは，ともにハーモニカ同様の金属リードを空気によって振動させて音を得る（リード楽器）。アコーディオンは，ヨーロッパの民俗音楽に広く用いられている楽器で，戦後の我が国の学校における器楽合奏活動において重要な位置を占めてきた。鍵盤ハーモニカは，複数の楽器会社によって製造されており（名称が異なる），リコーダーと並んで広く小学校で用いられている。近年ではハーモニカ同様に，鍵盤ハーモニカやアコーディオンも，ポップスやラテン音楽の分野での新たな可能性が注目されている。

鍵盤ハーモニカは，呼気で金属リードを振動させる管楽器としての発音原理と，オルガンなど鍵盤楽器の機能を有しており，低学年での指導が，中学年以降のリコーダーや鍵盤楽器へと発展する基礎となる。

・＜立奏＞楽器に吹き口を直接つないで左手で持ち，右手で鍵盤を奏する。行進などに適している。呼吸による表情をつけやすい。

・＜卓奏＞机の上などに楽器を載せてパイプで楽器と吹き口を接続し，左手で吹き口の根元を持ってパイプを安定させる。右手のフォームがつくりやすく，鍵盤を視覚的に把握しやすい。

・他の鍵盤楽器と異なり，同音の反復やアーティキュレーションにタンギングを用いる。

アコーディオンは，ソプラノから（コントラ）

バスまでの各種楽器がある。バスは，電子オルガンの低音部（ペダルやバス専用の楽器）で代用することができる。左手でベローイング（蛇腹の操作）を行い，右手で鍵盤を演奏し，楽器の位置はバンドで調節する。

・開くときは上方から，閉じるときは下方から8の字を書くように蛇腹を操作する。

・開閉の折り返し点で音量が弱くなるので，フレーズに応じてベローイングを決定し，各パートがそろうように指導する。アクセントなどの効果もベローイングによって生み出せる。

オルガン，電子キーボード，ピアノ

授業においてこれらの楽器は，独奏よりも主として合奏や伴奏に用いられる。学校外での演奏経験の有無によって学習進度が異なるので，相互学習や複数課題の設定など，指導上の配慮が必要となる。両手演奏の導入には，和音奏が比較的容易に取り組みやすく，和音記号（音度名やコードネーム）の併用が効果的である。

電子オルガンや電子キーボードには，リズムボックスや多様な音色が組み込まれており，サウンド・エフェクト（効果音）や録音・再生機能をもつ楽器もあり活用の範囲が広い。特に，ラテンやポップス系リズムの活用や，チェンバロ，ヴァイブラフォーン，サクソフォーンなど，授業での取扱いが困難な楽器の代用には有効である。電子楽器は，ヘッドフォンの使用によって，個人練習やグループ活動において音の混濁が避けられ，また，自動伴奏や移調の機能は，指導者にとっても有用である。

ピアノは，音楽室に1台あるのが一般的なので，教室の児童全員が学習するには不都合な面もある。しかし，楽器に対する子どもの興味は高いので，グループ活動でのオルガンとのローテーションや連弾など活用の工夫が期待される。他の鍵盤楽器と比べ，広い音域，減衰する音，ダンパーペダルによる豊かな共鳴，タッチに呼応した表現の変化が特徴的である。近年では，グリッサンドやクラスター，内部奏法などを用いて，音楽づくりに活用する試みも見られるが，内部奏法に際しては，弦を粗雑に扱わないような注意が必要である。

課題

・指番号を言って，その指を折り曲げてみよう（例：右3左4，右5左2）。

・黒鍵だけで弾ける曲を探してみよう（わらべうた，コマーシャルソング，唱歌や童謡など）。

・黒鍵を使って，短い旋律の模倣や問答をしてみよう（わらべうた，リコーダー）。

・楽器の鍵盤から，C（ド）を探してすべて弾いてみよう（同様に，D，C♯，B♭……）。

・C D E F G（ドレミファソ）の五つの音で弾ける曲を探して弾いてみよう。

・その曲をト長調やヘ長調に移調してみよう。

・ハ長調の音階を弾いてみよう。音階は八つの音からできているので，1から3まで弾いたら1に指を替える。または，5から1まで弾いたら3に指を替える。

譜例①
ハ長調の音階の運指

・Cの和音を様々なポジションで弾いてみよう。その音でファンファーレをつくってみよう。

・C，F，G(7)，の和音を片手と両手で弾いてみよう。

・歌唱教材の旋律を，電子キーボードで曲にふさわしい音色を選択して弾いてみよう。

・C，F，G(7)の三つの和音で伴奏できる曲を探し，旋律と合わせて二人で連弾してみよう。また，電子キーボードの自動伴奏機能を用いて，様々なリズムパターンで伴奏してみよう。(例:「茶色の小びん」「線路は続くよどこまでも」「聖者の行進」など)

・ペダル，内部奏法，様々な奏法を用いて，ピアノで海や嵐のイメージを表現してみよう。

（中地雅之）

④和楽器

箏（そう・こと）

現在一般的に使われている箏は，奈良時代に中国大陸から伝来し，日本の気候風土や文化の中で，1300年の歳月をかけて，日本人の感性にあった日本の楽器として完成された楽器である。もともと，弦楽器の総称として「琴」が用いられていたため，「箏」と「琴」の混同・混乱が生じたが，現在一般的に使われている楽器は「箏」である。授業で取り上げるときは,「そう」または「こと」の両方の読み方が可能である。

導入授業での楽器の説明

●各部分の名称　中国の伝説上の動物である龍をかたどって作られている。それぞれ龍の頭，角，口，尾などである。

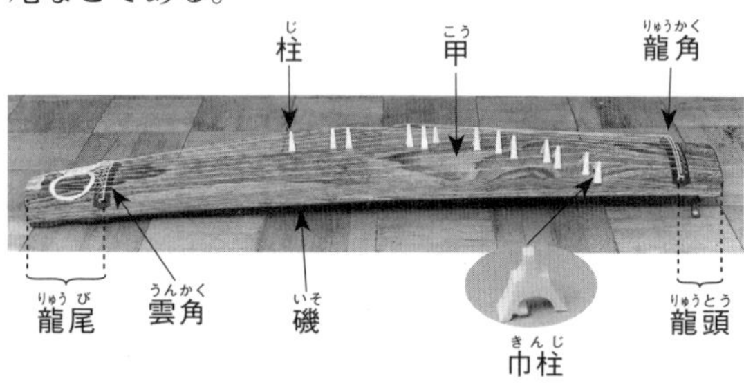

●糸の名称　低い方から「一～十斗為巾（といきん）」。授業では，七の糸に，赤色マジック，リボン，シールなどで印をつけておくと指導しやすい。

授業の準備

●調弦

平調子（都節音階）……「さくらさくら」「六段の調」などを弾くとき

民謡音階……わらべうたを弾くとき

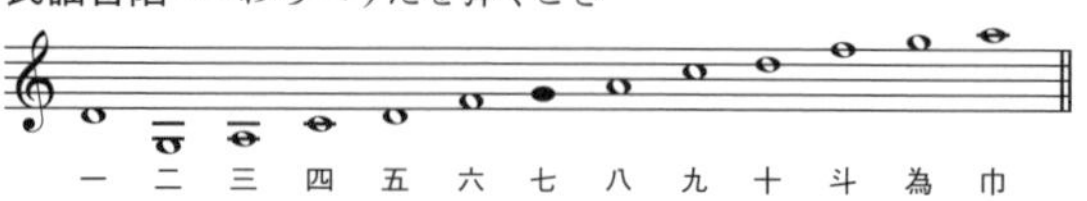

・三人で一面の箏を用いてアンサンブルをする場合は，一の糸を1オクターヴ低く調弦する。

・上記の調弦ですべての曲が弾けるわけではない。

・教材研究の段階で，教材とする楽曲に必要な音を指導者が実際に歌いながら探って弾き，必要な調弦を決めていくことが大切である。

流派・爪・構え

生田流（いくたりゅう）　斜めに座って構える　　山田流　正面に座って構える

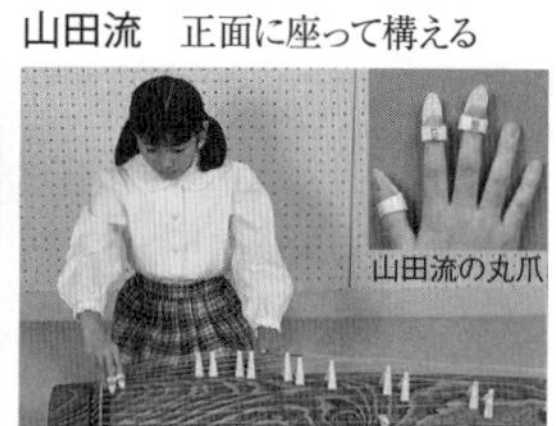

・生田流では，四角い爪の角で弾くために，少し体を斜めにして構えることを説明する。

生田流の指導のポイント

・斜めに座って構え，爪の角で弾く（写真1）。

・薬指を龍角にかけて支える（写真2）。

・弾いたら次の糸で止める（写真3）。

写真 1

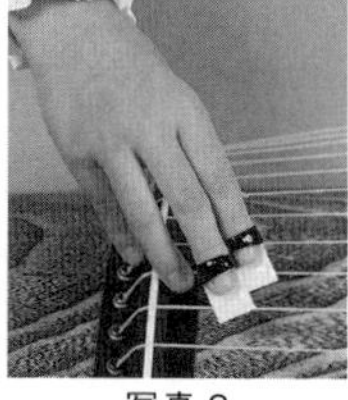

写真 2

写真 3

指導の実際

・導入段階では，爪は親指に一つはめればよい。

・三人で一面の箏を用いる授業は効果的である。

①主旋律　②伴奏　③歌い手

①主旋律　②オブリガート　③伴奏

・①主旋律②伴奏・オブリガート③歌い手・伴奏を，順番に体験しながら学ぶ過程が大切である。

練習曲

「たこたこあがれ」

●歌	た	こ	た	こ	あ	が	れ	○	て	ん	ま	で	あ	が	れ	○
●主旋律	七	六	七	六	七	七	七	○	七	六	七	六	七	七	七	○
●伴　奏	㊁		㊀		㊁		㊀		㊁		㊀		㊁		㊀	

「ゆうやけこやけ」

●歌	ゆ う　や け　こ や　け　あ したてんきに な～あ　れ
●主旋律	七 一　七 八　七 七　七 ●　七 七七七　六六 七一六　七
●オブリガート	㊈十斗為（トン カ ラ リン）●　㊈十斗為（トン カ ラ リン）●　㊈十斗為（トン カ ラ リン）●　㊈　十斗為（トン　カ ラ リン）●
●伴　奏	㊁ ㊀　㊁ ㊀　㊁ ㊀　㊁ ㊀

「さくらさくら」

●歌	さ く ら ー さ く ら ー や よ い の そ ら ー は ー
●主旋律	七 七 八 〇 七 七 八 〇 七 八 九 八 七 八七 六 〇
●オブリガート	十九八→ 十九八→ 八七六→
●伴　奏	㊁ ㊀ ㊁ ㊀ ㊁ ㊀ ㊁ ㊀

※㊁㊀は，爪をつけず，薬指の腹で弾く。

「さくらさくら」の口唱歌

ツ 五 は	ツ 七 さ	テ 五 あ	ツ 七 か	テ 五 み	ツ 七 の	ツ 七 さ
ン	ン	ン	ン	ン	ン	ン
テ 六 な	ツ 七 く	ツ 四 さ	テ 八 す	ツ 四 わ	テ 八 や	ツ 七 く
ン	ン	ン	ン	ン	ン	ン
コ 八 ざ	テ 八 ら	テ 五 ひ	チ 九 み	テ 五 た	チ 九 ま	テ 八 ら
ロ 七 ア	｜	ン	ン	ン	ン	｜
リ 六 か	◉	チ 六 に	テ 八 か	チ 六 す	テ 八 も	◉
ン	ン	ン	ン	ン	ン	ン
テ 五 り	ツ 七 さ	テ 五 に	ツ 七 く	テ 五 か	ツ 七 さ	ツ 七 さ
｜	ン	ン	ン	ン	ン	ン
◉	ツ 七 く	コ 五 お	コ 八 も	コ 五 ぎ	コ 八 と	ツ 七 く
｜	ン	ロ 四 オ	ロ 七 オ	ロ 四 イ	ロ 七 オ	ン
◉	テ 八 ら	リ 三 う	リ 六 か	リ 三 り	リ 六 も	テ 八 ら
ン	｜	｜	｜	｜	｜	｜
○	◉	◉	◉	◉	◉	◉
	ン	ン	ン	ン	ン	ン

♪ツンツンテン～と口唱歌で歌ってみることが大切である。箏などの日本の伝統的な音楽は，師匠から弟子へと口唱歌を用いて，口伝で伝えられてきた。唱歌には，五線譜では表しきれない「間」の取り方や音色，奏法，強弱，フレーズなども込められている。

箏を用いた授業のいろいろ

①伝統的な日本音楽の特徴を感じ取る授業

「さくらさくら」「わらべうた」「越天楽今様」などで。

②旋律楽器や伴奏楽器の一つとして，様々なジャンルの楽曲に箏を用いる授業

調弦さえできれば，あらゆる楽曲に使用可能である。I IV V の和音伴奏を，ハープのように用いることもできる（「カノン」「オーラリー」など）。

③音楽づくりの表現媒体として用いる授業

発音原理がシンプルな箏は，様々な奏法の工夫ができるため，ひびきづくり，ふしづくりに適している。

楽器のメンテナンス

●爪

傷んだ爪は，指導者が手入れをする。爪皮を購入し，付け替えればよい。

安全ピンのなどの先で爪を入れる部分を開く

さし込む部分にボンドをつける

太い油性ペンのふたなどをさし込んで固定

●保管

題材進行中は，次のように立てかける。

糸が張ってある方を手前に持つ

ほどよい角度をつけて立てかける

三味線

中国大陸から沖縄を経て，16世紀半ばに日本の本土に渡ってきた楽器である。伝来後様々な工夫が施され，日本人の感性に合う楽器として生まれ変わった。細棹（長唄など），中棹（地歌，民謡など），太棹（義太夫，津軽三味線など）がある。

細棹・中棹・太棹に共通する重要な特徴は，「サワリ」である。「サワリ」とは，「一」の糸が棹にさわって，特別な振動をするよう工夫を施したもので，この振動が他の糸にも伝わり，「ビーン」と響く独特の味わい深い三味線の音色をつくりだしている。

限られた授業時間の中で，三味線の実技を通して何を感じ取らせ，何を育て，何を身に付けるのかを明確にして，授業を組み立てることが重要である。

授業で三味線を取り上げる際のポイント

①サワリの効いた独特の音色を味わう。

②正しい構えで「魅力ある音」を奏で，その響きを体感する。

③鑑賞活動を通して，奥深い表現の世界を味わう。

三味線は，初心者にとっては構えること，ばちを持つこと，勘どころを押さえることのすべてが難しい楽器であり，導入は開放弦で弾ける教材から入ると無理がない。

指導者が最低限知っておきたいこと

(1) 調弦

授業がある日は，朝のうちに調弦すると糸が安定する。一度合わせた後，糸をしごいて伸ばしもう一度合わせておくと，授業中の糸の伸びが少ない。

(2) 構え

・右太ももの中央より少し右に寄せた部分に，体から握りこぶし一つ分離して楽器を置く。

・右腕を胴にのせて，楽器を支える。

▼天神は，耳の高さになるように構える

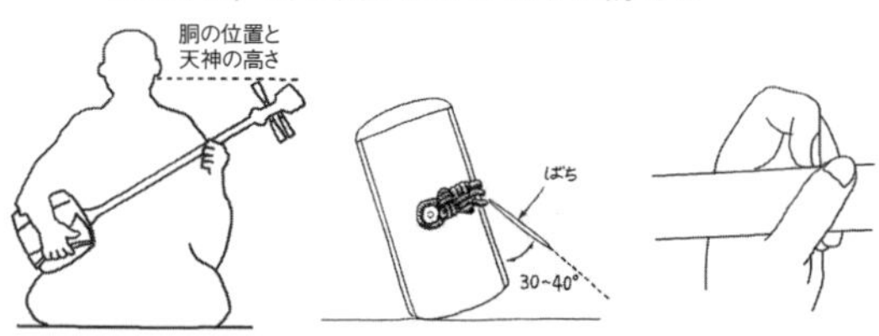

胴は少し手前に倒す▲　　指は糸に垂直に▲

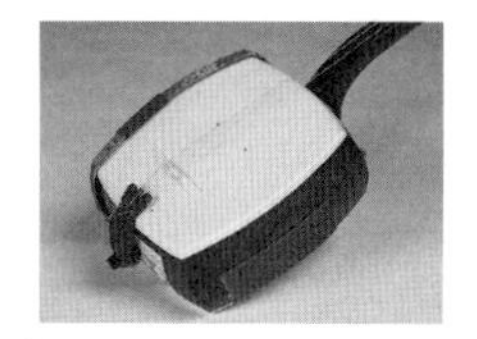

・学校の授業ではひざゴムは使わず，楽器にひざゴムを貼り付けるとよい。

(3) ばちの持ち方

ばちの角度　　ばちの握り方

軽く握りこぶしをつくって，力を抜いた形で自然に握り，小指と薬指の間にばちの後ろの方をはさむ。ばちの重さを利用して力を入れないで軽く持つように練習する。

(4) 糸の掛け方

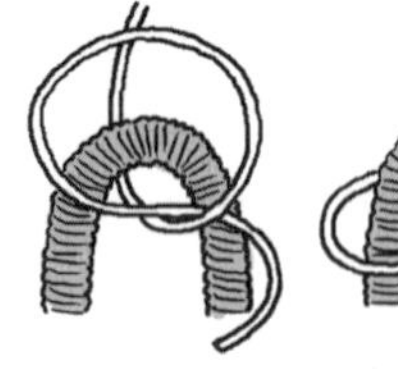

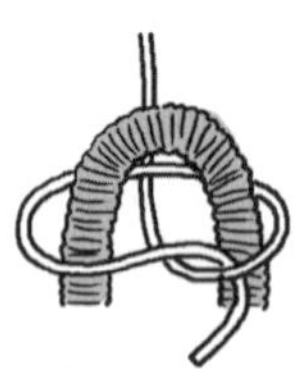

(5) 教材例

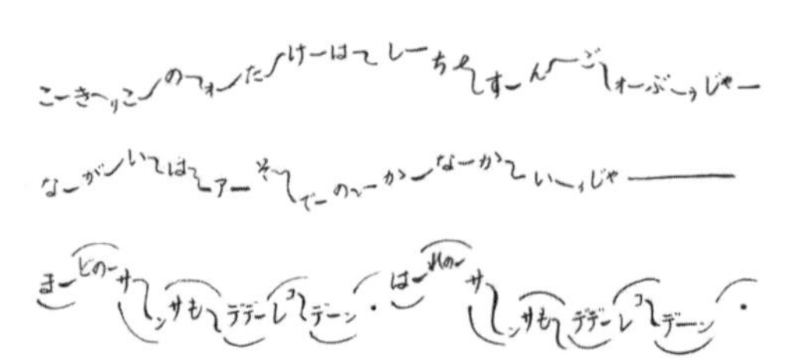

下記のパターンをくり返すだけで，伴奏になる。

※いい姿勢で
※目線は正面
※ばちはバチッ！と

本調子（開放弦）

和太鼓

長胴太鼓　　締太鼓

・鼓面の真ん中を打つようにする。

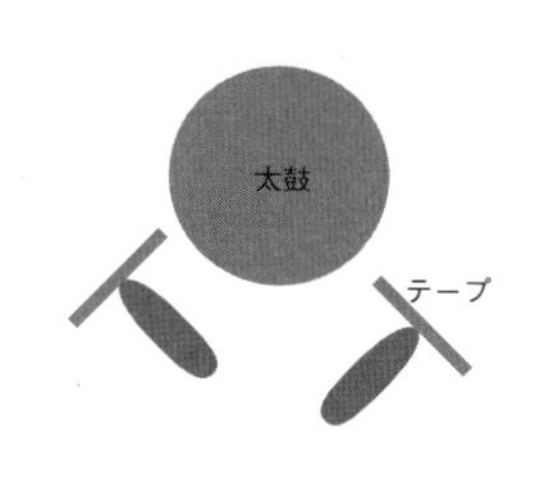

・導入指導では，足を置く位置にビニールテープで印をつける方法は効果的である。腰を割って構える。

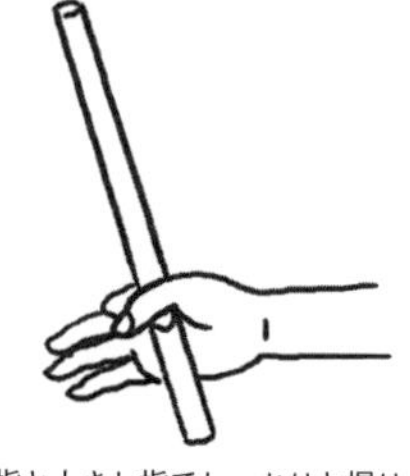

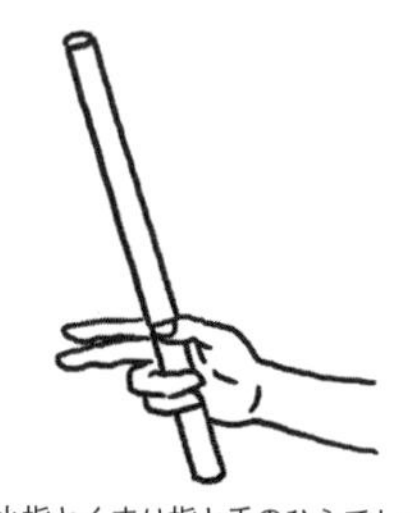

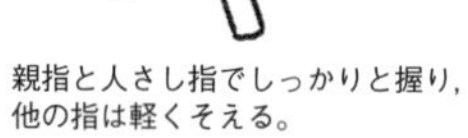

親指と人さし指でしっかりと握り，他の指は軽くそえる。

小指とくすり指と手のひらでしっかり握り，他の指は軽くそえる。

・ばちの握り方の指導は，安全のためにも重要である。

その他の楽器

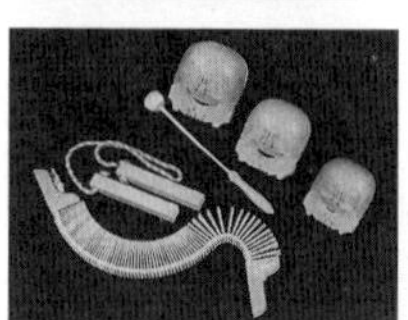

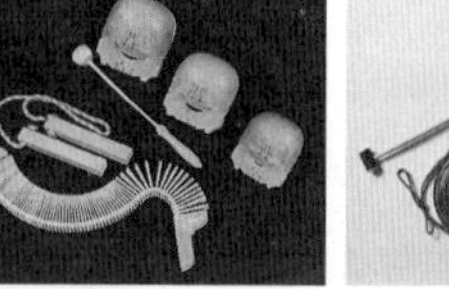

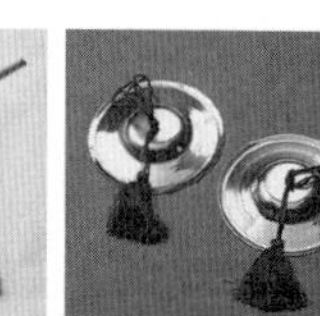

ささら，拍子木，木魚　　当り鉦　　チャッパ

鼓　　尺八　　篠笛

〔写真提供〕全教図

（山内雅子）

⑤電子楽器

▶ 教具特性

電子楽器は，自然楽器に比べて**物理的制約が少ない**。例えばフルートという楽器は，フルートの形態と固有の奏法をもち，その物理的な制約がフルートの音と音楽をつくりだしている。それに対して電子楽器は，形態や奏法に制限されることはない。この電子楽器の特性により，演奏技術の習得を軽減させることができるとともに，シミュレーションされた多様な楽器音の体験をもたらす。

コンピュータの特性は，教育活動において重要な学習過程である「試行錯誤」を，**フィードバック機能**（試みた結果を，即時にしかも第三者的な立場で学習者自身が自己評価できる機能）によって体験できることである。このことが学習者それぞれの個に応じた学習環境をつくりだし，自身の表現したいことや，その結果を再確認し，さらに修正を加えるという，**カット・アンド・トライ**（Cut & Try）学習をもたらしている。

▶ 活用場面

(1) 電子楽器

一般的に電子楽器は，**代替楽器**，**作音楽器**として活用される。音楽の授業では，常に必要な楽器類が準備されているとは限らない。また楽器があっても，教師や児童がそれを演奏できるとは限らないし，求める音があるとも限らない。このような現実的な問題を解決するために，電子楽器を活用することができる。例えば低音楽器の代替として，またイメージした音を具体的な音にする活動などに活用できる。

最近の電子鍵盤楽器は，液晶画面による楽譜提示，演奏を**CDにそのまま録音**できるもの，メロディーを弾くと**伴奏が自動的に生成**されるものなど，多様な機能を備えていて，それらを教授活動に活用できよう。

また，ほとんどの電子楽器が備えている，演奏を自動的に再生できる機能によって，教師が楽器から離れ，児童の中に入って指導することができる。なお，教科書に準拠した**MIDI**（Musical Instrument Digital Interface）データが多種類市販されているため，それらを活用すると，教師が演奏データを作成する必要がなく，授業準備の効率が格段によくなる。

(2) コンピュータ

コンピュータがもつ機能は,「**データベース**」「**シミュレーション**」「**プレゼンテーション**」「**コミュニケーション**」である。この四つの機能は教授活動に通じる。教師は授業に際して，扱う内容を教師自身の中に蓄積（データベース化）し，次に授業をどのように進めるかという予測（シミュレーション）を行い，そして分かりやすく授業を行うための手だて（プレゼンテーション）を講じ，その内容が本当に児童に伝わったのかを確認する（コミュニケーション）。市販されているソフトウェアを，上記の四つの視点から捉え，教授活動に活用したい。

生徒の活用としては，①**創作活動**のサポート，②**演奏表現活動**のサポート，③音楽理論や**ドリル学習**，④通信機能を使った**発信学習**などが考えられる。

▶ 活用の留意点

電子楽器, コンピュータは技術進歩に合わせて，様々な新しい機能をもったものが世に出されている。それらを扱う上で大切なことは，教師自身がどういった音楽の授業を展開したいか，そのために必要な機器類とは何か，それを何の目的で使うのかという視点をしっかりともって選択することである。

例えば，写真は鍵盤をもたないが，タッチパネルを通して指先の動きで自在にメロディーやリズムパターンを演奏者の感覚でつくることができるソフトウェアの画面である。こういったものは，学習指導要領に示された「音楽づくり」において，単なる五線譜の上での活動とは異なった，実際の音を通した音楽づくり・創作活動を可能にする。

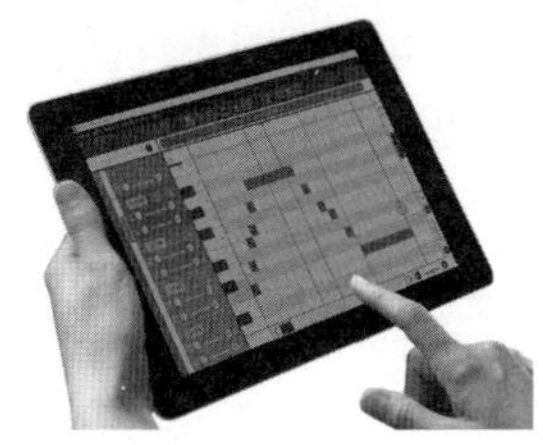

ヤマハ株式会社「ボーカロイド教育版」

（田中健次）

⑥手づくり楽器

「手づくり楽器」というと，かつてはギターやウクレレなど既成の楽器を模して，キットなどを使って作ることが多く行われていた。しかし，近年，特に教育現場では，身の回りの物を使って，簡単にできるものを作るのが主流になっている。これは，環境教育の視点での「廃物利用」や「創造的音楽学習」で実践された，音楽だけでなく楽器から創るという考え方が影響を及ぼしている[1]。そのため，既成の楽器にない新しい楽器（音）を作り出すことにも価値が置かれるようになっている。

▶ 手づくり楽器の教育的意義

手づくり楽器の製作は以下のような，（主に音楽的な）教育的意義がある。

(1) 身の回りの音に耳を傾ける態度を養う

楽器を作るために，元々音を出すことを目的としていない物に対しても「音」に着目した捉え方をするので，自然と身の回りの様々な音に耳を傾けるようになる。

(2) 既成の楽器の発音構造を知る

楽器は基本的に発音部分とその音を増幅する共鳴部分から成るが，その両方について楽器の構造を知ることにつながる。発音部においては，その素材（木，金属，皮，ガラス，プラスチックなど）で音色が違うことを知り，共鳴部分ではいかに音をうまく増幅させているかを知ることができる。例えば，管楽器のベルは，発音体であるリードやマウスピースの音を増幅していることが，ストロー笛の製作によって確認できる。また，糸電話の原理で，クィーカーができていることも分かる。

(3) 奏法の工夫を凝らす

音響的に完成されていない手づくり楽器だからこそ，良い音を出すためにどの辺りをたたけばよいのかを考えたり，はじく，こする，吹くなどの奏法に工夫を加えることができる。

(4) 既成の楽器の歴史をたどる

既成の楽器も元は身の回りにあったものの音が出発点になっている。音楽づくりが作曲の過程をたどるきっかけになることと同様に，手づくり楽器は楽器の発達を追体験することにつながる。

(5) 他教科との連携や総合的な学習で扱える

理科で音の出る仕組みを学び，図画工作の時間で楽器をつくり，音楽でその楽器を使って演奏するなどの合科的な実践[2]が行われてきたが，低学年では生活科，楽器の文化的な側面も考えると，総合的な学習の時間での題材としても扱いやすいものとなる。

(6)「世界でただ一つ」の貴重な物として

これは，楽器に限ったことではないが，何といっても「手づくり」は自分だけのものという，児童にとっての貴重な存在となりうる。

▶ 手づくり楽器を授業で扱う際の留意点

前述したが，楽器を作る前に身の回りの「音」について考えることが望ましい。それによって，既成の楽器の模倣に留まらない新しい楽器の発見につながるからである。また，指導者は，児童に手づくり楽器を提示する前に自分でも実際に作ってみなければならない。素材によって，ちょっとした工夫が必要なことはしばしば起こる。特に生活廃材を利用するに当たっては，本当にいい音が出るかを注意深く確認しておく必要がある。加えて楽器についての知識も得ておくとよい。

楽器ができあがれば必ずそれを使って演奏してほしい。小学校段階での手づくり楽器は，ドレミなどの音階を正確なピッチで作ることはかなり難しい作業になるので，それにこだわらず，作った楽器をいかに効果的に演奏に使うかを考えることも必要である。それを演奏するため，その楽器にあわせた新しい楽譜（図形楽譜など）を考えたりすることも面白い。これらは，楽器から出発する「音楽づくり」として，児童の創造性を育むことにつながるであろう。

▶ 手づくり楽器の製作例

【クィーカー】

<u>準備する物</u>

・プラスチックコップ（透明の薄いものでよい）
・竹串（コップの高さより長いもの）

・1～2cm角程度に切った消しゴム　・コットン
・目打ち（細い錐かコンパスの針）　・接着剤

作り方

1. コップの底の中心に，目打ちなどで穴を開ける（竹串の太さより細めに開ける）。
2. 消しゴムの一方に竹串の先で少し穴を開ける。
3. コップの穴に竹串を通して，竹串の先に接着剤を付ける（竹串が穴で固定される様にする）。
4. 消しゴムの穴と，穴のある面にも接着剤を付け，竹串の先を消しゴムの穴に入れて，コップの底に貼り付ける（コップに竹串がしっかりと固定されていれば消しゴムは無くても良いが，竹串のとがった部分に注意）。
5. 接着剤が乾いて竹串が固定したら，湿らせたコットンで竹串をこすって音を出す。

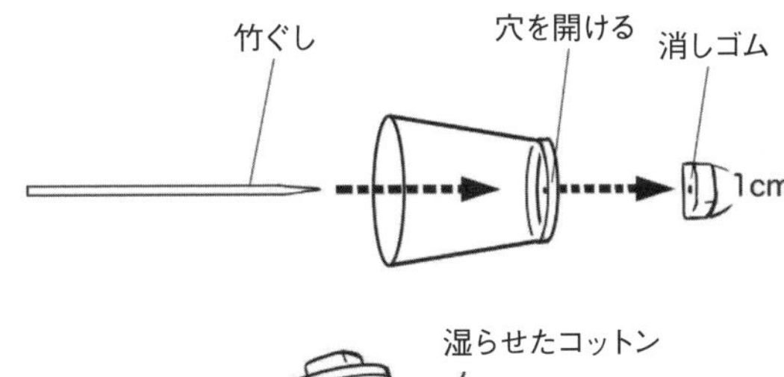

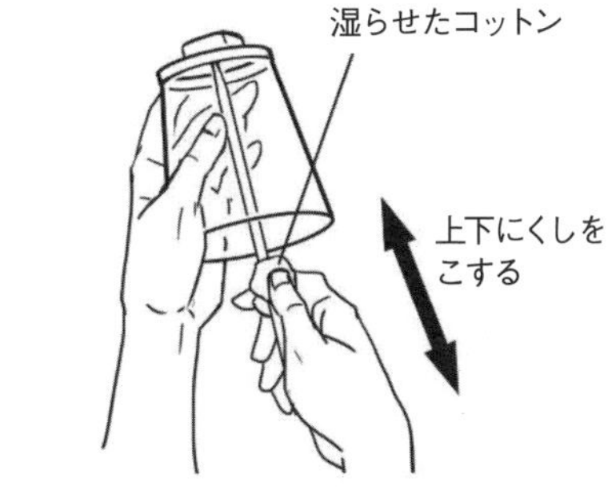

【ストロー笛】[3]

準備する物

・直径6mmぐらいのストロー10cm程度（長さによって音の高さが変わるので長さは自由）
・はさみ

作り方

1. ストローの吸い口の方から4～5cmを平らにつぶしてほぐす。
2. 吸い口の部分を図1のように点線にそって斜めにはさみで切り落とす。このときAのように浅く切るのではなく，Bのように深めに先の部分を少し残して切る（これでできあがり）。
3. できあがれば  の部分を唇でパッとはさむようにしてくわえて，ブーッと息を強く吹いて音を出す。　**※大きな音が鳴るので注意**
4. 図2のように，吹き口と反対側の先に紙をじょうご状に巻いて付ければ，ラッパのようになって音が大きく響く。　**※耳の傍で鳴らさない**
5. 図3のように，ストローの途中に穴を開けて，リコーダーのように指でふさいだり開けたりすると，音の高さを変えた演奏ができる。

（図1）吹き口の切り方

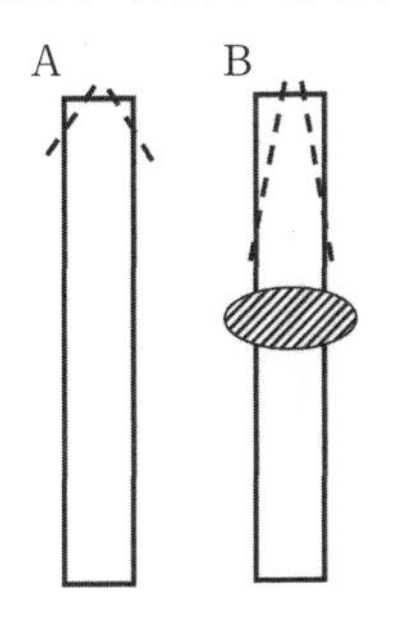

（図2）紙を付けて吹く

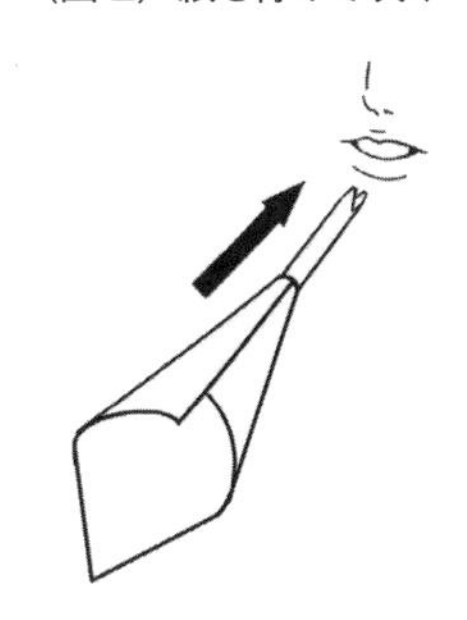

（図3）はさみで切り込みを入れて穴を開ける
（横からみたところ）

吹き口側

▶ 手づくり楽器の製作例が載っている文献

・繁下和雄，『実験音楽室』音楽之友社，2002
・繁下和雄，『よく鳴る紙楽器［切りぬいてつくる本］』クレヨンハウス，1993
・ヨイサの会，『「音」を「楽」しむ『音楽』の旅』音楽之友社，2001[4]
・谷中優，『10分でできる！手作り楽器の作り方・遊び方アイデア集』明治図書，2006

＊インターネットなどでも様々な手づくり楽器が紹介されている。

（小林田鶴子）

(1) (2)「自作の弦楽器で音楽会を開こう」星野圭朗，『創って表現する音楽学習音の環境教育の視点から』音楽之友社，1993
(3) (4) ストロー笛の作り方については(4)の文献のpp.44-45を参照

3 ｜器楽教材研究

●「星笛」（二重奏）

北村俊彦作曲

北村俊彦作曲『子どものためのリコーダー曲集　雨あがりの朝』（トヤマ出版）に収録されている美しい作品である。サミングが必要な高音域は使用されていないので，小学生にとって比較的取り組みやすい楽曲である。

(1) 楽曲の特徴と表現上の留意点

8分の6拍子のゆったりとした流れがこの作品の特徴である。8分音符三つを単位とする大きな2拍子の流れを感じながら演奏させたい。

全体はA－B－A’の3部分で構成されている。しっとりとしたAの部分と生き生きとしたBの部分の曲想の違いに気付かせ，それにふさわしい音色や響きについて考えさせながら演奏させることが重要である。

第2パートをソプラノ・リコーダーで演奏する場合，B 5小節目に出てくるCの音は楽器の際低音になる。この音をきれいに響かせるためには工夫が必要である。右手の人さし指で第4穴をふさぎ，人さし指とちょうど向かい合う位置に親指を添える。そこから中指・薬指で第5・第6穴を順番にふさぐ。そのまま自然に小指を下ろし，小指の腹と第7穴の位置がぴったり合うように足部管を回転する。Dの運指でリコーダーを柔らかく持ち，右手の小指で第7穴を軽く叩かせてみる。指が正しくふさがれていれば，Cの音がポンポンと聞こえてくるはずだ。

また，Tu-ではなくDoh-という感じで柔らかくタンギングさせる。息が強すぎると音がひっくり返ってしまうので，手のひらを暖めるときのような柔らかい息づかいで演奏させる。下あごを軽く引き下げ，息の通り道を広げてやるとうまくいく。

※ スラーと < > は筆者

フレージング(1)がこの楽曲の表情を決める重要な要素となる。フレージングは，頂点となる一つの音（重心）とそこに向かっていく音群，そこから離れていく音群で構成される旋律のまとまりである。作曲者が特に指示をしていない場合でも，重心に向かっていく音群には小さなクレシェンド，離れていく音群には小さなディミヌエンドを付けて演奏すると，聴き手にとって自然なまとまりが感じられ，表情豊かな演奏となる。

(2) 題材構成と学習の発展

「ふしのまとまりを感じて」などの題材の中で，自然なフレージングを生かした表現について考えさせたい。譜例中には，フレージングについての一つの解釈を記入しているが，他にもいろいろな可能性を試して表情の違いを比較させてみるのもよい。また，二つあるいは三つの音をスラーでつないだり，スタッカートやテヌートで演奏したりすることで旋律の表情は大きく変わる。フレージングを生かしたこれらの様々な表現の工夫にも挑戦させてほしい。

13小節目以降は声部が二つに分かれて重なっている。片方が長い音符のときにもう一方が動いたり，旋律同士が模倣関係にあったりすることに気付かせ，旋律の重なりによって生まれる響きを注意して聴きながら，お互いの強弱のバランスについてよく考えて演奏することも重要である。

(1) ここでいうフレージングは，４小節または８小節を単位とするいわゆるフレーズ（小楽節）ではなく，一つの重心音を中心に自然なまとまりとして感じることのできる音群の最小の単位を指す。保科洋はこれをグループと呼んでいる（保科洋『生きた音楽表現へのアプローチ』音楽之友社）。

●「マンボ No.5」（合奏）

ペレス・プラード作曲／菅 裕編曲

「マンボNo.5」はキューバの作曲家ペレス・プラードが1949年に発表し，世界的に大流行した作品である。リコーダー，鍵盤ハーモニカ，ピアノの低音で構成される旋律パートと打楽器によるリズムパートによって演奏できるように編曲している。

※ 楽譜は第４部「教材編」p.204 〜を参照。

(1) 楽曲の特徴と表現上の留意点

この器楽編曲版では，ソプラノ・リコーダーと鍵盤ハーモニカがそれぞれ原曲のトランペットとサクソフォーンのパートを受けもっている。一つ一つの音符を短めにきびきびと演奏すると，原曲の雰囲気に近づく。

カウベルが4拍子の基本のビートを常に刻んでいるので，全体がカウベルのビートをよく聴いてテンポを常に維持することが大切である。

トライアングルは，オープンとクローズを使い分けて演奏する。クローズのとき（楽譜中では＋の記号で示している）は，左手の中指・薬指・小指で楽器を軽く握り，楽器の響きを抑えて「チッ」という乾いた音を鳴らす。この奏法のためには紐の長さを適切に調整する必要がある。

ボンゴは以下のように演奏する。

右手で叩くときは，各指の第2関節を楽器の縁の部分に当てるように叩くと「コン」という高い音が鳴る。この奏法はとても難しいので，初山正博は，代わりに木琴などのマレットを右手に持って演奏させる方法を勧めている（初山正博『小学生のラテン打楽器入門』音楽之友社）。

クラベスを演奏する際，左手は楽器を握るのではなく，手のひらを上に向け，各指を軽く内側に曲げてできたくぼみの上にバランスよく置く。楽器と手の設置面が小さければ小さいほどよい音が鳴る。

マラカスは，音程の高いほうを右手に持つ。楽器を水平に持ち，手首の先を柔らかくしならせて振る。石が楽器の上部に当たらずに1点にまとまって落ちるようにすると，短く歯切れよい音がする。

コンガは以下のように演奏する。

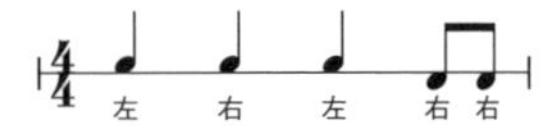

演奏の仕方は基本的にはボンゴと同じである。

小太鼓は，皮を少し強めに張り，響き線を外して使うとよい。大太鼓は左手に柔らかい布などを持ち，響きを止めながら演奏するとリズムがはっきりと聞こえる。

(2) 題材構成と学習の発展

この楽曲は「リズムにのってあそぼう」などの題材の中で，合奏教材として取り上げることができるだろう。難易度も高くないので中学年でも十分に演奏可能である。途中にリズムパートだけで即興的に演奏する場面を挿入するのもよい。一つ一つのシンプルなリズムが重なり合うことで生まれる生き生きとした響きの効果を，合奏を通じて感じ取らせてほしい。

また，いろいろな楽器の音色の組合せやリズムのつなげ方や重ね方を工夫することによって様々な打楽器リズム伴奏をつくらせ，既習の歌唱教材と一緒に演奏させるなど音楽づくりの学習への発展も考えられる。

●「翼をください」(合唱奏)

山上路夫作詞／村井邦彦作曲／菅 裕編曲

1970年代にフォークグループ「赤い鳥」によって歌われ，ヒットした作品である。編曲版では，器楽合奏と合唱が一緒に演奏できるようにしている。

※ 楽譜は第 4 部「教材編」p.206 ～を参照。

(1) 楽曲の特徴と表現上の留意点

主旋律は，比較的長い音符が多くのびやかな前半と，16分音符のシンコペーションによる生き生きとしたリズムが特徴の後半とに分かれる。前半と後半の曲想の違いを感じながら演奏することが大切である。

前半のリコーダーの主旋律は，一つ一つの音符の長さをしっかりと保ち，タンギングを少し柔らかくDuに近い発音で演奏させるとよい。後半のリコーダーは，前半よりもはっきりとしたタンギングでリズムを際立たせる。

鉄琴とピアノの4分音符は，主旋律の邪魔にならないように音量と音色に気を付けさせる。使用するマレットの選択にもこだわりをもたせたい。

22小節目と26小節目の主旋律の付点2分音符が短くならないように，下声部と鍵盤ハーモニカの旋律の上行を聴いてから次の音符に進むように注意させるとよい。

リコーダーのF♯は，ドイツ式のソプラノ・リコーダーではやや難しい運指になる。Gの運指のまま口からリコーダーを離し，右手中指・薬指・小指でそれぞれの穴を軽く叩いてみよう。3本の指が同時に動き，ポンポンとF♯の音が聞こえてくるまで練習する。

後半の小太鼓のリズムは少し難しいかもしれない。8分音符の基本のビートを聴きながら，16分音符を8ビートの裏に放り込む感覚をつかませる。

演奏する際には，各声部の楽器の音や全体の響き，伴奏を聴いて，音を合わせて演奏する技能を身に付けさせ，主旋律や副次的な旋律，リズム伴奏，和声伴奏などの役割を理解し，強弱のバランスや打楽器のマレットの選択などによる音色の違いを工夫させながら，全体として調和の取れた演奏を目指してほしい。

(2) 題材構成と学習の発展

「アンサンブルの響き」などの題材の中で，様々な楽器の音色が一体となって大きな響きをつくる合奏の醍醐味を体験させるとともに，よりよい響きをつくるための課題やその解決方法についても考えさせてほしい。特に各パートのバランスは，全体の響きを整える上で重要な要素である。主旋律と対旋律，和声部と低音，旋律楽器とリズム楽器，歌声と合奏の組合せについてそれぞれの役割を考え，どうすれば聴き手にとって心地よい響きになるか，いろいろと試させてみるとよい。

(菅 裕)

第4章 音楽づくりの学習と指導

1 「音楽づくり」の意義と留意点

「音楽づくり」とは，身の回りのすべての音を使い，広くすべての音楽様式をもとに，子ども自らが音楽をつくる活動をさす。2008年告示の第8次学習指導要領の改訂以来，「A 表現」の一つとして，「歌唱」「器楽」と並んで取り入れられている。「創作教育」は，昭和22年告示の第1次学習指導要領からすでに位置付けられているが，「音楽づくり」はクラシック音楽の語法を超えた，より幅広い活動であると考えられる。

▶ 音楽づくりの特徴

①身の回りのすべての音を素材とする。
②音遊びや即興的な表現が大きな意味をもつ。
③一定の枠組み（音楽の仕組み）をもとにつくることにより，音楽の構造を理解することにつながる。
④一人ではなく，グループで協働して音楽をつくることが多い。
⑤拍節的ではないリズムや，調性にとらわれない音階などの多様な要素が取り入れられる。
⑥我が国の音楽，諸外国の音楽，ポピュラー音楽，現代音楽など，多様な音楽様式の理解へとつながる。

①にあるように，私たちのまわりには様々な音がある。耳を澄まし，その面白さ，多様さに気付くことが，音楽づくりの出発点であろう。このような音素材をもとにすると，たとえ楽器の演奏技術が乏しくても，あるいは読譜力がなくても，子どもが自分の感性や創造性を駆使し，自分の思いを音に託しやすいのである。

そのためには②や③にあるように「即興」をベースとし,「一定の枠組み」（または音楽の仕組み）を教師が（または子どもたち同士で）提示することが大切である。例えば,「木でできたものだけでいろんな音を出してみよう」や「一人が工夫した音をみんなでまねしてみよう」などが考えられる。このような枠組みを設定することによって，子どもたちは工夫しながら音遊びや即興的な表現をすることになり，互いに聴き合い，それぞれの音を共有し合いながら，様々な発想を得ていく。ひいては④で挙げたように，ここで得られた音や発想が，グループで一つの作品をつくり上げるときにも生かされていく。

音楽づくりとは，子どもたち自身の音楽に対する思いや意図，創造性を生かし，上記①をもとにして②③④のような活動を行うことであり，その際，⑤や⑥に挙げたような幅広い音楽的な要素や様式を見渡すと，より活動の範囲が広がる。その結果として，⑥のような多様な音楽を理解し，広い音楽的視野を獲得することにも結び付く。そしてこれは音楽づくりと鑑賞との密接な関わり合いを生むことにもつながると考えられよう。

▶ 〔共通事項〕との関係

〔共通事項〕とは，表現及び鑑賞のすべての活動において共通に指導する内容を指している。〔共通事項〕の「音楽を形づくっている要素」は「ア 音楽を特徴付けている要素」として「音色，リズム，音階，音の重なりなど」,「イ 音楽の仕組み」として「反復，呼びかけとこたえ，変化，音楽の縦と横との関係など」が学習指導要領に挙げられている。

「音楽づくり」の特徴の中で述べた①と⑤は，〔共通事項〕「ア」の「音楽を特徴付けている要素」に関わりをもち，また③は「イ」の「音楽の仕組み」に当たる。

どんな音，どんなリズム，どんな音階にしようか，あるいはどんなふうに音を組み合わせていくかなどを工夫する活動が，〔共通事項〕「ア」に関わる。

音楽づくりで重要なのは，先に述べた③にある「一定の枠組み」，すなわち〔共通事項〕「イ」にある「反復」や「呼びかけとこたえ」などの「音楽の仕組み」である。「音楽の仕組み」は，音楽を形づくる様々な要素の中でも，音楽の「骨組み」ともいえるものである。この骨組みに支えられて，リズムや旋律などが音楽を特徴付け，音楽を面白いもの，あるいは美しいものに彩っていく。「音楽の仕組み」は，音楽を構造的に把握し，表現活動を主体的・創造的なものに高めていくための重要な手だてである。音楽をつくることとは，「音を音楽に構成する」ことに他ならず，その手だてとなるのが「音楽の仕組み」なのである。

▶ 実践のアイデア

(1) 反復をもとに

ほとんどすべての音楽には何らかの形で反復が存在する。例えば日本のお囃子をはじめとする様々な文化の太鼓の音楽には，明確な反復パターンが含まれていることが多い。オスティナートやジャズにおけるリフのように，どこかのパートが単純な音型を繰り返している音楽もある。

例えば，身の回りの物，あるいは打楽器などを使って，グループで即興的に「反復」の音楽をつくってみよう。4拍でできた簡単なパターンを一人が繰り返す上で，他の人が一人ずつ自分のパターンを入れて繰り返していく。すると，一人のつくったものは単純なのに，全体としてはかなり複雑で面白い音楽ができていく。

こうした活動の後，ラヴェルの「ボレロ」を聴いてみよう。この曲では一つのリズム・パターンが何度も（169回!も）反復される。そしてメロディーはたった二つである。それらが発展することなく，また転調することなく単に反復される。しかもそこには，あくことのない魅力がある。

自分で「反復」の音楽をつくった子どもたちは，その魅力の秘密に迫っていく力を付けていると考えられる。***pp***から次第に***ff***にまで到達する息の長い強弱の変化，繰り返すごとに音色を変え，組合せを変えていく楽器法の巧みさ，その一つ一つにどんな秘密があるのかを，子どもたちは自分の言葉で語ることができるだろう。

そして再び音楽をつくる場面では，この曲から聴き取ったことが生かされていく。いわばつくることによって聴く力が備わり，聴くことによって自分たちの音楽づくりをさらによいものにするといった相関である。このように，音楽づくりと鑑賞とは相互に密接な関わりをもつのである。

(2) 呼びかけとこたえ

「呼びかけとこたえ」の最も簡単でポピュラーな形は先に述べた模倣である。なかでもポピュラーなのが教師（または一人の子ども）がAというパターンを手拍子などでつくり，それを全員がまねるというリズム模倣である。これを少し変えて，一人がつくったAという呼びかけに対して，もう一人がA'という少し違ったこたえを返したり，Bというまったく別のこたえをしたりするといった活動に発展させることもできる。

「呼びかけとこたえ」という手だてをもっていると,「アイアイ」や「大きな歌」「森のくまさん」などのような歌唱教材における模倣，低学年の鑑賞教材としてよく出てくる「おどるこねこ」における2者の会話，中学年のモーツァルト「ホルン協奏曲」におけるオーケストラとソロの対比，日本の民謡における表情豊かな「合いの手」などにも一種の「呼びかけとこたえ」があり，そのありようは，単純な呼びかけの模倣から，対比的なもの，そして掛け合いとなるものなど，非常に幅広く，いわば二つ以上の声部の様々な関係性を含むことに気付く。

▶ 留意してほしいこと

小学校の授業では，歌などの合間に歌詞とつながりのある音を工夫して入れる，物語やあるいは具体的なイメージに合わせた音を工夫する，という活動を見ることがある。こうした活動では，子どもたちのつくりだしたものは音楽というよりは音あるいは効果音でしかない場合が多い。いわば，音を音楽へと構成していくための手だてをもたないままの「音楽づくり」になりがちであるといえるだろう。

音楽に対する子どもたちの思いや意図を生かしつつ，音を音楽に構成していくための手だてとなる「音楽の仕組み」に着目した，音楽の本質に迫る音楽づくりへと子どもたちの活動を発展させていきたいものである。　（坪能由紀子）

2 | 指導法

▶ 学習指導要領における「音楽づくり」

(1) 各学年に通じる「音楽づくり」の内容

学習指導要領では,「音楽づくり」を「創造性を発揮しながら自分にとって価値ある音や音楽をつくるものである」とし,その指導内容について,他の表現分野と同様に三つの資質・能力に整理し,次のような構成としている。

> ア　次の(ア)及び(イ)をできるようにすること。
> <思考力,判断力,表現力等>
> (ア) 即興的に表現することを通して,音楽づくりの様々な発想を得ること。
> (イ) 音を音楽に構成することを通して,全体のまとまりを意識した音楽をつくることをについて工夫し,思いや意図をもつこと。
> イ　次の(ア)及び(イ)について,それらを生み出すよさや面白さなどと関わらせて理解すること　<知識>
> (ア) いろいろな音の響きやその組合せの特徴
> (イ) 音やフレーズのつなげ方や重ね方の特徴
> ウ　発想を生かした表現や,思いや意図に合った表現をするために必要な次の(ア)及び(イ)の技能を身に付けること。　<技能>
> (ア) 設定した条件に基づいて,即興的に表現する技能
> (イ) 音楽の仕組みを用いて,音楽をつくる技能

こうした示し方により,音楽づくりの学習によって身に付けてほしい資質・能力が明確になり,音楽づくりにおける「思考力,判断力,表現力等」とは何か,「知識及び技能」とは何かを捉えやすくなっている。

さらに,音楽づくりの活動は,「音遊びや即興的な表現」と,「音を音楽へと構成」する活動からなるものと捉え,各事項の(ア)は主に前者,(イ)は主に後者の内容について示している。指導に当たっては,両者のつながりを考慮することの重要性が指摘されている。

(2) 各学年における「音楽づくり」の内容と留意点

各学年の「A表現(3)音楽づくりの活動を通して,次の事項を身に付けることができるよう指導する。」では,前項で記した事項ア,イ及びウにおける内容を記載している。ここでは事項ごとに各学年で示された内容,留意点について述べる。

ア　音楽づくりについての知識や技能を得たり生かしたりしながら,次の(ア)及び(イ)をできるようにすること。

	学年	内容
(ア)	1,2	音遊びを通して,音楽づくりの発想を得ること。
	3,4	即興的に表現することを通して,音楽づくりの発想を得ること。
	5,6	即興的に表現することを通して,音楽づくりの様々な発想を得ること。
(イ)	1,2	どのように音を音楽にしていくかについて思いをもつこと。
	3,4	音を音楽へと構成することを通して,どのようにまとまりを意識した音楽をつくるかについて思いや意図をもつこと。
	5,6	音を音楽へと構成することを通して,どのように全体のまとまりを意識した音楽をつくるかについて思いや意図をもつこと。

前項で述べたように,事項アは,音楽づくりの「思考力,判断力,表現力等」について示したものである。

音楽づくりの発想を得たり,どのように音を音楽にし(全体の)まとまりを意識した音楽をつくるかについて思いや意図をもったりするためには,「その過程で新たな知識や技能を習得」したり,「これまでの知識や技能を活用」したりする両方が必要であるため,「知識や技能を得たり生かしたり」としているのである。「知識や技能を習得」→「発想を得たり思いや意図をもったりする」といった,「一方向のみの指導」は避けたい。

(ア)の「**音遊び**」は,低学年の発達段階を考慮したものであり,「友達と関わりながら,声や身の回りの音に親しみ,その場で様々な音を選んだりつなげたりして表現する」ことを表している。「**即興的に表現すること**」は,「あらかじめ楽譜などに示されたとおりに表現するのではなく,友達

と関わりながら，その場でいろいろな音を選択したり組み合わせたりして表現すること」を指しており，本質的には低学年の音遊びと変わらない。即興的な表現では，音遊び以上に音楽づくりの条件が設定されたり，よりよい表現に向けた多様な発想が求められたりする。

こうした音遊び・即興的な表現は，その活動を通して，「これらの音をこうしたら面白くなる」という考えを生み出し，「音楽づくりの発想を得る」ことになる。したがって，この活動は音楽づくりの根幹をなすものと言える。また，音遊び・即興的な表現は，様々な音楽活動の基盤となる知識や技能を身に付けることにもつながる。授業内容に関連した音遊び・即興的な表現を，授業のはじめなどの常時活動として行うことによって,「音や音楽を，音楽を形づくっている要素とその働きの視点で捉え，自己のイメージや感情，生活や文化などと関連付けて考える」音楽的な見方・考え方を豊かに働かせる素地を育てていくことができるのである。

(ｲ) の内容である「**どのように音を音楽にしていく・音を音楽に構成する**」は,「音楽の仕組み」つまり反復，呼びかけとこたえ，変化，音楽の縦と横との関係を使って,「音やフレーズを関連付けて（まとまりのある）音楽にしていく・音楽に構成する」ことである。

ここで大切なことは，子どもたちがそれぞれの思いを伝え合い，実際に音で試しながら表現を工夫し，自分たちの思いや意図を膨らませていくことである。

いずれの学習も，教師が子どもの表現に耳を傾け子どもの変容を捉え，その表現のよさや面白さを具体的に価値付けしたり，全体で共有しながら友達の表現を自分の表現に生かすように導いたりすることが大切である。また，音遊び・即興的な表現の内容や方法の引き出しを増やしていくことも教師の役割である。さらに,「子どもがつくった音楽を聴き合い，互いの表現のよさや面白さを認め合い，思いや意図をもって音楽をつくる経験を積み重ねる」ように授業計画を立てることも必要である。

イ （低学年）次の（ｱ）及び（ｲ）について，それらが生み出す面白さなどと関わらせて気付くこと。
（中学年）次の（ｱ）及び（ｲ）について，それらが生み出すよさや面白さなどと関わらせて気付くこと。
（高学年）次の（ｱ）及び（ｲ）について，それらが生み出すよさや面白さなどと関わらせて理解すること。

	学年	内容
(ｱ)	1, 2	声や身の回りの様々な音の特徴
	3, 4	いろいろな音の響きやそれらの組合せの特徴
	5, 6	
(ｲ)	1, 2	音やフレーズのつなげ方の特徴
	3, 4	音やフレーズのつなげ方や重ね方の特徴
	5, 6	

事項イは，音楽づくりの「知識」に関する資質・能力を示している。「**それらが生み出す（よさ）や面白さと関わらせて**」は，音楽のつくり方のよさや面白さについて，実感を伴う気付きを求めている。子どもの成長に伴い，中学年では，「よさ」が加わり，高学年では,「気付く」から「理解する」へと深まっている。

(ｱ) は，子どもが扱う音の素材となる声や楽器，身の回りの様々な音，音質の違いによる響きやそれらの組合せによる重なり合う響きなどの特徴に実際に音で確かめながら気付くことを示している。

低学年で示された「声」には,「歌声だけでなく，話し声やかけ声，ささやき声やため息のように息を使った音，擬声語や擬態語など」も含まれている。「身の回りの様々な音」には，「自然や生活の中で耳にする音」「身近な楽器や身の回りのもので出せる音」などがある。

中・高学年の「いろいろな音の響き」には，低学年で示された上記の音に加えて,「音の素材や楽器そのものがもつ固有の音の響き」「材質の違いによる音の響き」「音を出す道具による響きの違い」などがあり,「それらの組合せ」は，いくつかの音の響きを合わせたときに生まれるものである。音や響きの特徴には，高さ，長さ，音色があり，それに加えて強さ，重なりなども含まれる。扱う音や響きは，つくった音楽のよさを決定付ける重要な要素である。

低学年では，音遊びの活動において，それぞれの声や音の特徴を取り上げ，そのよさに気付くようにし，その特徴を生かして表現することが大切である。また，いろいろな音の出し方を試しながら演奏の仕方による音の違いにも気付くように導くことも必要である。

中・高学年では，特徴的な音やそれらの組合せを取り上げ，そのよさや面白さに気付くようにしたい。また，音を対比しながらその類似性や相違性などに気付いて表現の工夫に生かすように促すことも大切である。

(イ) の「**音やフレーズのつなげ方**」「**重ね方**」は，低学年では「一つ一つの音や個々の音が組み合わされたフレーズをつなげること」，中・高学年では「音を組み合わせてつくったリズムや旋律をつなげたり重ねたりすること」を指す。その特徴は，先に触れた「音楽の仕組み」の生かし方によって見いだせる。それらのよさや面白さなどと関わらせながら「音やフレーズのつなげ方や重ね方」の特徴を理解していくことが大切である。

「音を音楽にしていく・音を音楽へと構成していく」過程において，音楽の仕組みを生かした特徴的な音やフレーズのつなげ方や重ね方に着目し，どのようなよさや面白さがあるのかについても，全体で共有していくことに留意したい。

ウ　（低学年）　発想を生かした表現や，思いに合った表現をするために必要な次の (ア) 及び (イ) の技能を身に付けること。

（中・高学年）発想を生かした表現や，思いや意図に合った表現をするために必要な次の (ア) 及び (イ) の技能を身に付けること。

事項ウは，音楽づくりの「技能」に関する資質・能力であることは言うまでもない。「発想を生かした表現や，思い（や意図）に合った表現をするために必要な技能」としているのは，(ア) が発想を生かした表現をするために必要となるもの，(イ) が思いや意図に合った音楽表現をするために必要となるものとして位置付けられているからである。

	学年	内容
(ア)	1, 2	設定した条件に基づいて，即興的に音を選んだりつなげたりして表現する技能
	3, 4	設定した条件に基づいて，即興的に音を選択したり組み合わせたりして表現する技能
	5, 6	
(イ)	1, 2	音楽の仕組みを用いて，簡単な音楽をつくる技能
	3, 4	音楽の仕組みを用いて，音楽をつくる技能
	5, 6	

事項ウに示された内容は，子どもにとって表したい発想や，思いや意図が実現できるようにするために必要であることを実感してこそ，身に付くものである。したがって，学習を進める中で，事項アとの関連を図りながら，どのような場面でどのような技能を習得できるようにするのか，意図的，計画的な指導が大切となる。

(ア) に示された「**設定した条件**」は，音楽づくりの（様々な）発想を得るために必要不可欠な約束事である。学習のねらいに応じて，子どもが分かりやすく，即興的に表現するよさや面白さを味わうことができる適切な条件の設定が重要になる。

「**即興的に音を（選んだり）選択したり（つなげたり）組み合わせたりして表現する技能**」は，あらかじめ決められたとおりに表現するのではないことを前提としている。設定した条件に基づいて，その場で音を選択したり組み合わせたりして表現できることを求めている。したがって，設定した条件によって，身に付ける技能が異なることは当然である。重要なのは，条件を設定する際にイ (ア) に示された知識を含め，事項ア，イ，ウの関連を図った学習を進めることである。

実際の授業では，設定した条件から外れたアイデアが子どもから生まれてくることがある。これについては，条件を確認しながら子どものアイデアのよさや面白さを教師が認めるだけでなく子どもも全体で共有することが必要である。

その結果，新しい条件として加えたり設定した条件を修正したりして，子どもの発想をより膨らませられるようにしていくことが大切である。それには，子どもが互いの声や音の響きの特徴を注意深く聴くようにする必要がある。

(イ)は，音楽の仕組みを活用し，音を音楽にしていく・音を音楽へと構成していくことができることを表している。子どもたちに求める作品は，もちろん学年によって異なるが，子どもが使う「音楽の仕組み」については，子どもの発達段階や音楽経験，指導のねらいなどによって，教師から示す場合も子どもが選択する場合もある。いずれにしても，(ア)の技能習得と同様に，イ(イ)に示された知識を含め，ア，イ及びウの関連を図った学習を展開することが大切である。

以上，学習指導要領に示された「音楽づくり」の内容を見てきた。これらに加えて見過ごすことができないのが，「第4章　指導計画の作成と内容の取扱い2　内容の取扱いと指導上の配慮事項(6)」に記載されている内容である。

(6) 各学年の「A表現」の(3)の音楽づくりの指導に当たっては，次のとおり取り扱うこと。

> ア　音遊びや即興的な表現では，身近なものから多様な音を探したり，リズムや旋律を模倣したりして，音楽づくりの発想を得ることができるよう指導すること。その際，適切な条件を設定するなど，児童が無理なく音を選択したり組み合わせたりすることができるよう指導を工夫すること。
>
> イ　どのような音楽を，どのようにしてつくるかなどについて，児童の実態に応じて具体的な例を示しながら指導すること，見通しをもって音楽づくりの活動ができよう指導を工夫すること。
>
> ウ　つくった音楽については，指導のねらいの即し，必要に応じて作品を記録させること。
>
> エ　拍のないリズム，我が国の音楽に使われている音階や調にとらわれない音階などを児童の実態に応じて取り上げるようにすること。

事項アは，音楽づくりの「音遊び・即興的な表現」に関わる取扱いであり，**事項イ**は「音楽の仕組みを用いて，音を音楽にしていく・音を音楽へと構成していく」際に関わる取扱いである。

音楽づくりは子どもたちが新しい音楽をつくっていく学習であるから，つくる音楽についての具体的なイメージをもちにくい場合がある。まず，教師自身がつくる音楽や，つくる過程に見通しをもち，子どもたちが試行錯誤しながらも「こうしてつくっていけばできる」といった実感をもてるように，「設定した条件」や「例示」の仕方を工夫していく必要がある。子どもがつくろうとしている音楽への思いや意図に寄り添いながら，教師自らも子どもと一緒に音楽をつくってみることも大切である。

事項ウは，子どものつくった音楽の記譜の取扱いを示している。記譜は，子どものつくった音楽を記録したり互いに共有したりする上で重要であるが，記録の方法には指導のねらいや子どもの発達段階を考慮し，図形や絵，文字など，工夫することが必要である。

事項エは，多様な音楽表現から音楽づくりを進めることを示唆している。一定の間隔をもって刻まれる拍がないリズム，我が国のわらべうたや民謡などに見られる音階や全音音階，教会旋法，諸外国の様々な音階などをもとにし，音楽の仕組みを活用して音楽をつくるほうが，まとまりを意識した音楽を生み出しやすいこともある。また，これらに触れることで，様々な音楽と出合い，子どもが音楽の世界を広げていくことにもつながる。

「音楽づくり」は，子どもが創造性を発揮し，自分にとって価値ある音楽をつくるという，未来を生きる子どもの資質・能力を培う重要な学習である。しかし，何をどのようにつくるかといった見通しがないと，単なる音の羅列になったり，学びにつながらなかったりすることが危惧される。学習指導要領に示された内容を把握し，子どもが創造性を発揮し高めながら自己表現ができ，子どもにとって意味ある学習を展開できるように指導を工夫していきたいものである。

▶ 実践事例

◯低学年の事例

(1) 音遊び「声であそぼう」＜２時間扱い＞

本事例は，学習指導要領Ａ表現（3）音楽づくりの事項ア，イ及びウの（ア）に関わる学習である。自分の唇や声でいろいろな音が出せることを実感しながら，自分の気に入った音の出し方を見付ける。その音で，即興的に友達とつなげたり模倣し合ったりし，声で音遊びをする面白さを味わう学習である。

ここでは，次のことを目指している。

いろいろな声の出し方を試しながら，その音色の面白さを感じ取り，自分なりの声の出し方を工夫し，声による音楽づくりの発想を得る。

①音の感じを想像しながら，音を声で表す。

教師が提示した絵に示されたものの音を想像しながら，声を使って即興的に表現する。

＜例１＞救急車＝ピーポーピーポー　etc.
＜例２＞嵐の風＝ピュウ，ビュウ～　etc.
＜例３＞セミ　＝ミーンミンミンミン，ジージー，ツクツクホーシ etc.

教師は，表現する感じがよく出ている表現，高さ，長さ，速さ，強さなどの表現が工夫されているかを聴き取りながら，表現への思いを尋ねたり，その面白さを価値付けたりする。

②表現したい音を選んで，いろいろな声の出し方を試し，紹介し合う。

教師が示したものだけでなく，自分で音を考え，表現する。言葉になってしまうもの（鶏や犬の鳴き声などは避けたほうがいろいろな表現が引き出せる）教室内を，声を出し合いながら歩き，虫の声や風の音などの仲間を見付け，グループをつくって円になって座る。拍にのる必要はない。

表したい声以外の話し声などは
出さないことが大切！

③グループ内で，互いの声をつなげたり模倣し合ったりして，その面白さを伝え合う。

同じ仲間のグループでペアをつくり，互いの声をつなげたり模倣したりする。ペアの表現を同じ仲間のグループで聴き合い，リレーしたり模倣したりして，互いの表現のよさを伝え合う。

＜例＞風の音グループ（四人グループ）
1ペアＡ　1児　ヒューヒュヒュヒュヒュ→
　　　　　2児　　　サラサラ　サラサラ
　　　　　　　　　　（2回繰り返す）
2風の音グループ全員
　　　　　1児組　ヒューヒュヒュヒュヒュ→
　　　　　2児組　　　サラサラ　サラサラ
　　　　　　　　　　（2回繰り返す）

(2) 音を音楽にしていく「わらべうたでつくろう」＜３時間扱い＞

本事例は，わらべうたで使われている音を用いて旋律をつくり，それをつなげて音楽をつくる学習である。

まず，いろいろなわらべうたを聴いたりその遊び方を知ったりして，わらべうたの面白さを十分に味わう。言葉に合う旋律を工夫し，「とんだとんだ」につなげ，わらべうたに使われる音を用いた旋律づくりを楽しむ。

わらべうたの音を使った旋律をつくり，言葉に合う旋律をつくる面白さに気付き，呼びかけとこたえを用いて，どのような歌にしていくかについて思いをもつことを目指す。

①いろいろなわらべうたを鑑賞し，そのよさや面白さを感じ取りながら，体の動きを入れて楽しんで聴く。

「なべなべそこぬけ」「いもむしごろごろ」「いちわのからす」「あぶくたった」「いろはにこんぺいとう」など，体を動かす遊び歌，縄跳び歌，言葉遊び歌など，いろいろな種類のわらべうたを聴き，音楽に合わせて歌いながら遊ぶ。

②わらべうたで使われている音を知り，言葉を使って，即興的に短い旋律をつくる。

「なべなべそこぬけ」「いもむしごろごろ」を教師のあとに続いてドレミで歌い，それぞれソラシ，ソラシミでできていて，ラやミで終わっていることに気付く。

ソラシミを使って，言葉のリレーをし，いろいろな旋律をつくるように促す。

③「とんだとんだ」の歌を知り，学級全体で即興的に歌をつくる。

終わり方をみんなで考えてつくるとよい。

④グループごとに，「○○だ○○だ」に変えて，つなげる言葉に旋律をつくり，発表する。

言葉は，「おきたおきた」「さいたさいた」など，みんなが聴いていて気持ちがよいものにすることを条件に考えるようにする。また，思い付かないときは，例示をしたり「とんだとんだ」でもよいことにしたりするとよい。

「自由な部分」にも旋律を付けたり動きで表したりしてもよいことを伝え，「終わりの部分」も，ゆとりのある場合は，オリジナルをつくるようにする。発表の際は，②のように伴奏を入れる。

本事例では，「自由な部分」を □ にしたワークシートを用意し，言葉を書き入れるようにする。ドレミについては，教師が子どもの歌を聴きながら確認するとよい。

○中学年の事例

(1) 即興的な表現「リズムでつくろう」

本事例は，常時的に扱いたい活動である。また，リズムアンサンブルをつくるといった「音を音楽へと構成する」学習の礎になる学習でもある。

また，低学年で行うリズム遊びの発展でもあり，拍やリズムといった音楽の根幹をなす構造の理解とその表現の技能を支える活動ともなる。ここでは，次のようなことをねらいとする。

手拍子の響きと拍やリズムとの関わりや強弱や速度の変化による面白さやよさに気付き，即興的にリズムをつくる発想を得る。

①教師や子どもの打つリズムを模倣したりそれに答えたりして，即興的なリズム表現に慣れる。

はじめは，低学年で行ったように4拍の模倣からはじめ，慣れてきたら8拍の模倣をする。いつも教師の模倣ではなく，子ども同士ペアを組んで模倣し合ったり，代表の子どもの模倣をしたりなど，模倣の仕方を工夫するとよい。

＜例＞4/4　2小節

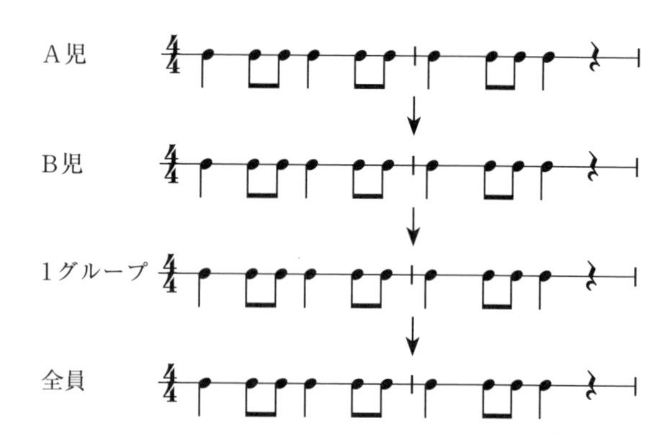

本例では，自然と強弱の変化が生まれる。それに子どもが気付くことが重要である。また，速度が速くなりがちなときは，それが意図的なのかそうではないのか確認し，速度の変化の意味を考えることが大切である。

②二人の子どものリズムを取り上げ，二人の手拍子の音色を変えて即興的にリズムをつなげたり重ねたりする。

手拍子を普通に打つ音（A）と手のひらをくぼませて打つ音（B）にわけ，その場で反復の仕方を考えてつなげたり，重ねたりする。子どもが強弱の変化や速度についても意識がいくように，それについて質問したり教師から提案したりするとよい。

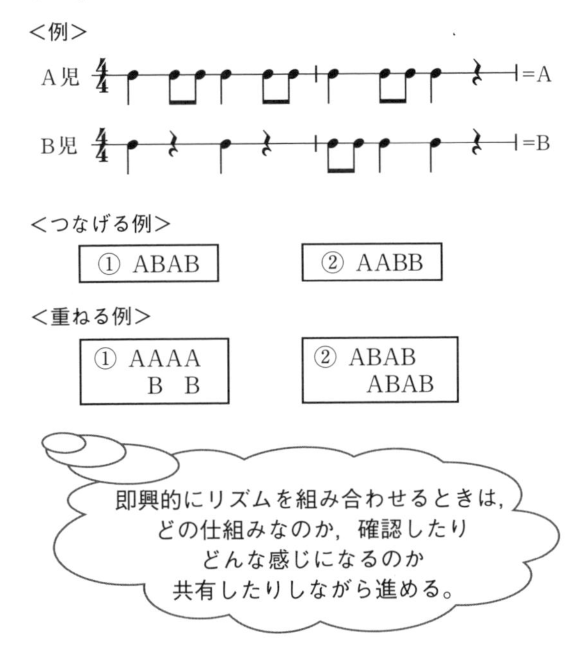

(2) 音を音楽へと構成する
「図形から音楽をつくろう」（3時間扱い）

> 本事例は，図形から音へ置き換え，その組合わせを工夫して音楽をつくる学習である。「置換する」という行為は，子どもの思考力，判断力，表現力等を促す大切な活動である。
>
> 前項で示した即興的な表現の活動は，一定の拍にのっているが，ここでは，拍によらない表現である。その際，拠りどころとなるのは，音楽の仕組みである。どんな仕組みを使っているのか，明確に示すことによってまとまりを意識した音楽が構築されていく。
>
> 楽器の音や響きの特徴に気付き，その面白さやよさを感じ取りながら，音の出し方や組合せを工夫し，どのようにまとまりを意識した音楽をつくるかについて思いや意図をもつことを目指す。

①教師が提示した図形を見て，声で表現する。

<例>

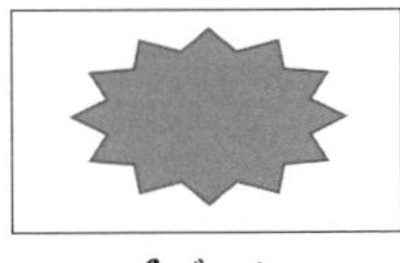

f バーン

と〜 んと 〜ん

図形の感じに合わせて声で表現し，なぜそのように表現したのか，理由を共有し合うようにする。

②声で表現した感じに合う楽器を探し，楽器で表現する。

教師がいくつかの楽器を選定しておき，音の出し方を工夫して，表現するようにする。

③教師が打つ楽器の音を図形に表す。

<例>鈴を打つ。

描いた図を友達と見合い，音の感じを共有する。

④いろいろな楽器の音を確かめ，自分が扱う楽器を決める。

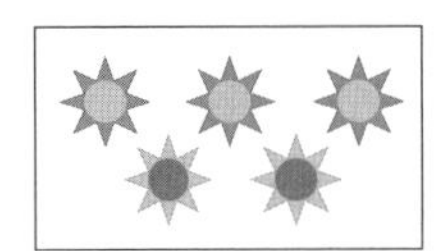

楽器の材質によって，音の響きが違うことを確かめ，木のグループ，金属のグループ，皮のクループ，木・金属・皮が混在するグループをつくる。

一つのグループで低音・中音・高音の響きがあるように設定する。

⑤自分の音に合った図形を，強さ，長さを表すように描く。

<例>

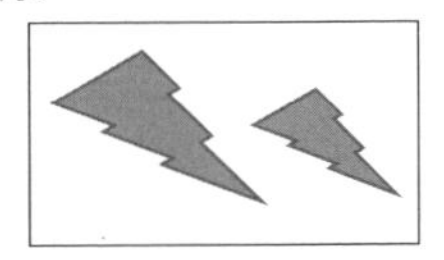

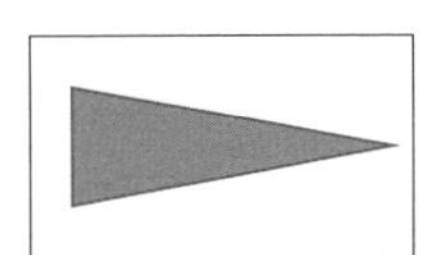

音の感じを図形で表すことが難しい子どもには，教師が例示したりヒントを与えたりする。

図形を書くことに時間がかかりそうな場合は，教師が準備した図形でつくるようにする。

⑥反復，呼びかけとこたえ，変化を生かして，グループごとに音楽をつくる。

教師と子どもで，意見を交換しながら，組合せの仕方や音楽の仕組みの用い方を試して音楽をつくる。子どもたちは，その経験を生かしてグループごとに音楽をつくっていく。

＜例＞金属の楽器のグループ

すず		
トライアングル		
スタンド シンバル		

4回繰り返し，1・2回目*f*
3・4回目*p*で演奏する

★使う全音音階

全音音階は，２種類になるが，ここでは上記の音階を扱う。どちらも終止音は決まっていない。

「鉄腕アトム」の前奏を鍵盤ハーモニカで吹いたり，「かえるの合唱」を全音音階で演奏したりする。

○高学年の事例

高学年では，即興的な表現の活動で得た発想をもとにして，音を音楽へと構成していく活動を示す。先に述べたように，音楽づくりでは，二つの活動が関連し合うことが望ましい。

◎即興的な表現から音を音楽へと構成する「全音音階でつくろう」（5時間扱い）

ここでは，子どもたちが普段あまり聴いたことがないが，部分的に身近な音楽にも使われている音階である全音音階を使って，即興的に表現する活動を行い,その音階の面白さやよさを感じ取って，音楽を構成する学習を展開する。

全音音階は，学習指導要領 第4章の2（3）エの事項に示された「調にとらわれない音階」の一つである。調にとらわれないため，旋律や音の重なりを無理なく進めることができる。

即興的に旋律をつくりながら音階の構造を理解し，その面白さやよさを理解し，旋律の組合せや重ね方を工夫し，全体のまとまりを意識した音楽をつくること，を目指したい。

①全音音階を使った「葉ずえを渡る鐘」（『映像』第２集より第１曲）を聴き，曲想と音階との関わりを理解し，曲全体を味わって聴く。

まず，ピアノの音色に親しみながら，全曲を聴き，受けた印象について意見を交換する。

次に，全音音階でつくられた曲であることを知り，反復する全音音階の音階を上行したり下行したりする伴奏に着目し，その雰囲気を感じ取る。

②「かえるの合唱」を全音音階で演奏し，使われている音を知り，音階の醸し出す雰囲気を感じ取る。

③トーンチャイムを使って，全音音階の音で即興的に旋律をつくったり音を重ねたりする。

「かえるの合唱」のリズムを使って，全音音階の音階順に音を出したり，音の順番を入れ替えて旋律をつくったりする。

④即興的につくった旋律をもとに，4/4，２小節の旋律をつくり，友達の旋律とつなげて，８小節程度の音楽をつくる。

つくる旋律のリズムは，鍵盤ハーモニカやキーボードで演奏できるものとし，つなげたときにまとまりができるように，教師がつなぎ方を例示したり，グループで旋律を選んだり修正したりしながらつくる。＜例＞ A児→B児→A児→C児

⑤はじめと終わりの部分にトーンチャイムや鉄琴の音で，全音音階の音を自由に奏で，つくった音楽に伴奏を加えて発表し合う。

伴奏は，バス木琴，鉄琴，ピアノ，バスオルガンなどで，③の経験や「葉ずえを渡る鐘」で使われている全音音階の上行形・下行形の伴奏を生かす。

＜例＞自由なリズムの全音音階の音楽→④でつくった旋律＋伴奏→自由なリズムの全音音階の音楽

（石上則子）

第5章 鑑賞の学習と指導

1 「鑑賞」の意義と留意点

▶ 音楽鑑賞の特徴

音楽鑑賞は，音楽の「意味」を理解し，そのよさや美しさを享受する活動である。鑑賞者の音楽への主体的な関わりが鑑賞活動の前提となるが，その関わり方には二つの側面がある。一つは，音楽と情動的に交感する側面であり，もう一つは，その音楽についての知的理解を目指す側面である。音楽との交感には，鑑賞する音楽への好き・嫌いの感情や，その音楽にまつわる個人的な体験による共感や反発などが含まれる。知的理解には，言語を介してなされる批評や解釈，社会的・文化的な背景の理解，音楽構造の把握や様式の分類などが含まれる。

二つの側面のどちらの場合も，鑑賞の対象である音楽がもつ「音と音の響き合い」を聴取することを通して知覚・感受される。つまり，音楽を形づくっている諸要素の織りなすサウンドのありようを聴取することが，音楽鑑賞の基本となる。

▶ 鑑賞指導の意義

学校教育における音楽鑑賞指導の意義として，次の3点を挙げることができる。

(1) 音楽へのアプローチの方法の習得

音楽は，瞬時に消え去ってしまう「音」という媒体によって，独自の時間的流れを形成している。音楽特有の美しさを享受するためには，音楽に対して，鑑賞者の自発的な意志の働きかけが必要であり，音楽の時間的流れに即して，聴覚を中心とした心的活動の活性化が不可欠となる。

この心的活動の様態によって，音楽の聴き方にも多様なレベルが存在する。現代人によく見られるＢＧＭ的な聴き方（散漫聴取，周辺的聴取）だけではなく，音楽の諸要素の関わり合いを聴取したり，社会的・文化的背景を踏まえながら聴取の結果を総合的に理解したりすることで，音楽特有の美しさ，豊かさに迫ることができるのである。音楽科で多様な聴き方を学習することは，音楽の世界にアプローチする方法を，子どもが身に付けることに他ならない。

(2) 表現活動の質的向上

表現領域の活動（歌唱・器楽・音楽づくり）の際にも，音楽聴取が活躍する。例えば，合唱や器楽合奏の際に，模範となる演奏を聴くことで曲全体のイメージが把握でき，自分たちの表現の目標とすることができる。また，練習過程で演奏を互いに聴き合い批評し合うことで，自分たちの表現を客観的に捉えることができ，音楽表現は高められていく。

このように，鑑賞指導によって育まれた音楽聴取の力は，表現活動の場面でも発揮されることで，子どもの音楽表現の質を向上させることができる。

(3) 音楽文化の多様な価値の理解

日常生活の中で子どもたちは，マスメディアを通じて耳にすることの多いポピュラー音楽に強い親近感を抱いている。鑑賞指導で，古今東西の様々な音楽を鑑賞させることによって，ポピュラー音楽に偏りがちな子どもの音楽観を拡大することができる。世界の様々な音楽に接することは，その音楽を創出した人々の生活や文化を知るきっかけになり，人間と音楽の関係に子どもの目を向けさせる。そして，世界には音楽に対する多様な価値が併存していることの理解につながっていく。この点で，音楽鑑賞指導は，音楽を通した国際理解，異文化理解であるともいえよう。

▶ 鑑賞指導の留意点

鑑賞指導の際には，次の5点に留意することが大切である。このうち，**明確化**と**注視**は，子どもの聴取を促進するための留意点である。また，共

有化と**表現との相互関連**は，より豊かな授業展開のための留意点である。そして，**可視化**は，教師の指導に際しての留意点として位置付けられる。

(1) 聴取対象の明確化

音楽鑑賞の指導でまず重要なことは，その音楽の何を聴き取ればよいのか（曲の何に注意を集中させればよいのか）や，その音楽に関して何を学べばよいのかを，明確に子どもに示すことである。

鑑賞指導で子どもに教えることができる事柄には，次の3種類が考えられる。

①その曲を形づくっている諸要素（リズム，速度，旋律，強弱，音色，音の重なり，形式など）

②その曲の雰囲気や情景（作曲家が表現しようとしたイメージなど）

③その曲に関連した知識・作曲家の逸話など

この3種類のうち，①はその曲の音と音との響き合いに直接関わる事項であり，聴取によって理解できる。③は曲の音と音との響き合いとは間接的な事項であり，聴取以外の方法でも理解することができる。①と③は，どちらも客観的に教えることができる（クラス全員が獲得し得る）。それに対し②は，音楽を形づくっている諸要素から生起したイメージであり，聴き手の音楽経験や音楽観から影響を受けるため，子どもによって感じるイメージは異なってくる（クラス全員が一つのイメージに到達できるとは限らない）。

このような3種類の特徴を考慮し，どこに（曲の何に）焦点を絞って聴取すればよいのか，事前に明確に提示することが大切である。

(2) 聴取結果の注視

聴取した事柄について，子ども自身が注意深く見きわめることも重要である。例えば，その曲のある部分の雰囲気を聴取した場合，自分の感じた音楽的イメージが音楽の諸要素のどこと関連しているのか，どの要素からイメージが生起しているのかを吟味するのである。このような聴取結果の注視によって，子どもは自分の心的内面を見つめると同時に，音楽の不思議さ，面白さを発見していくのである。

(3) 聴取過程の可視化

鑑賞指導では，聴取活動が子どもの頭や心の中で展開されるため，子どもの聴取状況を外見から確認しづらい。そこで，指導の際には，子どもの聴取過程を目に見える形に置き換える工夫が必要である。例えば，楽器の音色を聴き分ける際，出現した音色に合う楽器の絵を指し示させたり，その楽器を演奏するまね（模擬演奏）をさせたりする。また，曲の構成を聴取させたいとき，音楽場面が大きく変化したら挙手させるなどする。

このような，ちょっとした工夫で聴取過程を目に見える形に置き換えられる。聴取した結果を言葉で表すことや，音楽に合わせた身体表現も可視化の方法である。聴取過程の可視化によって，子どもの聴取の達成度を確認することができ，評価の際にも便利である。

(4) 聴取結果の共有化

聴取結果について，個人で注視するだけではなく，注視した内容を子ども同士が発表し合うことにより，クラス全体で共有化することができる。特に，その曲の雰囲気や情景などを聴取する場合，自分の感じた音楽的イメージを諸要素との関連で説明し合うことにより，その音楽に対する個人の感じ方の違いも学ぶことができる。

集団学習という学校教育の特徴を生かして，クラス全体で共有化を図ることにより，多様な感じ方や聴き方が許されているという音楽の多様性を，子どもたちは学ぶことができるのである。

(5) 表現と鑑賞の相互関連

鑑賞によって獲得した内容を表現領域の活動（歌唱・器楽・音楽づくり）に生かしたり，表現領域で学んだ内容を鑑賞活動で利用したりすることで，音楽の理解がより深められ，音楽学習の総合的な展開を図ることができる。例えば，鑑賞で学んだ音の強弱の効果を，器楽アンサンブルに生かして，強弱の表現を工夫する。また，鑑賞曲の主な旋律を歌ったり，リコーダーで吹いたりすることで，旋律の聴取の確実性が増すのである。

（寺田貴雄）

2 指導法

▶ 鑑賞指導の組み立て方

(1)「聴き取り，感じ取る」ことを基本として，「聴き広げ，聴き深めていく」ステップを工夫する

鑑賞の活動では音楽を味わって聴くことができるように，「曲や演奏の楽しさ，よさなどを見いだし，曲全体を味わって聴くこと」，「曲想及びその変化と，音楽の構造との関わりを理解すること」が学習のねらいとなる。

授業では，次のようなステップを想定して学習活動を組み立てる。

①「楽しそうだな」「○○の音みたい」などと，曲に興味をもち分かりやすい特徴に気付く段階

②「あっ，またさっきの旋律が出てきた。でも，演奏している楽器がちがうよ」「だんだん速くなって，追いかけられているみたいだ」などと，曲想と音楽の構造との関わりを感じ取り，聴き深める段階

③曲や演奏のよさを見いだし，曲全体を味わって聴く段階

児童が興味を深め，繰り返し聴きたくなるような仕掛けを工夫し，徐々に音楽的な感受を深め，鑑賞の能力を高めていくことが必要である。児童が興味をもちそうな部分に焦点を当て，主な旋律の部分を繰り返し聴いて親しませたり，続きを聴いたりしながら，最終的に全体を見通して聴くことができるようにする。なお，一人一人の気付き方や感じ方の個人差や時間差に十分配慮し，それぞれのよさを認めるようにしたい。

(2) 指導のねらいを焦点化する

〔共通事項〕との関連を図り，指導のねらいを焦点化することが大切である。1回聴くたびに角度を変えためあてを一つもって繰り返し聴き，音楽への興味を持続し，深めていくようにする。ねらいの焦点化は，評価の観点にも結び付く。

(3) 楽しく聴く活動を工夫して鑑賞の能力を身に付けるようにする

児童が楽しく繰り返し音楽を聴くために，次のような活動を取り入れることが考えられる。

①拍を感じ取って聴く

音楽に合わせて指揮のまねをしたり，音がしないように拍打ちをしたりする。

②主な旋律を聴き取る

主な旋律を口ずさんで覚え，主な旋律が現れたときに挙手するなど体の動きを取り入れる。

③体の動きを取り入れて聴く

音楽に合わせて体を動かす，音楽に合わせて歩いたり，踊ったりする，演奏のまねをするなど，体を動かす活動を取り入れることで，曲を特徴付けている要素を感じ取る。

④比較して聴く

・同一曲を異なる楽器や演奏形態で聴き比べ，それぞれの演奏のよさを感じ取る。

・同一曲を異なる演奏者による演奏で聴き比べ，曲想表現の違いを感じ取る。

・同じ題材の曲を比較して聴く（例：動物の音楽で「白鳥」「堂々たるライオンの行進」を比べて聴く）。

⑤ワークシートや板書で聴き取り感じ取ったことを確かめる

音楽を聴いて気付いたことや感じたことを言葉，記号，絵などで表せるワークシートや，全体で音楽の構造や感じ取ったことを確かめ合う板書を工夫する。

(4) 視聴覚機器を活用する

演奏者の姿や表情，演奏会の様子，舞台芸術や世界の様々な音楽を試聴することは，児童にとって印象深い体験となり，音楽への憧れや感動をもたらす。DVDなどの映像資料を積極的に活用し，演奏のよさを十分に味わうようにしたい。

▶ 低学年の指導

低学年では，児童が「音楽を聴くことが好き」と思えるように興味・関心をもって取り組むことができる鑑賞活動を進めることが大事である。低学年の特性として，音楽を聴くと，自然に体を動かしたり，旋律を口ずさんだりするなど，音楽に感覚的に反応する様子が見られる。

そこで，行進曲や踊りの音楽など思わず動き出

したくなるような曲を教材として選択し，音楽に合わせて歩く，踊る，手拍子を打つなど，体の動きを取り入れた活動を工夫しながら聴く楽しさを十分に味わうようにしたい。

体の動きを取り入れて聴く活動では，聴くときの約束を楽しく遊び感覚で身に付けるようにしたい。「音楽をよく聴いて動く」「音楽を聴く妨げになる音を立てない」「他の人の身体に触れない」といった約束をし，動いて聴くとき，動かないで聴くときのメリハリをもたせることで聴く態度を育てるようにする。

また，低学年では自分の感じたことを教師や友達など身近な相手に伝えようとする気持ちを育てることが大切である。動物，乗り物など身の回りの物や事象に関連し，情景を思い浮かべやすい曲を聴いて，想像したことや感じ取ったことを発表するなどが考えられる。その際，一人一人の感じ方のよさを認め，「音楽のどこからそう感じたのかな？」と問いかけ，聴き取ったことと感じ取ったこととの関わりについて考えながら，曲想と音楽の構造との関わりに気付くようにすることが重要である。

[事例] チャイコフスキー作曲　バレエ組曲「くるみ割り人形」から「行進曲」は金管楽器と弦楽器の旋律の呼びかけとこたえが特徴となる曲である。まず，フレーズの終わりに現れるシンバルの音を見付けて聴くことで，主な旋律のまとまりや演奏している楽器に気付かせていく。その後，トランペットとヴァイオリンの役を決め，演奏のまねをしながら聴くと，楽器の呼びかけとこたえを感じ取りながら曲全体を楽しく聴くことができる。

▶ 中学年の指導

中学年では，児童が「いろいろな種類の音楽を聴いてみたい」と思えるように，意欲をもって主体的に取り組むことができる鑑賞の活動を進めることが重要となる。低学年で身に付けた鑑賞の能力をもとに，音楽を形づくっている要素と音楽の構造や曲想との関わりに気付き，音楽全体を味わって聴く楽しさを感じ取れるようにしたい。

そのためには，〔共通事項〕を支えとして表現と鑑賞を関連させた題材構成が効果的である。例えば，「小さな世界」「ウンパッパ」のような歌唱教材で主な旋律AとBを重ねて歌う活動を体験してから，ビゼー作曲「ファランドール」やタイケ作曲「旧友」のように異なる旋律が重なる曲を鑑賞すると，旋律同士が重なって生まれる響きを表現と鑑賞の両面で体験することができる。

手拍子でA（テーマのリズム）－B（つくったリズム）－A（テーマ）－C（つくったリズム）……といったリズムをつなぐ活動を行った後，「クラリネットポルカ」のようなロンド形式の曲を鑑賞すると，旋律の反復と変化を感じ取りやすくなる。

演奏形態や演奏の仕方による表現の違いに興味をもつ時期なので，映像資料を活用して，演奏者の姿から演奏のよさや楽しさを十分に味わうようにしたい。

[事例] グリーグ作曲「山の魔王の宮殿にて」は，物語の一場面を表した曲であり，旋律の反復と速度や強弱などの変化による曲想の変化がはっきりとしている。音楽を聴いて思い浮かべた様子など一人一人が主観的に感じたこと，音楽のどこから感じたかという客観的に気付いたことを付箋紙に記入し，児童と話し合いながら板書で整理していくと，曲想と音楽構造との関わりを理解することができるようになる。教師側から〔共通事項〕の言葉を提示するだけでなく，児童が見付けた言葉を取り上げ，学級全体で共通に使う言葉として増やしていくことが重要である。

▶ 高学年の指導

高学年では，児童が「いろいろな種類の音楽を聴いてそのよさを伝えたい」と思えるように，自分の感じたことや考えたことを伝え合うなど主体的な鑑賞の活動を展開したい。中学年までに身に付けた鑑賞の能力をもとに，音楽的な根拠に基づいて，曲や演奏のよさについて考えをもち，曲全体を見通しながら聴き深めるようにする。

例えば，旋律の反復と変化がはっきりと現れる曲を聴き，黒板に曲の部分を表すカードを貼って曲の構成を把握する。その後，それぞれの部分で感じ取った音楽を特徴付けている要素などの特徴を自分たちで整理する。聴いて気付いたことの共通点を，再度，音楽を聴いて確かめたり，それぞれの感じ方の違いを確認し合ったりして，聴き方を深めていく。音楽の対照的な部分ＡとＢの違いを異なる動きで表すなど，体の動きで表す活動も，感じ方を深める方法として有効である。

また，我が国や諸外国の文化との関わりを感じ取りやすい音楽を選択し，音楽観を広げるようにしたい。例えば，箏で簡単な旋律の演奏を体験した後，箏曲を鑑賞し，様々な演奏の仕方による音色の違いを感じ取り，それをヒントにして，箏で即興的な表現をしたり，五音音階による旋律創作をしたりする活動などが考えられる。また，アジアに伝わる箏の仲間の音楽を聴き比べ，それぞれの特徴や背景を調べたり，気に入った音楽のよさを紹介文にしたりするという発展的な展開もできる。

［事例］ エルガー作曲「威風堂々　第1番」は，四つの主な旋律が現れる。それぞれの旋律を口ずさんだり，旋律に合う動きをしながら聴くことで聴き分け，曲の構成を捉え，全体を見通して聴くようにする。有名な中間部の旋律に着目し，同じ旋律が現れる部分でも1回目と2回目でどのように曲想が変化するかを比べる。楽器の音の重なりなど音楽の特徴の変化が聴いている自分の感情にも変化をもたらすことに気付かせる。

▶ 鑑賞の授業で陥りがちな失敗を防ぐために

(1) 発問を吟味する

音楽をかけて，いきなり「どんな感じの音楽でしたか」という漠然とした発問をしても，児童は返答に困る。「これから聴く音楽には“チン”とベルが鳴る音が出てきます。全部で何回出てくるか，指を出しながら数えてみましょう」というように，導入では，どの子も聴き取れることに注目させ，どのように聴くのか具体的に指示することが大切である。「あっ，○○の音が聞こえる」という児童の気付きや興味をきっかけとして，「面白そうだな。もう一度聴いてみたいな」と徐々に聴き深めたり，自分の思いを広げて聴いたりできるような学習の流れを工夫したい。

(2) タイミングのよい音の提示

「それでは，聴いてみましょう」という場面で，機器操作のトラブルから肝心の音や映像がすぐに出てこないと，児童の集中力が途切れ，授業が中断してしまう。日頃からオーディオ機器を点検し，機器の操作に慣れておくことは欠かせない。鑑賞するときに適切な音量，音質などをチェックする，曲を途中で止める場合はフェードアウトするといった配慮も必要である。

また，曲の一部分のみを繰り返し聴く，複数の曲を比較して聴くという授業では，音声編集ソフトで聴く部分をあらかじめＣＤなどに録音して準備しておくとよいだろう。メディアプレイヤー（コンピュータ上で映像や音声を再生するソフト）を活用すると，事前の編集作業なしで曲の途中の部分の頭出しができ，便利である。

(3) ねらいに応じた音源の選択

「時計がカチカチ鳴る音を見付けて聴きましょう」と発問したが，いざCDをかけてみたら，時計を表す音が聴き取りにくい音源だったという場面が想定できる。同じ曲でも演奏者や録音によって，様々な演奏があるからである。事前に音源を聴き，ねらいにふさわしい演奏か確かめる必要がある。できれば，複数の演奏を聴き比べて，最も適切な音源を選択するようにしたい。

（石井ゆきこ）

【参考資料】
・(財) 音楽鑑賞教育振興会 鑑賞指導部会編「音楽鑑賞の指導法“再発見”」2008 年
・(公財) 音楽鑑賞振興財団研究委員会編「よくわかる!鑑賞領域の指導と評価　体験してみよう!実践してみよう!これからの鑑賞の授業」2011 年
・(公財) 音楽鑑賞振興財団研究委員会編「よくわかる!鑑賞領域の指導と評価　実践しよう!確かめよう!これからの鑑賞の授業 2」2014 年

3 | 鑑賞教材選択の観点と教材研究

低学年

子象の行進

マンシーニ（1924～1994）

1. 教材選択の観点（指導のねらい）

2内容B鑑賞（1）アに,「鑑賞についての知識を得たり生かしたりしながら，曲や演奏の楽しさを見いだし,曲全体を味わって聴くこと。」とある。この曲は行進曲としての派手さはないが，かえって楽器編成が薄いことにより，各場面で登場する楽器の音色に注目させることができる。この音楽全体に流れる楽しい雰囲気を味わわせたい。

2. 楽曲について

8分音符による一貫したリズムが続いている（途中2箇所ほど途切れる場面はある）。全曲を通して，子象たちが整然と列をなして行進する様子を連想させる。テーマは3回登場するが，2回目と3回目の間には異なるパッセージが挿入されている（サックスとフルートがそれぞれ活躍する）。1961年に制作された映画『ハタリ！』の中で使われた音楽である。

3. 指導のポイントとヒント

この作品は，実際に人が行進するためにつくられた「行進曲」ではないが，ビートを意識させながら子象になったつもりで身体表現させることはできる。また象について話し合い，イメージを膨らませたうえで象の歩き方を応用させたい。

実用音楽として作曲された，他の行進曲を取り上げることによって，いろいろな作品で2拍子のリズム感を味わわせることができる。

【視聴覚教材】

ジャズやレゲエなど，いろいろな様式をベースに編曲されているが，やはりマンシーニ自身が指揮をしたオーソドックスな音源がよいだろう。

（伊藤　誠）

トリッチ・トラッチ・ポルカ

ヨハン・シュトラウス２世（1825～1899）

1. 教材選択の観点（指導のねらい）

ポルカのもつ2拍子を感受するとともに，楽器の音色や強弱など，音楽を形づくっている要素とそれらの働きが生み出すよさや面白さを感じ取る（鑑賞（1）ア，共通事項（1）ア）。

2. 楽曲について

ドイツ語の「トリッチ・トラッチ」の意から，この曲は「おしゃべりポルカ」とも称され，軽快で勢いのある曲想が特徴的である。ポルカとは速い2拍子の民族舞曲であり，この曲はA-B-Aの3部形式と短いコーダで構成されている。この曲は，短編アニメーション映画のトムとジェリー『ワルツの王様』の中に用いられ,「ワルツ王」とも呼ばれたヨハン・シュトラウスの楽曲（「美しき青きドナウ」など）が同作品には多く含まれている。

3. 指導のポイントとヒント

・シンバル，スネアドラム，トライアングルなどの打楽器の音色を聴取し，それらの生み出すよさや面白さを感じ取る。
・アクセントやクレシェンドを伴うメロディーが多く，強弱による曲の盛り上がりや勢いを感じることができる。それらの感受を，身体を使って表現することも可能である。
・手拍子や身体の動きで2拍子を感じ取る。また，曲の一部分のリズムを手拍子や打楽器で再現し，ポルカのリズムを感じることもできるだろう。

【視聴覚教材】

演奏するオーケストラによって使用楽器やテンポが異なるので，比較聴取をすることもできる。また，ピアノの編曲版，合唱付きなどの録音も多数あり,副教材として利用することも可能である。

・トムとジェリー　音楽大好き編（ワーナー・ホーム・ビデオ）
・ウィーン少年合唱団 2013　トリッチ・トラッチ・ポルカ（ワーナーミュージック・ジャパン）

（森尻有貴）

メヌエット

ペツォールト（1677～1733）

1. 教材選択の観点（指導のねらい）

ブーレやガヴォットなどとともに，人間の身体反応の快さを感じ取りやすい音楽である。チェンバロ(ハープシコードともいう)というバロック期の鍵盤楽器の音色にも着目させたい。

2. 楽曲について

バッハの作品といわれてきたが，近年ある音楽学者によってクリスティアン・ペツォールトの作品であることが分かった。この作品は，2拍子系にアレンジされて「ラバーズ・コンチェルト」というタイトルの曲としても親しまれている。

3. 指導のポイントとヒント

メヌエットは，フランス国王ルイ14世時代に確立したバロックダンスのひとつである。この舞曲の基本的なステップを，低学年の児童に教えることは難しいが，映像資料によって男女がどのような衣装を身にまとい，フロア上にどのような軌跡を描いたかを鑑賞させることはできる。宮廷文化を彷彿させる荘厳な雰囲気を感じ取らせたい。

【視聴覚教材】

メヌエットが踊られるシーンを見ることができる視聴覚ソフトとして，『バロックダンスへの招待』(音楽之友社刊) を挙げておく。「ヴェルサイユの祝祭」公演からの収録である。　（伊藤　誠）

トムリンソンの舞踏会用メヌエット(1735)

おどるこねこ

アンダソン（1908～1975）

1. 教材選択の観点（指導のねらい）

生活経験から捉えやすい「こねこ」がテーマである楽曲の楽しさを見いだしながら，音楽を味わって聴くことができるようにする（鑑賞 (1) ア)。音楽を形づくっている要素とそれらの働きが生み出す面白さを感じ取る（共通事項 (1) ア，イ）。

2. 楽曲について

作曲者のルロイ・アンダソンは，この曲以外にも「トランペット吹きの休日」や「シンコペーテッド・クロック」など，児童にとって親しみやすいメロディーと曲想をもつ曲を多く残している。

この曲は，猫の鳴き声を模倣するヴァイオリンのメロディーが特徴的であり，グリッサンド（ポルタメント）の奏法が用いられている。終始，3拍子のワルツで流れるような曲想であるが，A-B-Aの3部形式となっており，中間部のBはテンポの速い軽快な展開となっている。曲の最後のコーダの部分では，犬に吠えられ猫が逃げ出す様子が音楽によってコミカルに表現されている。

3. 指導のポイントとヒント

- 生活経験から身近な猫のイメージや鳴き声を思い浮かべ，曲想や音楽の要素と関連付ける。猫の実際の鳴き声と楽器が表現する要素の関連に着目することができるだろう。また，最後の犬が登場する部分でも，音楽の要素とその表象を関連付けることができる。
- 3拍子の拍の流れを感じ取り，テンポの変化と曲想に変化を感じ取る。特に3拍子は手で円を描いたり，指揮をしてみたり，身体を実際に動かすことで，音楽のもつ周期性を感じることができる。
- 3部形式の曲想変化を捉える。楽器の音やテンポから中間部の特徴を理解し，それらを猫が踊る様子の変容と捉えることができる。

【視聴覚教材】

聴覚教材だけでなく，ヴァイオリンの奏法などが観察できる視聴覚教材は，奏法の理解を助ける。

（森尻有貴）

和太鼓の音楽

1. 教材選択の観点(指導のねらい)

・和太鼓の音楽は低学年の児童にとって親しみやすいものである。リズム・フレーズの反復やまとまりが捉えやすいものを選択したい。
・和太鼓のリズムを生かした音楽づくりといった表現活動との関連も踏まえ，和太鼓の演奏の仕方を想像したり，まねしたりすることで和太鼓の面白さ感じ取り，その響きを味わわせたい。

2. 楽曲について

和太鼓には長胴太鼓，桶胴太鼓，締太鼓などいろいろな種類がある。また，体の使い方は演目によっても異なる。それが和太鼓の魅力の一つであるとともに，教材化の視点でもある。

「荒馬踊りの音楽」「ねぶた祭りの音楽」「銚子跳ね太鼓」「さんさ踊りの音楽」「小倉祇園太鼓」「エイサーの音楽」は和太鼓が用いられる音楽の中でも低学年児童が親しみやすいものである。和太鼓の音楽の鑑賞教材は体を動かすことの快さも考慮にいれて選択したい。

3. 指導のポイントとヒント

・和太鼓のリズムは口唱歌（ドコドンなど）や手拍子，リズム譜，絵譜などを用いて，捉えやすい工夫をする。
・和太鼓の音楽を聴き，演奏している姿や何人で演奏をしているかなどを想像する。
・和太鼓と体の動きについて，気付いたことを話し合い，発表する。
・和太鼓のリズムをもとにお祭りの音楽をつくり，教員が鍵盤ハーモニカや笛などでお囃子の旋律をつける活動をする（表現との関連)。
・和太鼓とアジアの太鼓（サムルノリ〈チャンゴ〉やトラジ打令など）を聴き，感じ取ったことを発表する活動などもありうる。

【視聴覚教材】

和太鼓の演奏家（集団）による創作太鼓の映像は比較的入手しやすい。和太鼓の音色に着目しやすい楽曲も多い。（石川裕司）

世界のあそびうた

1. 教材選択の観点(指導のねらい)

・あそびうたは小学校入学前の活動と関連が深いため，幼児期までに育ってほしい姿（協働性と自立心，活動における規範意識，豊かな感性と表現など）を踏まえて教材を選択する（指導計画（6))。
・生活との関連を図り，遊びを通して音楽に対する感性を働かせるようにする。
・我が国のわらべうたやあそびうたの文化的側面も考慮し，学習内容を構成する。

2. 教材について

あそびうたは，指・手・からだあそび，まね，まりつき，輪・つながりあそび，鬼あそび，ことばあそびほか，多様である。形態も，一人，ペア，集団など，目的によっても異なる。遊ぶ様子を想像しながら鑑賞させたい。

世界のあそびうたは当然のことながら，その国の文化が反映されている。伝え広まる中で独自の歌いまわしや動き方，遊び方となっている場合もみられる。歌詞や振りの一部で差別的なものや揶揄と捉えうるものも存在するので注意したい。

身体反応の快さが感じられるもの，仲間づくりなど様々な点を考慮に入れ，教材を選択したい。
(世界のあそびうた)「橋の上で」「やまのごちそう（キツツキ大工さん)」「こいぬのビンゴ」「The Wheels on the bus」「大きな栗の木の下で」(我が国のわらべうたやあそびうた)「かもつれっしゃ」「こぶたぬきつねこ」「とおりゃんせ」「おちゃらかホイ」「おせんべやけたかな」

3. 指導のポイントとヒント

・低学年児童は動きにとらわれやすいため，動きとともに歌唱への意識をもたせたい。
・映像から様々な国の子どもが遊ぶ姿も捉えたい。
・表現と関連させる場合，児童の空間認識のありかたや遊びのルール（規範）なども考慮する。
・動きと速さとの関係や動きに対する間なども遊びの重要な要素である。（石川裕司）

中学年

ミュージカル「サウンド・オブ・ミュージック」から

ロジャーズ（1902～1979）

1．教材選択の観点（指導のねらい）

・ストーリーは反ナチ運動や亡命といった重い内容を有するが，それを感じさせない楽しさに溢れた作品である。楽曲の特徴や演奏のよさに気付かせ，音楽の楽しさを十分に味わわせたい。
・音階などの音楽を形づくっている要素の働きについても，聴く楽しさの中で気付かせたい。

2．楽曲について

ミュージカル映画『サウンド・オブ・ミュージック』は，マリア・フォン・トラップ（1905～1987）の自叙伝『トラップ・ファミリー合唱団物語』（1949）をもとに作られた。当時の人気コンビ作曲家リチャード・ロジャーズと台本作家・作詞家オスカー・ハマースタイン2世の作品である。

舞台は1930年代のオーストリアの町ザルツブルク。修道院の生活になじめず悩んでいる修道女マリアは，院長の計らいで妻を亡くした退役軍人の家の七人の子どもたちの家庭教師となる。厳格な父親トラップのもとで萎縮していた七人の子どもたちは，マリアに出会い，歌を通して心を開いていく。

タイトル曲「**サウンド・オブ・ミュージック**」は，映画の冒頭シーンでマリアによって歌われる。アルプスの山々の遠景から，丘の上で歌うマリアへカメラがズームアップしていく印象的な名シーンである。「**ドレミの歌**」は，マリアがギターで子どもたちに音楽の手ほどきをするシーンでの曲で，記号でしかないドレミが，いつの間にか楽しい音楽に変わっていく。「**ひとりぼっちの羊飼い**」は子どもたちによる人形劇の上演シーンで，「**私のお気に入り**」は雷鳴に怯える子どもたちをマリアが「楽しいことを考えて」と励ますシーンで歌われる。

3．指導のポイントとヒント

・この作品はDVDなどにも収録され，市販されている。楽曲だけの鑑賞も可能だが，ぜひ，映像を伴った形でも鑑賞させたい。（中山裕一郎）

交響的物語「ピーターとおおかみ」

プロコフィエフ（1891～1953）

1．教材選択の観点（指導のねらい）

・劇音楽の楽しさを味わうとともに，物語の場面に対応した曲想の変化に気付かせたい。
・登場人物に対応した楽器の種類とモティーフ（旋律動機）がある。楽器の特徴や，登場人物とモティーフとの対応関係に気付かせたい。

2．楽曲について

ロシアの作曲家プロコフィエフによる，「子どものための音楽物語」。主人公は，森の中の一軒家でおじいさんと暮らすピーターである。

ある日，ピーターが表で遊んでいると，「狼が来るから危ない」と家に入っているようにおじいさんに言われる。しばらくすると本当に狼がやってきて，表にいたあひるをひと飲みにする。猫は危機一髪，木の上に逃れる。それを見ていたピーターは，おじいさんが居眠りをしているすきにロープを持って木に登り，小鳥と協力して狼を身動きできなくしてしまう。そこに鉄砲の音を鳴らしながら狩人たちが到着し狼は生け捕りにされ動物園に行くことになるが，狼のお腹の中からあひるの鳴き声が聞こえている。さて，あひるは……。

登場人物それぞれにテーマ音楽があり，それを別々の楽器が担当している。ピーターは弦楽器，小鳥はフルート，あひるはオーボエ，猫はクラリネット，おじいさんはファゴット，狼はホルン，狩人の銃声はティンパニと大太鼓。曲の冒頭，これらの楽器によるモティーフの紹介もある。巧みな転調が随所に用いられた魅力溢れる作品である。

3．指導のポイントとヒント

・各楽器特有の音色や表情の豊かさなど，音楽そのものにも子どもたちの関心を向けさせたい。
・登場人物とそれぞれの楽器との関係について，また登場人物をあらわすモティーフについて，できれば教師自身が写真や映像，そしてピアノなどの楽器を使用し，子どもたちに説明して欲しい。

（中山裕一郎）

白鳥

サン＝サーンス（1835～1921）

1. 教材選択の観点（指導のねらい）

楽器の響きや音色，旋律が生み出す曲想を感じ取る。また，音色や旋律の関連や生み出される効果，それによる演奏や曲のよさを見いだす（鑑賞（1）ア，イ，共通事項（1）ア)。

2. 楽曲について

サン＝サーンス作曲「動物の謝肉祭」の第13曲である「白鳥」は，ピアノとチェロで演奏される。ピアノが分散和音を細やかなリズムで演奏するのに対し，チェロはレガートでゆったりとした旋律を演奏している。水面を優雅に滑る白鳥が想像されるような音楽の中には，二つの楽器の音色の対比性や表象性も見られる。ピアノ連弾のみの編曲版やハープで演奏されることもあり，楽器の音色による効果も捉えやすい。

3. 指導のポイントとヒント

・ピアノとチェロ（弦楽器）の音色の違いを比較することができる。さらに同じ弦楽器でも，ヴァイオリン，ヴィオラ，チェロ，コントラバスによる，音域と音色による印象の違いなどを学習することもできる。

・ピアノとチェロの旋律の違いと，それによって生み出される効果を感じ取ることができる。チェロの旋律は，図形を描いてもよい。

【視聴覚教材】

チェロ独奏による演奏と，ピアノ連弾のみによる演奏は，音色による効果を比較聴取する上で理解を助けるであろう。また，「動物の謝肉祭」の他の楽曲も，音楽がどのように動物を表象しているかを学習することができる。　（森尻有貴）

歌劇「魔笛」より「パ・パ・パ」

モーツァルト（1756～1791）

1. 教材選択の観点（指導のねらい）

・人間の声のもつ表現性の豊かさと，独唱や合唱とは異なった二重唱という演奏形態の楽しさを子どもたちに味わわせたい。

・二つのパートにおける呼びかけとこたえ，そこでの反復と変化などに気付かせ，音楽の仕組みの理解にもつなげたい。

2. 楽曲について

オーストリアの作曲家モーツァルトが生涯最後の年に書いた歌劇である。歌手兼俳優のシカネーダーが台本を書き，その依頼でモーツァルトが作曲を手がけた。初演はモーツァルトの死のわずか2か月ほど前である。

物語は王子**タミーノ**が狩りをしていて**夜の女王**の領地に迷い込むところから始まる。そこへ全身を鳥の羽で覆い首からパンフルートを下げた**鳥刺しのパパゲーノ**がやってくる。タミーノは夜の女王の侍女たちに**パミーナ姫**の肖像画を見せられ一瞬で恋に落ちる。姫の母親である夜の女王の頼みもありタミーノとパパゲーノは**悪者ザラストロ**に捕らえられているパミーナの救出に向かう。渡された魔法の笛と願いのかなう銀の鈴を持っての救出劇である。ところがザラストロに会ってみると話は逆で，夜の女王こそが悪者だと教えられる。タミーノはザラストロの仲間になるためのきびしい試験を課せられるが見事合格し，パミーナとも結ばれる。パパゲーノもザラストロの配慮で**パパゲーナ**という似合いの妻を得る。「パ・パ・パ」はその場面で歌われる。二人は結婚を誓い合い早くかわいい子どもが欲しいと歌う。

3. 指導のポイントとヒント

・歌劇のあらすじや内容をくわしく説明する必要はない。聞かれたら答える程度にとどめたい。

・国内外の演奏団体によるCDやDVDがある。レビュー情報などにより検索し選択して欲しい。

・林光などによる日本語の訳詞もあるので歌唱の活動との関連も十分に考えられる。（中山裕一郎）

カントリーロード

デンバー（1943～1997）

1. 教材選択の観点（指導のねらい）

歌詞の意味や言語による表現に着目し，音楽表現の多様性に気付く。同一楽曲による伴奏法や歌唱法の相違を感じ取り，それぞれの表現のよさを味わう（鑑賞（1）ア，共通事項（1）ア）。

2. 教材について

もともとはアメリカのポピュラーソングで，原題「Take Me Home, Country Roads」としてジョン・デンバーにより演奏された。故郷に帰りたい気持ちを歌ったもので，多くのアーティストによりカバーされ演奏，録音されている。

日本でこの曲が有名になったきっかけでもある，映画「耳をすませば」の冒頭部分の演奏であるオリビア・ニュートン＝ジョンによるカバー，映画の挿入歌及び主題歌として用いられた本名陽子による日本語での歌唱などは，比較聴取の際にも有効的であろう。ジョン・デンバーの演奏はギターを中心とした伴奏であるのに対し，映画の主題歌となったバージョンではヴァイオリンやリコーダーなどのソロが入っている。

3. 指導のポイントとヒント

・原語の歌詞と訳，日本語の歌詞の違いを理解し，原曲に込められた思いや日本語訳の歌詞の意味などを捉える。
・日本語と原語の英語の違いによる歌唱表現の違いに気付く。言葉とメロディーのそれぞれの音との一致性や，響きの違いも捉えることができる。
・伴奏の違いを聴き取り，曲の雰囲気との関連に気付く。

【視聴覚教材】

・John Denver : The best of John Denver. Ariola Japan.
・本名陽子：カントリー・ロード　徳間ジャパンコミュニケーションズ
・Olivia Newton-John: Definitive Collection. Universal.

（森尻有貴）

様々な音階を楽しもう

1. 教材選択の観点（指導のねらい）

・我が国や郷土の音楽，諸外国の音楽に用いられている音階を知り，曲全体を味わって聴く。
・様々な音階のよさや面白さを感じ取り，曲想と音楽の構造との関わりについて考える（内容の取扱い（8）ア音階）。

2. 楽曲について

比較聴取を通して，様々な音階のよさや面白さに気付かせたい。例えば，ガムラン音楽と沖縄の音楽の比較などである。

ガムラン音楽はペロッグ音階とスレンドロ音階に大別されるが，ペロッグ音階は沖縄の音階と共通する点もあることから，相違点のみならず，共通点についても感じ取らせたい。

ペロッグ音階によるガムラン音楽の例としては，バリ・ガムランの「レゴン・ラッサム（legong lasem）」や「バリス（baris）」が挙げられる。スレンドロ音階では「ムランゲロ（merak angelo）」などがある。

沖縄の音楽では民謡（「谷茶前」など）が主となるため，比較聴取とする場合は楽器編成にも配慮したい。

3. 指導のポイントとヒント

・我が国や郷土の音楽では，都節音階や民謡音階，先述の沖縄の音階などを取り上げ，それぞれの特徴について捉えさせたい。
・あらかじめ，箏をいくつかの音階（都節音階や民謡音階など）に調弦し，構成音による感じかたの違いなどを捉えてから鑑賞することも有効である。
・低学年で取り上げた長音階の既習曲（例「こぎつね」「きらきら星」）を短音階にした演奏の聴取を導入としても面白い。
・音楽を特徴づけている要素との関連において，音階固有の特徴が活きてくることを理解させたい。

（石川裕司）

高学年

カノン

パッヘルベル（1653～1706）

1. 教材選択の観点（指導のねらい）

・弦楽合奏の響きの豊かさや，旋律が生み出す曲想と変化の多様性を感じ取って聴く。

・旋律の重なり方や反復及び変化，音楽の縦と横との関係などが生み出す美しさを聴き取り，音楽の要素や仕組みとの関わりを理解する。

2. 楽曲について

バロック時代中期に，ドイツ中・南部で教会オルガニスト兼作曲家として活躍したパッヘルベル作曲『3つのヴァイオリンと通奏低音のためのカノンとジーグ』の中の「カノン」。原曲は弦楽四重奏で書かれているが，様々な編曲で広く親しまれている。弦楽合奏とチェンバロなどの通奏低音で演奏されることが多い。

2小節の通奏低音の主題（28回繰り返される）の上にヴァイオリンが同じ旋律を追いかけながら重ねる。ヴァイオリンの旋律は変化して移り変わり，次第に複雑になり華やかさを増す。最後は穏やかな旋律の落ち着いた雰囲気の中で終わる。

3. 指導のポイントとヒント

・予め旋律の重なり方や強弱の変化，音色の美しさに注目して聴くことを伝え，楽曲全体（約4分30秒）を鑑賞し，そのよさや感じ取ったことを伝え合う。

・三つのグループに分かれ，リコーダーなどの楽器を用いて，ヴァイオリンの旋律を2小節遅らせながら重ねて演奏し旋律の模倣がつくり出す音楽の特徴を理解する。

（小原伸一）

交響曲第5番「運命」第1楽章

ベートーヴェン（1770～1827）

1. 教材選択の観点（指導のねらい）

・楽曲の構造を知り，様々な楽器が重なり合うオーケストラの響きを味わう。

・第1楽章冒頭の音型 𝄾♪♪♪|𝅗𝅥 とその繰り返しを糸口として，楽曲全体の構造について考える。

・異なる指揮者やオーケストラの演奏を聴き，同一楽曲での多様な表現を学び，聴く喜びを深める。

2. 楽曲について

交響曲第6番「田園」と並行して作曲され，1808年に同じ演奏会で初演された。形式はソナタ形式をとり，繰り返しを除き提示部（1～124），展開部（125～247），再現部（248～374），終結部（375～502）の小節数が同一となっている。形式（美），内容（美）の両面において価値のある作品である。

第4楽章では，当時は交響曲で使用されることのなかったピッコロやトロンボーン，コントラファゴットが使用されており，その後の交響曲作品に少なからず影響を与えている。

3. 指導のポイントとヒント

・提示部の第1及び第2主題の変化を感じ取る。

・木管・金管・弦・打楽器の音色やその特徴について知り，動機の受け渡しや反復を聴取する。

・カノン風の旋律歌唱などを交えて，動機が重なる特徴について体験する。

・ベートーヴェンの生涯や作品について触れ，交響曲についても理解する。

・オーケストラにおける指揮者の役割にも着目する。あわせて指揮者のまねも体験させたい。

・フェルマータという音楽的概念の認識とその記号による効果の感得について児童が主体的に捉えられるようにする。

・映像やスコアなどの視覚的情報を生かす。

・各楽器の奏者が協働的につくりあげる強弱やその変化などにも意識を向ける。

（石川裕司）

タップダンスを楽しもう

1. 教材選択の観点（指導のねらい）

国際理解と自国文化の理解を目指す。アメリカのタップダンスが，下駄タップで歌舞伎となり，座頭市の映画ではそれが躍動するのを感受できる。この3曲は足でリズムを刻むがその背景の音楽は全く異なるジャンルである。さらにオルフのロンドで音楽をつくる活動をそこに加え，リズムの面白さを満喫できる総合的な題材となっている（目標（3），鑑賞（1）ア，イ，共通事項（1）ア）。

2. 楽曲について

○映画『パリのアメリカ人』よりタップダンス。
ガーシュインの曲にタップ。靴音が小気味よい。

○歌舞伎『高坏（たかつき）』終末の下駄タップ。六代尾上菊五郎起案の昭和初めの新作。当時はやっていたタップを下駄でするアイデアは絶品である。今では中村勘九郎兄弟のあたり芸。音楽は長唄で現行曲は杵屋栄蔵作曲である。

○映画『座頭市』終末のタップダンス。
北野武監督，鈴木慶一作曲のこの音楽はロックと和太鼓そして多勢の踊り手のタップが圧巻である。

3. 指導のポイントとヒント

どの曲も見聴きするだけで引き込まれる作品であるが，タップに合わせて人さし指と中指で机でリズムを打たせるのもよい。『高坏』では三味線や太鼓などに注目させるのも一案だが，何回か鑑賞し，下駄タップの面白さから歌舞伎や長唄の音楽に親しめるようにしたい。厚紙に人形を描き割箸2本と画鋲2個で図の様なタップダンス人形をつくり，「タップダンスを踊りましょう。どんなタップができたかな」という問いでオルフのロンドをするとリズム創作活動が楽しくできる。

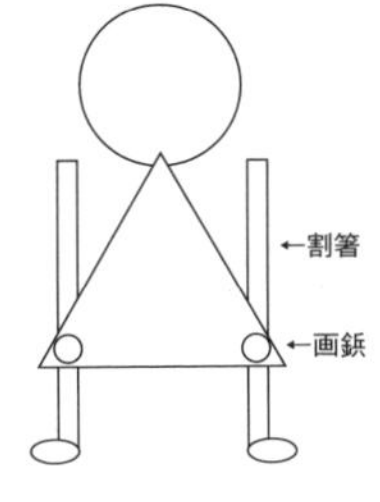

【視聴覚教材】

二つの映画はレンタル店にもある。『高坏』はNHKアーカイブスに資料がある。（木暮朋佳）

クラッピング・ミュージック／木片のための音楽

ライヒ（1936～　）

1. 教材選択の観点（指導のねらい）

現代音楽に触れ，ミニマル・ミュージックの仕組みについて知ることにより，それによって生まれる効果や面白さを感じ取る（鑑賞（1）ア，イ，共通事項（1）ア）。

2. 楽曲について

作曲者のスティーヴ・ライヒは，現代音楽における独創的な音楽家の一人であり，この二つの曲は，彼が先駆的に用いたミニマル・ミュージック（限られた音楽の要素を反復し，その中の斬進的変化を特徴とする）の手法で作曲されている。

「クラッピング・ミュージック」は2名の手拍子によって演奏される。手拍子1は同じリズムを繰り返し，それに対して手拍子2は，同じリズムを8分音符一つ分ずつ，ずらして演奏していく。

「木片のための音楽」は5パートによって構成されており，それぞれ音程の異なるウッドブロック（またはクラベス）を用いる。各パートが順次，リズムパターンを加えていくことによって重なり合い，音楽が構成されていく。各パートで音程が異なるため，それぞれのリズムの違いを知覚しやすいといえよう。

3. 指導のポイントとヒント

- 音楽を構成している要素の単純さに気付かせ，その構成によって生まれる面白さに気付く。
- リズムの重なりによって生み出される面白さを理解する。リズム創作などの学習につなげることも可能である。
- 現代音楽の多様性に気付き，音楽の可能性について視野を広げる。

【視聴覚教材】

- Steve Reich: Sextet – Clapping Music – Music for Pieces of Wood. LSO Percussion Ensemble
- クラッピング・ミュージックの公式サイトでは，プロの演奏や研究結果，またICTを活用してリズムゲームができるアプリなどが公開されている（http://clappingmusicapp.com　2018.1.24 閲覧）。

（森尻有貴）

春の海

宮城道雄（1894 ～ 1956）

1．教材選択の観点（指導のねらい）

・尺八と箏の音色や奏法に関心をもち，曲全体を味わう。

・楽曲の雰囲気とその変化に着目し，緩急それぞれのよさを音楽の構造との関わりから感じ取る。

2．楽曲について

宮城道雄は1902年に失明の宣告を受け，同年より生田流箏曲を学び始めた。11歳で師範の資格を得て師匠の代稽古となり，ときには尺八を教えることもあった。わずか14歳で『水の変態』を作曲し，その後行った吉田晴風らとの活動は「新日本音楽」とも呼ばれ，現代邦楽の発展に寄与した。

『春の海』は，宮中歌会始のお題「海辺の巌」にちなみ，1929年に作曲された。瀬戸内海の船旅の印象をもとに，波の音や船に当たって現れる波飛沫，鴎の鳴き声や飛び交う様子，櫓をこぐ場面などが想像される，3部形式の標題音楽である。

日本の音楽の特徴と合わせて，箏が伴奏を受けもつ箇所や，途中に現れる進行などには西洋音楽の手法もみられ，日本音楽と西洋音楽の融合の巧みさが感じられる作品である。

3．指導のポイントとヒント

・箏と尺八の特徴を理解し，楽器の音色を味わう。

・A（緩）－B（急）－A（緩）及び結尾部の特徴について話し合い，発表する。

・宮城道雄の業績は，短箏・八十絃箏・大胡弓などの楽器改良をはじめとして，日本の音楽の可能性を追求したことにもある。とりわけ十七絃は低音の箏として現代でも頻繁に使用されている点も触れておきたい。

【視聴覚教材】

(1)　響演 春の海　ビクター VZCG-532
尺八・ヴァイオリン・ケーナ・フルート・オーケストラと箏による演奏が比較聴取できる。

(2)　宮城道雄作品による日本の四季　VZCP-1140
「風鈴」「線香花火」など児童が情景を感じ取りやすい楽曲とともに，宮城による語りも収録されている。

（石川裕司）

様々な弦楽器の音色を聴き分けよう

1．教材選択の観点（指導のねらい）

〔共通事項〕「音楽を形づくっている要素」の「音色」に焦点化した，複数の音楽文化の音楽の横断的比較鑑賞を通じて，各々の良さと違いを感受し，リズム，強弱，フレーズなど他の要素との関わりや，表現内容と背景にある音楽文化との関わりを理解し言葉に表す。

2．教材について

世界の弦楽器には，箱に弦を張ったコトの仲間や，棹と胴をもつビワの仲間が多い。弦の素材は絹糸・ガット（羊腸）・金属など，胴の素材も木・革・瓢など，胴の形は，円形のバンジョー，三角形のバラライカ，涙形の琵琶やウードやマンドリン，中央がくびれたヴァイオリンやギターなど様々である。音色に最も気付きやすい特徴を与えるのは，弦を擦るか弾くかという奏法の違いやそれに用いる手指，弓やピックなど道具の違いだろう。

3．指導のポイントとヒント

形態や奏法，地域性や表現内容などの観点から，共通点と相違点をもつ弦楽器の独奏曲を2～3曲選び，最初に音源を聴いて演奏法を想像し動作に表す。次に用いられている道具や楽器の構造や素材を予想してから動画で確認する。各楽器の共通点や相違点の理解の上に立ち，教員は各々の文化的背景や風土を説明し，楽器の音色や音楽の表現内容とその背景との関係を議論させる。例えば，国語教材「スーホの白い馬」のように，モンゴルの人々と馬との深いきずなが，馬頭琴や馬を思わせる音楽表現に現れていることに気付かせたい。

【楽器の組合せ例】 日本の各種三味線や三線／各種琵琶／中国の三弦や琵琶／リュートやギター／バラライカなど撥弦楽器，胡弓／モリンホール／ルバーブ／二胡／ヘグム／チェロなど弓奏楽器，カヤグム／箏／古箏などコトの仲間，ダルシマー／サントゥール／ピアノなどの打弦楽器など。

【楽曲例】 薩摩琵琶「那須の与一（市）」「川中島」と中国琵琶「十面埋伏」：ともに戦いの場面の描写方法や奏法の違いや共通点など。（田中多佳子）

参考資料

小学校学習指導要領（音楽）で示してきた鑑賞教材。

○第１学年
・「アメリカン・パトロール」 F. W. ミーチャム作曲
・「おどるこねこ」 L. アンダソン作曲
・「おもちゃの兵隊」 L. イェッセル作曲
・「ガボット」 F-J. ゴセック作曲
・「森のかじや」 T. ミヒャエリス作曲

○第２学年
・「おどる人形」 E. ポルディーニ作曲
・「かじやのポルカ」 ヨーゼフ・シュトラウス作曲
・「かっこうワルツ」 J. E. ヨナッソン作曲
・「出発」（組曲「冬のかがり火」から） S. プロコフィエフ作曲
・「トルコ行進曲」 L. v. ベートーベン作曲
・「メヌエット」（歌劇「アルチーナ」から） G. F. ヘンデル作曲
・「ユーモレスク」 A. ドボルザーク作曲

○第３学年
・「おもちゃのシンフォニー」 J. ハイドン作曲
・「金婚式」 G. マリー作曲
・「金と銀」 F. レハール作曲
・喜歌劇「軽騎兵」序曲 F. v. スッペ作曲
・「メヌエット」（「アルルの女」第２組曲より） G. ビゼー作曲
・「メヌエット」ト長調 L. v. ベートーベン作曲
・「ポロネーズ」（管弦楽組曲第２番から） J. S. バッハ作曲

○第４学年
・「ガボット」 J. P. ラモー作曲
・「軍隊行進曲」 F. シューベルト作曲
・「スケーターズワルツ」 E. ワルトトイフェル作曲
・「ノルウェー舞曲」第２番イ長調 E. グリーグ作曲
・「白鳥」 C. サン・サーンス作曲
・ホルン協奏曲 第１番 ニ長調 第１楽章 W. A. モーツァルト作曲

○第５学年
・歌劇「ウィリアム・テル」序曲 G. ロッシーニ作曲
・「管弦楽のための木挽歌」 小山清茂作曲
・組曲「くるみ割り人形」 P. I. チャイコフスキー作曲
・「荒城の月」,「箱根八里」,「花」のうち１曲 滝 廉太郎作曲
・「タンホイザー行進曲（合唱の部分を含む）」 R. ワーグナー作曲
・ピアノ五重奏曲「ます」第４楽章 F. シューベルト作曲

○第６学年
・「赤とんぼ」,「この道」,「待ちぼうけ」のうち１曲 山田耕筰作曲
・第９交響曲から合唱の部分 L. v. ベートーベン作曲
・組曲「道化師」 D. カバレフスキー作曲
・「春の海」 宮城道雄作曲
・組曲「ペール・ギュント」 E. グリーグ作曲
・「流浪の民」 R. シューマン作曲
・「六段」 八橋検校作曲

リコーダーの運指表

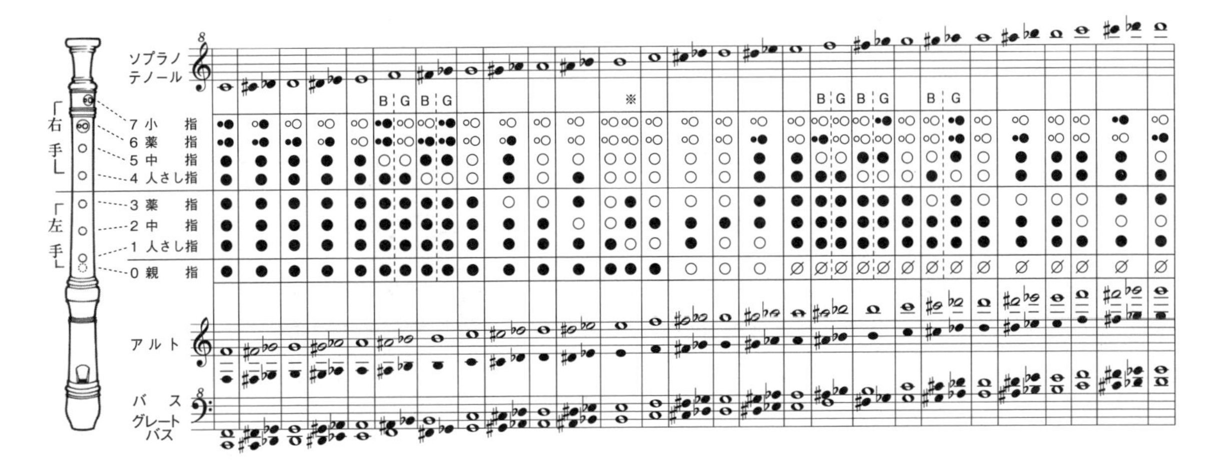

●……閉じる ○……開ける ∅……少しだけ開ける（サミング）
◦ ●……少し開ける（ダブルホールの場合は，右側の穴をふさぐ）
※……替え指
B……バロック式（イギリス式）の運指
G……ジャーマン式（ドイツ式）の運指
音部記号の上の8は，実音が1オクターヴ高いことを示す。

■アルトの（𝅝）は実音であるが，（●）のように１オクターヴ低く記譜されることもある。

■ソプラノ……実音は１オクターヴ上　テノール……実音　アルト……実音　バス/グレートバス……実音は１オクターヴ上

表現と鑑賞との関わり

1 表現と鑑賞との関連の意義

「指導計画の作成と内容の取扱い」の１（2）(3)(4）では，「Ａ表現」及び「Ｂ鑑賞」の指導において各事項を適切に関連させること，〔共通事項〕が表現及び鑑賞の学習において共通に必要となる資質・能力であること，「Ａ表現」及び「Ｂ鑑賞」の指導において適宜，〔共通事項〕を要として，各領域や分野の関連を図ることなどが示されている。

音楽における表現と鑑賞の活動は，相互に密接に関わるものであり，本来表裏一体の関係にあるものである。表現の能力と鑑賞の能力は相互に高め合うものであり，音楽科の指導の実際においても，表現と鑑賞の関連を十分に図ることが大切となる。

また，表現と鑑賞の関連を様々なレベルや視点で捉えて，指導計画を工夫する必要がある。すなわち，授業時間内での関連や題材内での関連から題材間や学年を通した関連，さらには，6年間を見通した関連など，子どもや学校の実態に応じて，様々なレベルや視点から表現と鑑賞の関連を捉えていくことが大切である。

そして，子どもが自分の思いや意図をもって表現活動や鑑賞活動を進めるための原動力となるのが，音楽の学習や経験によって培われる音楽的な知覚・感受であり，学習指導要領においても，適宜，〔共通事項〕を要として，表現と鑑賞の関連を図ることが求められている。

音や音楽を介して思考・判断し，表現する力を育てるために必要な〔共通事項〕は，音楽活動や教材において活用しながら身に付けるべきものであり，〔共通事項〕だけが独り歩きしたり，肝心の音楽活動を疎かにして知的理解ばかりを求めたりしないよう注意したい。

表現と鑑賞の関連の軸や手がかりなど工夫して〔共通事項〕を位置付けることによって，指導の関連性や発展性を一層図ることが大切である。

（佐野 靖）

2 共通事項を活用した実践例

①体を動かす活動

▶ はじめに

音楽の授業になぜ「体を動かす活動」があるのか，疑問に思われるかもしれない。学習指導要領の第3の2（1）イには，次のように書かれている。

> 音楽との一体感を味わい，想像力を働かせて音楽と関わることができるよう，指導のねらいに即して体を動かす活動を取り入れること。

Ａ表現とＢ鑑賞，つまり歌唱，器楽，音楽づくり，鑑賞，すべての分野の授業において，体を動かす活動が有効な場合があるということだ。

ではどのように体を動かす活動を授業の中に取り入れていったらいいのか，その具体を示す。

■題材名：「速さの変化」を味わおう（鑑賞）
■題材のねらい：音楽に現れる速度の変化を聴き取り，それが生み出すよさや面白さを感じ取る。
■〔共通事項〕との関わり：速度，変化
■教材：「ハンガリー舞曲第５番」（ブラームス）
■授業の概略・ポイント：

本題材は「鑑賞」のみで構成している。教材は「ハンガリー舞曲第５番」（ブラームス作曲）である。

授業をするに当たっては，この曲の特徴や面白さはどこにあるのかを考えることから始める。これを教材研究と呼ぶ。何度も教材曲を聴くと，その特徴や面白さが見えてくる。

この曲の場合，「速度の変化」が最も特徴的であると考えられる。そして次に，まるで物語を読んでいるかのように，曲想が何度か変化することであろう。この「速度の変化」や「曲想の変化」を子どもに捉えさせることが授業のねらいとなるわけだ。しかし，単刀直入に「これから速さが変化する曲を聴きますよ。それが分かるかな？」と告げてからCDをかけても，そのあとに子どもはなんと発言するだろうか。おそらく「はい，速さが変わりました」と言うだろう。あらかじめ予告されているから，速度の変化を当然のように聴き取るのである。そこに音楽の「面白さ」を感じ取るという醍醐味はないと言い切ってよい。

そこで「体を動かす活動」の出番である。「速度の変化」という言葉を子どもに伝える代わりに，音楽に合わせて友達と手合わせする活動をするように指示する。

すると，音楽の速度が変わるので，一定の速度で手合わせをするのが難しくなり，子どもたちは戸惑ったり，音楽に合わせようと必死になったり，音楽に合わないことが面白く感じられたりするようになる。この瞬間こそ，音楽の面白さを感じ取った瞬間であり，体を動かす活動を取り入れる価値が見いだされるときなのである。

▶ 授業の流れ

1. わらべうた「おちゃらか」で遊ぶ

わらべうた「おちゃらか」で遊ぶ。二人組になって向かい合い手を合わせる。まず1拍目は自分の左手（手のひらが上向き）を自分の右手でトンと軽く叩く。次いで2拍目は相手の左手を自分の右手でパッと軽く叩く。この2拍の動きを3回繰り返して（トン・パ，トン・パ，トン・パ）そのあとにじゃんけんをして遊ぶのが「おちゃらか」である。たいていの場合，低学年で経験してきているのですぐにできるだろう。

2. トン・トン・パーーの手合わせをする

次に，「おちゃらか」のトン・パーではなく，ちょっと発展させて，トン・トン・パーー（4拍）の手合わせの方法を子どもに教え，それに慣れてきたら，行進曲など一定の速度の曲に合わせて遊ぶ。子どもたちは，トン・トン・パーー（4拍）の動作が音楽にピタリと合う心地よさを感じ取ることになる。

ここまでが，「ハンガリー舞曲第5番」を鑑賞する前の，いわゆる仕込みである。いきなり教材曲を鑑賞させる方法もあるが，本実践のように，事前に鑑賞の授業を効果的に展開させるための準備の活動をしておくこともある。

3.「ハンガリー舞曲第5番」を鑑賞する

この教材曲は，次のような構成になっている。

A部	B部	C部	A'部
速度の変化	6拍	速度急変	速度の変化

0:00　1:07　1:17　1:45　2:46

（時間は演奏によって異なる）

（1）まずA部から聴く

トン・トン・パーー（4拍）の動作をさせながらA部だけ聴く。目まぐるしく変化する音楽の速度に，子どもたちは翻弄されて口々に戸惑いなどを表することになるだろう。この戸惑いの表現こそ，音楽の速度変化の面白さを感じ取っている証しなのである。そこで「どうしたの？」と発問するとよい。すると「だって，速さが変わるんだもの」という旨の発言が必ず返ってくる。

教師は，A部には速度の変化があることを板書などでも確認する。

（2）次にA～B部を聴く

次にA～B部を聴く。A部は二度目なので，スムーズにトン・トン・パーー（4拍）をすることができるようになる。しかし，初めて聴くB部は，6拍でまとまっているフレーズなので，4拍の手合わせは合わないことになる。やはり子どもは戸惑うことになる。そこでまた「どうしたの？」という発問をする。するとどうも4拍では調子が合わないことが明らかとなり，6拍でまとまっているフレーズの存在が特徴であることを押さえることができる。

（3）A～C部を聴く

同様にA～C部を，手合わせをしながら聴く。B部は4拍の手合わせでは調子が合わないので何もしないよう指示する。するとC部も速度の変化が激しいことが顕在化し，さらにリタルダンド，ア・テンポなど速度記号の存在も確認できる。

（4）全曲を聴く

最後に全曲通して手合わせをしながら聴く。すると，速度の変化が特徴的なこの曲の全貌が明らかとなる。大きく見るとA-B-Aの三部形式になっていることも確認し，学習を終える。

（髙倉弘光）

②日本の伝統音楽

▶ 題材名

謡と舞を通して能の魅力を味わおう

▶ 題材のねらいと共通事項との関わり

能は，謡・舞・囃子が重要な役割を果たす音楽劇であり，演技の基礎をなす謡の学習は能の音楽的構造への理解を深めることにつながる。能の源流は奈良時代にさかのぼり，室町時代に観阿弥，世阿弥親子によって現代の能に通じる様式が整えられた。ユネスコ無形文化遺産に登録され世界的にもその価値を認められている。能の主題には，日本古来の美意識，自然や見えない世界との関わりなどが見られ，学習者の興味や関心に強く訴え，想像力・創造力・表現力を育む。また，世阿弥の伝書は，現代においても生きて通用する示唆に溢れている。

能の指導において重視すべきは，現代においても能の表現の基礎は謡と舞の学習から，世阿弥のことばで言うなら「舞歌二曲」から入るということである。本事例は，能の名場面をシテと地謡で演じる仕舞の上演形式を通して，身体を通した学びを深めて役の位について考え，他者と協働しながら演じる工夫をする中で，演劇としての能の面白さを感じ取ることを大きな目的としている。

共通事項と関連した題材のねらいを次に示す。

○思考力，判断力，表現力等

・能の謡のリズム，旋律などの特徴を捉えて聴く。
・謡の声の音色，強弱，発声や息の特徴の面白さやよさを感じ取り，表現の工夫をする。
・声を合わせることの意味を考え，声の重なりの多様性や変化に気付く。一人一人の個性を尊重しあいながら，声や息を合わせて表現する。

○知識

・ツヨ吟・ヨワ吟の音の動き方（音階）を把握し，詞章を理解して，大ノリ拍子で謡う。
・所作単元の名称と実際の動き方を結び付ける。

▶ 教材

○《鶴亀》 天下泰平と長寿を願う，祝言性に満ちた能である。シテは皇帝で，威風堂々たる風格をもって舞う。能では子方が鶴と亀を演じることが多く，児童にとって親しみやすいだろう。仕舞《鶴亀》は初心者がよく習う曲である。「霓裳羽衣乃曲」「長生殿」など，歴史や文学などでも見かける言葉が詞章の中に現れる。

○《羽衣》 日本各地に残る羽衣伝説により広く知られており，人気の高い能で上演機会も多い。仕舞《羽衣キリ》では，春の富士山を背景に，天女（シテ）が天上界へ舞いながら帰っていく様子を壮大なスケールで演じる。この能にも「霓裳羽衣乃曲」や「月宮殿」が現れる。他にも「東遊の駿河舞」「虚空に花降り音楽聞え霊香四方に薫ず」など，音楽文化や歴史的背景などと関連する内容が豊かに含まれている。

▶ 評価の観点

○知識・技能

謡の発声・息遣い・声の音色・リズムなど能の声の表現の特徴を聴き取り，ツヨ吟・ヨワ吟の音階や詞章を理解し，互いの声を聴きながら謡ったり謡に合わせて舞ったりすることができる。

○思考・判断・表現

謡の特徴や効果に関心をもち，他の声楽との違いを考えたり判断したりしている。謡の表現の特徴を生かし，詞章の意味や内容の面白さを感じ取りながら，役柄に合った謡と舞による演じ方を工夫している。

○主体的に学習に取り組む態度

謡と舞による能の表現に関心をもち，声の重なりによって生じる効果や，舞と組み合わさった演劇的表現による活動を楽しみながら，主体的・協働的に学習に取り組んでいる。

▶ 授業の流れ

ここでは，仕舞二番を教材とした例を示す。授業環境や子どもたちの状況に従って，指導者が内容を変えたり工夫したりすることを期待したい。

一次（鑑賞）

○仕舞《鶴亀》，仕舞《羽衣キリ》鑑賞（1時間）

・謡・舞・型（所作単元）の特徴について気付い

たことを話し合う。（大ノリ，ツヨ吟・ヨワ吟の違い，足の運び方など）
・舞の基本，カマエ（基本の立ち姿）・ハコビ（摺り足），サシコミ・ヒラキ[1]をやってみる。
・再度仕舞を鑑賞して，サシコミ・ヒラキが何回出てきたか，他にどのような動き（型）が出てきたか，話し合う。

二次（表現，グループ活動）

○謡と舞の基礎（2時間）　適宜発表・交流を行う
・《鶴亀》と《羽衣》の詞章を音読し，その後，謡の範唱を聴いて，気付いたことを話し合う。
・範唱に従って，おうむ返しで謡を謡い，能らしい謡い方にするにはどのように工夫したいかなど話し合う。
・基本の所作単元をいくつか体験する（サシコミ・ヒラキ，角(すみ)トリ，左右(さゆう)など）。
・サシコミ・ヒラキに焦点を当て，特徴について気付いたことを話し合い，動き方を記述（言語化）する。
・記述した特徴と実際の動き方について話し合う。

○仕舞に挑戦（2時間）　適宜発表・交流を行う
・謡（地謡）と舞（シテ）の役割分担を決め，仕舞の冒頭部を謡い舞ってみる。
・役割を交替し，自分たちの表現を工夫する。

○発表・交流・評価（1時間）

各グループで工夫したところなどを交流する。相互評価，自己評価を行い，全体のまとめをする。

▶ 指導のポイント

・音読を通して，七五調や係り結びなどの日本語のリズムや響きなどに親しめるようにする。
・西洋音楽のような絶対音高による歌や音楽と異なることに気付かせ，発声法や息の使い方，ツヨ吟とヨワ吟の違い，役柄と声の関連性を工夫した表現の可能性を探らせる。
・DVDやCDなどの使用に加え，ゲストティーチャーを招いたり，教師自身が実演したりして，児童の関心を高める工夫をする。
・低学年・中学年では子どものサシコミ・ヒラキ，高学年になるにしたがって通常のサシコミ・ヒラキをさせるとよい。子どものサシコミ・ヒラキでは，能の身体表現の基本となる，エネルギーの透徹と解放のバランス感覚を体感させやすい。
・所作単元には具体的な意味のあるものは少ないが，役柄や謡・舞を手がかりとし，自ら意味付けをして表現することも可能である。学習者が思考力，判断力，表現力等を働かせて学びを深め，表現したい気持ちを高めていけるような指導内容を工夫することが重要である。

▶ その後の活動

・囃子も加えてみる（譜例①～④では《鶴亀》《羽衣》ともに大鼓，小鼓，太鼓の手組が同じ）。
・グループ相互でビデオ撮影し交流する。
・能《鶴亀》《羽衣》（全曲）を鑑賞する。

▶ 譜例（謡本に基づき筆者が作成）[2]

大ノリは2拍目から始まる。最初のシテの謡に続く地謡の謡を以下に示す。いずれも①②はカマエのまま，③でサシコミ④でヒラキとなる。

上……上音　上ウ……上ウキ音
＊上ウキ音は，上音よりほぼ長２度高い音。

○仕舞《鶴亀》　ツヨ吟

		2	3	4	5	6	7	8	1
①	上	(ン)げ	ーッ	き	う	で	ん	の	ー
②	上	は	く	え	の	た	も	と	の
③	上	い	ろ	い	ろ	た	え	な	る
④	上	(ン)は	ー	な	の	ーそ	ー	で	ー

○仕舞《羽衣キリ》　ヨワ吟

		2	3	4	5	6	7	8	1
①	上ウ			ゥ	ま	あ			
	上	(ン)あ	ー	ず		ァ	そ	び	の
②	上	ーか	ー	ず	か	ーず	ー	に	ー
③	上ウ		ォ	な	も				
	上	そ	の		ォ	つ	き	の	ー
④	上ウ		ィ	ろ	び				
	上	ーい	ー		ィ	ーと	ー	は	ー

（中西紗織）

(1)　流儀によって「シカケ・ヒラキ」ともいう。サシコミは，左足から数歩前進し右足で止まり，扇を持った右手を視線の先に上げる。ヒラキは，左足・右足・左足と後退しながら両手を広げ，カマエに戻る。子どもの場合は，細かく足を使って前進し，額の前に両手の握りこぶしをしっかりくっつける。能楽師によっては「ゲンコツー」という声がけをする。その後，左足から後退し両手を広げ，カマエに戻る。
(2)　流儀によって詞章や音階が異なることがある。

【参考文献】
表章・加藤周一校注（1974）『世阿弥　禅竹』岩波書店
観世左近（1987）『大成版観世流初心謡本 上』檜書店
【参考資料　DVD】
野村四郎出演・監修（2006）『観世流仕舞入門１「雪」』檜書店

3 | 言語活動の充実と音楽科

▶ 音楽の活動と言語活動の関係

学習指導要領の「総則」第1の2（1）及び第3の1（2）には言語活動の充実を求めた記述があり，音楽科でも言語を介在させた活動を積極的に取り入れることになるのだが，第6節「音楽」第3の2（1）ア「～略～音楽科の特質に応じた言語活動を適切に位置付けられるよう指導を工夫すること」とあることから，音や音楽を介在させた活動を工夫し，話し合いや記述による活動と音や音楽による活動とのバランスをとることが大切である。

音や音楽から聴き取って感じたことを子どもたちに言葉で表現させることはとても難しい。音楽ゲームや耳トレを日常的に継続することで感覚的な音楽の諸要素（音色，強弱，音高，リズム，メロディー，テンポなど）を聴き取ることができるようになっても，言語活動の入り口である適切な言葉へ置き換えることができない。例えば，強弱と音高を混同（高い声→よく通るから大きい，低い音→重量感があるから大きい）したり，テンポとリズムを誤認識（リズムが細かくなる→テンポが速くなる）したりする子どもが少なくないことは，教育現場では広く知られている。これを解決し適正な言語活動へ結び付けるために，まず次のような活動から取り組むことを提案したい。

▶ 言語活動と絡めた音楽活動の実践例

(1) 音の正体に気付き，感じ取る活動

音楽活動の基盤である音色，強弱，音高，リズム，メロディー，テンポに気付き感じ取らせる音楽ゲームを授業の一部で継続する。例えば，楽器あて，音の高さ比べ，音の強弱比べ，まねっこリズム，同じ旋律あて，テンポの違いを発見，など。

(2) 音と言葉を結び付ける

音色や音の高さ，音の強弱，リズムを捉えて「パッパパー，タッタ，パンパパ」などの擬音語へ置き換える活動によって，音楽は身近な言葉と密接に結び付いていることに気付かせる。

(3) 言葉のリズムを音に結び付ける

言葉を聴き，言葉がもっているリズムを捉えて「スポーツ・カー：タタータ・ター」「おさんぽ：タタンタ」のように音楽上のリズムへ変換させる。

(4) 言葉のイントネーションを音に結び付ける

言葉を聴き，言葉がもっているイントネーションを捉えて「箸：ハ（高）↓シ（低）」「端・橋：ハ（低）↑シ（高）」のように音高へ置き換えさせることで，身近なものから音の高さの変化を意識させる。

これら（2）～（4）の活動によって音響上の特徴を聴き取って再現することは，より豊かな「表現」や「鑑賞」の活動に結び付く。

(5) 音響上の現象を表した言葉を理解する

・音響上の周波数変化を捉えて，音高の概念へ結び付ける。「周波数の値が大きい→高い音，周波数の値が小さい→低い音」
・音響上の音波の振幅の変化を捉えて，強弱の概念へ結び付ける。「音波の振幅が大きい→強い音，音波の振幅が狭い→小さい音」

(6) 音楽的な特徴と雰囲気の関わりを説明する

互いの演奏を誉めたり評価させたりする際にも，音楽の諸要素を拠りどころとした説明を求める。例えば「△△に感じるのは，何がどうなっていたから？　音楽の言葉で説明して」や「○○がどう良かったの？　音楽の言葉で誉めてあげて」などのように，音楽の諸要素と曲想や雰囲気の関わりに意識を向けさせる。そして子どもたちが日常的に「テンポが少しずつ遅くなって音も大きくなるから，重々しい感じがする」や「柔らかい音色で旋律が少しずつ高くなるから，優しく包まれるみたいだ」などの音や音楽に関わる意見交流を積み重ねていると，中学校において自己のイメージや思いを冷静に伝え合う活動や，根拠に基づいて感じ取ったことを話し合う活動へつながりやすくなる。よって表現でも鑑賞でも，音楽の諸要素と曲想や雰囲気との関わりに気付いて感じ取ったことを，言葉に置き換えて相手に伝える力を身に付けさせたい。

（新山王政和）

第 3 部
今日的課題

序｜今，音楽科の教員に求められるもの

▶ 学習指導要領

中央教育審議会の答申を経て平成29年3月に告示された学習指導要領では，10年後，20年後の社会を見据えた思い切った提案がなされた。特に，「育成すべき資質･能力」の中で取り上げられた「主体的・対話的で深い学び（アクティブ・ラーニングの視点からの授業改善）」と教育課程の編成を見直すための「カリキュラム・マネジメント」の2項目は，今回の重要事項といえる。ここに至るまでの間の14回にわたる議論は，「論点整理」[(1)]としてとりまとめられ，「何を知っているか・何ができるか（個別の知識・技能）」「知っていること・できることをどう使うか（思考力・判断力・表現力等）」「どのように社会・世界と関わり，よりよい人生を送るか（主体性・多様性・協働性，学びに向かう力，人間性等）」の三つの柱は，その後の様々な文書の中で繰り返し強調されることとなった。

つまり学習指導要領では，何を学ぶかだけではなく，どのように学び，その結果何ができるようになるのかといった，方向性まで含めた総合的な視点から学びを捉え直すことと，その実現に向けた学習のあり方が求められているといえる。主体的・対話的で深い学びやカリキュラム・マネジメントを考えるに当たり，教科音楽として，さらに音楽教師として，どのような対応をすべきなのだろうか。

▶ アクティブ・ラーニング

アクティブ・ラーニングは，学生たちが主体的に問題を発見し能動的に学ぶ学習であり，いわゆる従来型の講義スタイルの学習とは対極に位置するとされている。「その（アクティブ・ラーニングの）手法は，学習過程の全体において学習者が主体的に資質・能力を醸成することを目標としている。しかもそれは完結することはなく，一つの確実な正解に至ることもなく，その過程は常に問い直される必要がある」(羽入，2016)[(2)]とされるように，主体的・対話的で深い学びを実現するための視点として，アクティブ・ラーニングは位置付けられている。

歌う，奏でる，つくる，聴くという音楽学習をいかに充実させるかという問いは，教育現場に携わるすべての教師たちが日々追究しているテーマであり，この中では，子どもたちが主体的に学ぶことや，友達と協働して学ぶという，まさに「アクティブ」な学びが，大前提となっている。しかし，こうした個人のアクティブな活動はクラス全体で共有され，質の高い学びへと昇華しているのだろうか。問題解決型学習，課題達成型学習や仮説―検証型学習といった型に則った学びが，教科音楽でも成果をあげるはずとの思い込みに縛られていないだろうか。

音楽教科の学びは身体性を伴っており，吹く・弾く・叩く・歌う・振るなどの明確な身体イメージができていないと，伝えるべき音や音楽情報は表層的な意味にとどまってしまう。楽典事項や音楽知識が必要なのは，音に意味を込めるためであり，より美しく価値ある芸術文化として伝えるために，音楽技能や技術が必要である。また学習研究では，子ども同士の意見交換の前に教師の説明があった方がより理解を深化させる（市川･植阪，2016）や，ペア学習の際に相手が理解しているかどうかは把握しづらく，それが原因で理解不振に陥っている（伊藤・垣花，2015）といった，検討すべき結果も報告されている。

したがって，私たちは，音楽教科以外の研究成果にも目配りしつつ，座学を主とする他教科から提案されている学びとは明らかに質の異なる学びを，追求しなければならないといえるだろう。そのためにはまず，子どもの学びの姿を「視て」，そこで交わされている音楽を「聴き」，学びの実態を客観的に把握しなければならない。

▶ 学びを客観的に視る・聴く

子どもの学びを視る・聴く際のポイントは，①場を共有するすべての構成員の間で情報共有がなされているかどうか，②送り手（側）は情報をどのように発信しているのか，③受け手（側）は，

その情報をどのように受信しているのか，④やりとりの際にどのような言語情報・非言語情報が使われているかを，客観的なデータとして検討することである。情報の量だけでなく，「質」の共有・同調・伝播のプロセスを注視することで，学びの具体に迫ることができる。

他教科と同様，音楽授業でもペア学習やグループ学習，ロールプレイングといった多様な学習形態が工夫されているが，その際に用いる付箋，振り返りカード，記録ノート，ポートフォリオなどは，貴重な客観的データである。これらの詳細な分析によって，言語を介した子どもたちの思考・知識・理解の推移をたどることができる。また近年では，行動観察法，逐語記録法，フィールドノーツ，テキストマイニングなどの観察・分析ツールを利用することで，今，この教室でやりとりされている音や言葉の背景を捉えることが可能になってきた。

しかしその一方で，視線，手指のしぐさ，身体全体のジェスチャーなどの非言語情報のやりとり，並びにそれらと音や音楽との関連については，データの蓄積・解析が不十分であると言わざるを得ない。隣接諸科学ではソフトの開発を含めて，非言語情報に関する興味深い報告が蓄積されている（新田，2004；細馬，2008など）。多角的な観点からの知見を積極的に取り入れつつ，教室空間での，身体性を伴った音楽情報のやりとりを立体的に可視化することが急がれる。

▶ 教科内容と教科教育の連携

子どもの学びを客観的に把握することは，同時に，何を教えるのかという教育内容を問うことである。理数系の教科では，子どもたちが科学的な疑問を認識することや，科学的な説明が苦手であると指摘されているが，音楽授業でも，音高と音量の取り違え，アウフタクトの問題，拍子の誤概念，長調と短調をめぐる誤解，移動ド・固定ドの問題など，子どもたちの素朴概念に起因する諸現象が認められる。日々の授業実践で浮かび上がってくるこれらの問題を取り出して，素朴概念が形成される根拠や過程を明らかにし，体系づけ，教育内容として丁寧に教えるのも一つの方策である。

授業では，子ども自身が活動の意義を実感したり，学んだ知識を活用したりといった場面でより深い学びにつながるとされている。例えば，シンコペーションの音長アクセントと音量アクセントについて友達と意見交換をさせたり，音楽作品を通して「技の知識」を伝授したり，適切なフィードバックを与えたりすることで，クラス全員が共有できる質の高い学びに発展できるだろう。

さらに，教科音楽で何を教えるかという問いは，教員養成大学・学部（教員養成課程）の課題にも直結する。「科目区分の大括り化」[(3)]で指摘されたように，教科の専門的内容と指導法を一体化することや，教科専門科目・教科教育科目・教職科目の有機的な連携など，より一層の工夫が求められる。教育内容を各教科横断的な相互の関係で捉えて効果的に編成する，いわゆるカリキュラム・マネジメントに関する大胆な構想も望まれる。

音楽教科特有の学びは，誰かの理論をもとにしたトップダウン型ではなく，教育現場の問題を一つずつボトムアップしながら，研究者・授業者・実践者が手を携えて，ともに考える課題である。

（小川容子）

(1)　平成27年1月に教育課程部会・教育課程企画特別部会が設置され，以降，計14回にわたる議論が「論点整理」としてとりまとめられている（平成27年8月26日）。

(2)　（　）内の語句は，筆者の挿入である。

(3)　『これからの学校教育を担う教員の資質能力の向上について〜学び合い，高め合う教員育成コミュニティの構築に向けて〜（答申）』（中央教育審議会　平成27年12月21日）の中で，「…教科に関する科目」と「教職に関する科目」の中の「教科の指導法」については，学校種ごとの教職課程の特性を踏まえつつも，大学によっては，例えば，両者を統合する科目や教科の内容及び構成に関する科目を設定するなど意欲的な取組が実施可能となるようにしていくことが重要であり…」（p.32）と記載されている。

【引用文献】
- 市川伸一・植阪友理（2016）『教えて考えさせる授業　小学校―深い学びとメタ認知を促す授業プラン』図書文化
- 伊藤貴昭・垣花真一郎（2015）「説明行為における聞き手の理解状態に対する推論と説明内容の関係」読書科学，58，pp.17-28.
- 新田恒雄（2004）「マルチモーダル対話の深化と記述言語の今後」情報処理学会研究報告音声言語情報処理（SLP），15号，pp.15-22.
- 羽入佐和子（2016）「変化の中で生きる社会的存在を育成する」『「アクティブ・ラーニング」を考える』東洋館出版社，pp.12-19.
- 細馬宏通（2008）「非言語コミュニケーション研究のための分析単位―ジェスチャー単位―」人工知能学会誌，23巻3号，pp.390-396.

1　カリキュラム・マネジメントの概説・構想例

▶ カリキュラム・マネジメントとは何か

平成29年改訂学習指導要領ではコンテンツ・ベースからコンピテンシー・ベースへと学力観が転換した。これに伴いアクティブ・ラーニング，21世紀型能力など，聞き慣れない言葉を耳にすることが多くなってきた。カリキュラム・マネジメントもその一つである。

こうした用語が登場してきた背景には，次世代を担う子どもたちにどのように生きる力を育てるかということがある。これからは第4次産業革命の時代だと言われる（ちなみに第3次産業革命はインターネットである）。そこではAIが大きな役割を果たし，10～20年後には，日本の労働人口の約49％が，技術的には人工知能などで代替可能になるといわれている。そうした中で，時代に対応したカリキュラム開発は学校にとって喫緊（きっきん）の課題となっている。プログラミングが導入されるのもその具体化の一つである。

しかし一部の学校を除いて，一般の学校がカリキュラム開発について強い関心をもつようになったのは，平成10年の総合的な学習の時間の創設からであろう。各学校はこれに併せて独自のカリキュラム開発を迫られたからである。また，続く平成20年改訂に伴う「言語活動の充実」においては，思考力・判断力・表現力を培うために，各教科でどのように展開するのかということが求められた。そして新学習指導要領では，「知識及び技能」「思考力，判断力，表現力等」「学びに向かう力，人間性等」という学力観に基づいたカリキュラム構成が求められるようになった。

このように学校ではそれぞれの学校の独自性に基づいたカリキュラムを作ることが求められている。そこで必要となる考え方がカリキュラム・マネジメントである。

カリキュラム・マネジメントについて『小学校学習指導要領』では，第1章「総則」の第1「小学校教育の基本と教育課程の役割」4において，次のように示されている。

> （前略）児童や学校，地域の実態を適切に把握し，教育の目的や目標の実現に必要な教育の内容等を教科等横断的な視点で組み立てていくこと（①），教育課程の実施状況を評価してその改善を図っていくこと（②），教育課程の実施に必要な人的又は物的な体制を確保するとともにその改善を図っていくこと（③）などを通して，教育課程に基づき組織的かつ計画的に各学校の教育活動の質の向上を図っていくこと（後略）
>
> （　）内の丸数字は筆者による

田村知子はこのことをより分かりやすく，「カリキュラムを主たる手段として，学校の課題を解決し，教育目標を達成していく試み」（田村2014）と述べている。

▶ カリキュラム・マネジメントの手順

上に示したように，カリキュラム・マネジメントには①から③の側面がある。

そこでまず必要なことは，第一に児童，学校，地域の現状を把握することである。自分がいる学校はどのような地域なのか，地域の人々の学校に対する願いは何か，子どもたちが学習面や生活面でできること，抱えている課題は何かなどを調べる。特に学習面ではテストなどの数値的なものだけでなく教師による観察も大切な要素である。

第二に教育内容の質の向上に向けて，PDCAサイクルによって改善を図ることである。しかし，一からカリキュラムをつくるのは新設校でもない限り困難である。むしろこれまでのカリキュラムを見直し，課題を発見することから始める方がよい。すなわち，まず現行のカリキュラムを振り返り成果と課題を洗い出す（C）。次いで改善を図り（A），指導計画や題材などを編成し直して（P）実行する（D）のである。これを1サイクルとして繰り返していく。これならばどの学校でもできる。これらは具体的には学校の全体計画，各教科・領域の年間指導計画，時間割，題材指導計画，週案などの形で表れてくる。

第三にカリキュラムの実施に必要な人や物を準備することである。これは人事や予算とも関わってくるので学校全体の問題として取り組む必要がある。田村は「子どもにこのような力をつけるため，このような教育活動が必要だ。その教育活動のためにどのような条件整備が必要か」という観点が必要だと述べている。その際，学校内だけで解決しようとするのではなく，地域（保護者，地域住民，地域企業など）の力も借りながら行うことでより地域との関係も深まっていくだろう。

▶ 音楽科における カリキュラム・マネジメント

すでに述べてきたように，カリキュラム・マネジメントとは，音楽科だけで行えるものではなく，学校全体で行っていくものである。したがって音楽科はそれ自体独立して存在するものではなく，学校の教育目標を達成する上でどのように貢献できるのかという視点が必要となってくる。

そこで音楽科としてできることは次の点である。

(1) 学校の教育目標を確認する。
(2) 学校の教育目標の達成に際して，子どもに育てたい資質・能力を明らかにする。
(3) 学校の教育目標を実現するために音楽科としてできることは何かを，資質・能力と関連付けて考える。
(4) 音楽科学習指導要領を踏まえつつ，学年ごとの題材構成や年間計画を考える。
(5) 指導計画に沿って授業を行い，目指す目標に近づけたかどうかを検証する。
(6) 授業終了後，成果と課題を明確にする。課題は次の授業や題材で行うことができるかどうかを検討し，実施する。
(7) 年度末に一年間の成果を振り返り，次年度の指導計画に反映させる。

具体例を述べよう。

A小学校の教育目標は「一人で考え，人と考え，最後までやり抜く子ども」である (1)。ここで期待される資質・能力は，「知的好奇心に基づく主体性」「支え合う協調性」「自己実現に向かう創造性」であり (2)，教育目標はそれを子どもに分かりやすくしたものである。

音楽科の場合は，音楽の授業を通して主体性・協調性・創造性を育てることになる。例えば主体性を育てるために，授業の導入場面の工夫によって子どもが課題意識をもつことができるようにする。次いで，その課題意識を原動力として友達と一緒に考えを深めていくことで協調性を育てていく。さらに，課題意識に基づいた学習を達成するために，いろいろな方法を試し，一人一人の個性を生かした追究活動ができるような学習形態を工夫する (3)。

音楽科学習指導要領や教科書の配列をもとに，各題材の指導内容を明確にし，学年ごとに題材構成や年間指導計画を立てる (4)。この際，それぞれの指導内容を修得する上で，(3) に示した資質・能力が発揮できるような授業の方法を考える。例えばどこで個人の思考活動を行うか，どこでグループ活動を行うかといった授業形態や，思考活動を促すワークシートなどの工夫などである。また資質・能力ベースで教科横断的な学習を行うことも検討できる。

実際に授業を行う際には，簡略な指導の流れとそれぞれの場でどのように資質・能力が発揮されるかを想定したシナリオを作っておくとよい (5)。

授業終了後，この授業では子どもは主体性を発揮して学習を進めていたかなど，三つの資質能力に基づいた検証を，授業観察やワークシートなどを通して行う (6)。

各学校で年度末に実施される教育指導の評価に関する会議で音楽科としての取り組みを報告する。報告に向けて一年間の指導を振り返り，不十分であった点はどのようにすれば改善できるかという試案をメモし，次年度の指導に生かす (7)。

このように，カリキュラムは一度つくればそれを毎年同じように使い続けるのではなく，絶えず検証され改善されるものでなくてはならない。

（松永洋介）

【参考文献】

田村知子（2014）『カリキュラム・マネジメント―学力向上へのアクションプラン―』日本標準

中央教育審議会（2016）『幼稚園，小学校，中学校，高等学校及び特別支援学校の学習指導要領の改善及び必要な方策等について（答申）』

野村総合研究所（2015）「News Release」2015年12月2日 https://www.nri.com/-/media/Corporate/jp/Files/PDF/news/newsrelease/cc/2015/151202_1.pdf（2020.1.17. 閲覧）

2 | 音楽科と他教科等との関連

今回の改訂の経緯では,「学びの地図」という役割の枠組みから，他教科等との関連の視点を見いだすことができる。「何を学ぶか」や「どのように学ぶか」から，音楽科での学びと他教科での学びを結び, 積極的に新しい時代に求められる子どもの資質･能力を育む授業をつくることに取り組みたい。また,子どもの姿や地域の特性を生かし「カリキュラム・マネジメント」を行い,「主体的･対話的で深い学び」を実現する授業改善を進めるとした改訂の基本方針からも，他教科と連携することは子どもの学びにとって有効であることがうかがえる。

音楽科の学習内容を，他教科の学習内容と関連して活動を展開することで，子どもにとってより深い学びにつながることは，様々な実践事例でも伝えられている。そこで，ここではそうした授業を構想する手がかりと実践事例を紹介する。

▶ 各教科と関連した授業を構想するために

(1) 関連の視点を明確にする

他教科との関連を図るときにまず考えたいことは，関連させようとする単元・題材における教科双方の目標の違いと共有点を探ることである。その授業を通して，子どもはどのような経験をし，何を学ぶのかを明確にしておくことは必須の条件である。特に相違点はそれぞれの教科の独自性を保障するためにも，また同じ活動の中でも違った観点で子どもの学びを捉えるためにも，授業を構想する際に検討する必要がある。

ここでは「何を学ぶか」に焦点を当てることになる。活動を考えるとなると，とかく活動内容に目が行きがちであるが，まずはこの点をしっかり検討しておくことによって，他教科と関連させる意味が生まれ，子どもの学びの深まりを期待することができるようになる。

一見音楽的な活動をしているが，指導計画との整合性が図られていなかったり，音楽科の学習内容が明確に描かれていなかったりしたまま活動しているということがないよう，授業構想を立てる際には，双方の目標および学習内容を十分に検討しなければならない。

(2) 活動の関連を図るために

具体的に活動の実施を考える際には，事前にいくつかの検討をしておきたいことがらがある。

①対象者の検討
②指導体制の検討
③実施時期の検討

当然のことではあるが，①では対象学年や対象児童のこれまでの経験，既習事項の確認をする必要があろう。

②の指導体制では，学級担任が一人で行うか，学年団で交換授業のようにするか，または合同授業にして複数の指導者が協働して進めるなど，指導体制の検討をする。他にも，教科担当教師と学級担任の組合せや，複数の教科担当教師がプロジェクトを組んで実施する場合があるだろう。複数の教師が協働して授業をする場合は，より綿密な計画が必要であるが，その分よりダイナミックな活動に挑戦することもでき，子どもにとっても忘れ得ぬ授業を展開することができるだろう。

③は複数の教師による連携授業であればなおのこと，時間確保の困難が予想される。ある程度集中的に時間を確保して活動ができれば良いが，校内の事情などで授業と授業の間隔が空きすぎてしまうと，学びの連続性が阻まれてしまう。各方面との連絡調整も，このような授業展開を試みる際には重要なポイントとなる。

(3) 授業の展開を考える

実際の授業展開を考えるために，それぞれの学習内容と，活動の可能性を並べてみることで，大まかな活動の展開をつくる。ここでその活動のコンセプトを明文化しておくことで，その後活動の詳細を詰めていく際の道しるべになる。ここでいうコンセプトとは，本活動のテーマである。それぞれの教科の学習内容を包括した意味を，授業構想する際に明らかにしておくことで，指導者が複数いる場合でも，授業の軸がぶれることなく子どもの学びを支えることができるようになるからである。

また，教師側ではこの活動では音楽の何を学ぶことになるか，同時に他教科の何を学ぶことになるかなどを明確に意識しておく必要がある。しかし，子どもにとっては一つの学習活動に没頭している点が，他教科と関連させた活動の良さである。計画段階で子どもたちが活動に熱中して取り組めるものになっているか，活動の流れは連続したものになっているかを視点に展開を考えていくようにすることが肝要である。

▶ 授業構想例

(1) 音楽科と理科の授業を関連させた授業

4年生の音楽科で取り組む「和太鼓演奏」の活動と，理科で学習する「筋肉と関節」の単元を関連させた取組を紹介する。

音楽科では和太鼓の響きを体で感じながら，仲間と一緒に「三宅太鼓」のリズムを合わせ，繰り返しの仕方，音の重ね方を工夫しながら，自分たちの音楽づくりをする活動を構想していた。理科では，人や他の動物の骨や筋肉の動きについて興味・関心をもって追究する活動を通して，人や他の動物の体のつくりと運動とを関係付ける能力を育てるとともに，それらについての理解を図り，生命を尊重する態度を育て，人の体のつくりと運動との関わりについての見方や考え方をもつことができるようにすることがねらいとされている。

そこで，理科の担当教師と協働し，それぞれの教科学習が独自に授業を展開したうえで，筋肉や関節の働きを考えながら，よりよい音の響きを見付け出す活動をする時点になって，授業を音楽室で行った。活動の実際は，腕や足に段ボールや牛乳パックを当てて動きを制限することで，関節の働きへの気付きを促したり，太鼓を叩く際に，良い音の出るときにはどこの筋肉を使っているかを意識したりすることで，仲間との学び合いをより活性化することができた。

子どもたちは，筋肉の動きや，関節の方向を考えながら和太鼓を叩くことで，意識的によりよい音を出すことができるようになっていった。

ここでは「体のつくりに着目して，迫力のある演奏をつくる」ことをコンセプトに描き，理科担当教師と共有して実践をした。理科の授業時間を音楽室で行うことで，子どもたちは和太鼓演奏を音楽の授業とは違った角度で捉えることができ，学習意欲を高めながら活動することができた。

(2) 音楽科と国語の授業を関連させた授業

低学年では絵本やお話との出合いを豊富に提供したい。また，音楽科でも音楽の楽しさを味わう鑑賞活動を行いたい。そこで，テーマに沿って本を紹介する「ブックトーク」と音楽鑑賞をつなげる「音楽ブックトーク」を試みた。

ここでは，学級担任と学校司書が連携して授業を構想した。子どもたちが生活科で行った「どうぶつえんをつくろう」という活動のあとに，動物が登場する絵本を紹介しながら，併せて動物が音楽で描かれている楽曲を鑑賞するという活動である。子どもたちにはテーマに合わせて選書された様々な絵本を興味深くみながら，時折動物が登場する音楽を聴き，表現された動物は何か，どうしてそのように感じたかを交流する場を設けた。さらには，楽曲の曲調や音色，速さや強弱の変化から，感じ取ったその動物の動きや姿を想像し，仲間と交流することで，音楽を聴く楽しさを味わうことをねらいとした。

この活動で学校司書と共有したことは，テーマに沿った絵本を紹介することと同じように音楽を紹介する流れで授業を展開するという点であった。音楽を物語のBGMのようにしてしまうのではなく，音楽そのものを聞いて楽しむことができるようにすることを確認した。

この授業で使用した資料の一部を紹介しておく。

『つんつくせんせい どうぶつえんにいく』
　たかどの ほうこ 作・絵
「おどるこねこ」ルロイ・アンダソン 作曲
『ゴリオとヒメちゃん』
　アンソニー・ブラウン 作・絵
『ピーターとおおかみ』より「おおかみあらわる」
　セルゲイ・プロコフィエフ 作曲
『オオカミくんはピアニスト』
　石田真理 作・絵
「花のワルツにもとづくパラフレーズ」
　パーシー・グレインジャー 作曲　（齊藤 豊）

3 「総合的な学習の時間」と音楽科

「総合的な学習の時間」は，探究的な見方・考え方を働かせ，実生活や実社会の中から自分で課題を見付け，課題解決のための知識及び技能を身に付けることを目指す，教科の枠を超えた横断的・総合的な学習である。音楽からも「総合的な学習の時間」の題材や内容に積極的に参画することで，広がりをもった音楽体験を児童たちにもたらし，実生活や実社会とのつながりの中で音楽への興味・関心を広げることができる。

▶「総合的な学習の時間」の探求課題と指導計画の作成

(1)「総合的な学習の時間」の探求課題

「総合的な学習の時間」では，日常生活や社会とのつながりを重視しながら，各学校で定める目標のもとに，目標を実現するにふさわしい探究課題が設けられる。「小学校学習指導要領」では，探究課題の例として，国際理解，情報，環境，福祉・健康などの現代的な諸課題に対応する横断的・総合的な課題，地域の人々の暮らし，伝統と文化など地域や学校の特色に応じた課題，児童の興味・関心に基づく課題などが挙げられている。

(2)「総合的な学習の時間」の指導計画の作成と内容の取扱い

指導計画の作成に当たっては，児童が探究的な見方・考え方を働かせて，実社会や実生活の中から自分で問いを見いだし，主体的・協働的に取り組むことができる教育活動とすること，学校における全教育活動との関連が図られていることなどに配慮する。

内容の取扱いについては，コンピュータなど情報通信ネットワークを活用して情報を収集・整理・発信するなどの学習活動，自然体験やボランティア活動などの社会体験，ものづくり，生産活動などの体験活動，観察・見学や調査，発表や討論などの学習活動を積極的に取り上げていく。また，学校図書館の活用，公民館，図書館，博物館などの社会教育施設や社会教育関係団体などの各種団体との連携，地域の教材や学習環境の積極的な活用が図られる。国際理解に関わる課題では，諸外国の生活や文化の体験活動も進められる。

▶ 音楽から捉えた「総合的な学習の時間」へのアプローチの方向

日常生活や社会とのつながりを重視し，教科の枠を超えた横断的・総合的な学習としての「総合的な学習の時間」への，音楽からのアプローチの方向としては，次のような基本的な考え方並びに題材の内容を挙げることができる。

(1) 基本的な考え方

●「表現」の教育の総合化を図る

音楽をより幅広い総合的な表現の一環として位置付けることにより，日常生活や社会の中での「表現」の大切さを知り，それを身に付けるようにする。

●総合的な視点で「音や音楽のはたらき」を捉える

日常生活や社会の中で，音や音楽が人々の暮らしとどのような関わりをもっているかに気付き，それをよりよい暮らしに生かしていく方法を考える。

(2) 題材の内容

この基本的な考え方を生かした題材として，音楽が関わる総合的な学習は，大きく以下のような内容の題材を考えることができる。

前者は，音楽を，動きや言葉あるいは美術などと一体となった総合表現として捉えるという方向で，ミュージカルなどの音楽劇の活動や，我が国の音楽への取組などの題材につながる。

後者は，音楽が人々の暮らし全体の中で果たしている役割に気付き，考えていく学習のことを指し，横断的・総合的課題（国際理解，情報，環境，福祉・健康，平和・人権など）や，地域や学校の特色に応じた課題（地域の人々の暮らし，伝統と文化など）の中に音楽からの視点を加えるという内容の題材につながる。

▶ 音楽が関わる「総合的な学習の時間」の学習活動例

(1) 総合表現活動

◯**音楽劇の上演・創作**　演劇は人間の表現力を育てる重要な分野である。それに音楽的な要素や体の動きの要素を加えたオペレッタやミュージカルなどの音楽劇の実践は，総合的な表現力を育てる上でも大きな力を発揮する。

◯**手づくり楽器の製作・演奏**　図画工作や理科と関連を図りながら，手づくり楽器を製作し，それを用いた演奏を行うことで，楽器の素材や形状，発音原理を踏まえた音楽演奏へとつなげることができる。

◯**我が国の音楽の総合的な表現活動**　文化との関わりを感じながら我が国の音楽に親しむために，昔ばなしの語り，和楽器の素材や形状，舞の所作などとつなげて表現活動に取り組む。

◯**音楽会の計画・実施**　学校内での音楽会の計画・実施を児童たちの手に委ね，舞台装置，音響装置などを含めて音楽会全体が総合的な表現活動になるような工夫を行う。

(2) 横断的・総合的課題と音楽

国際理解，環境など横断的・総合的課題として設定されたテーマに音楽科からも発信をする。

◯**国際理解**　諸外国からの在日の人々をゲストとして招いて，その国の伝統音楽や遊び歌を交換し合う，ALTの先生と一緒に英語の歌を歌うことを通して，英語と外国の文化に親しむなど，音楽を通した国際理解教育を行う。

◯**環境**　騒音問題と関連させて，サウンドスケープやサウンドデザインに関心をもつ，水を考えるテーマにおいて，鹿おどしや水琴窟など水を使って音環境を生み出す工夫に気付く，湿原地帯に生息する鳥の声を集め，自然を大切にすることに気付くなど，音や音楽から環境問題を考える。

◯**福祉・健康**　地域の老人ホームや福祉施設との交流活動の中で，音楽による交流をもつ機会を設ける，手話による歌で聾唖の障害を持つ人々に歌を届けるなど，音楽によりいろいろな人々とのつながりをもたらすことができることを学ぶ。

◯**平和・人権**　地雷学習や広島に学ぶ平和学習などの中で，世界の人々の平和のために，音楽を通して様々なメッセージを送っている音楽家たちの活動に目を向けるなどを通して，音楽が世界の平和にどのように役立っているかを考える。

(3) 児童の興味・関心に基づく課題と音楽

個人研究として，児童が自ら設定した音楽に関するテーマについて調べ学習をし，発表し合う。日本の祭と音楽，手話で話そう，などの例が挙げられる。

(4) 伝統文化など地域や学校の特色に応じた課題と音楽

◯**民謡や民俗芸能の総合表現活動**　地域の民謡や民俗芸能の表現活動への取組を通して，地域の文化を学ぶ。運動会や学習発表会をその発表の場としていることが多い。

◯**地域学習の一環としての民謡や民俗芸能への取組**
地域についての総合学習，例えば総合学習「(地域名)」というテーマに音楽科からも発信をするもの。全国の数多くの小学校で，地域の民謡や民俗芸能の伝承活動への取組が，「総合的な学習の時間」の中で行われている。

▶ 音楽が関わる「総合的な学習の時間」の内容の取扱い

「総合的な学習の時間」における，音楽が関わる内容の取扱いとして，以下に一例を挙げておく。

・ 情報通信ネットワークを活用して，世界各地の諸外国の音楽の最新情報を収集・整理・発信する。
・ 自然体験をしながら自然の素材で楽器づくりをし，自然と文化の関わりに気付く。
・ 地域の介護施設などで，長く歌い継いできた日本の歌を届けて，世代を超えた音楽がもつ力に気付く。
・ 学校図書館の司書教諭とのTT（Team Teaching）で，絵本をもとにした音楽劇の創作と上演を行い，音楽と国語の深いつながりに気付きながら「表現」の教育の総合化を図る。
・ 地域の伝統芸能を継承する各種団体と連携を図り，ゲストティーチャーとしての人材活用並びに地域教材の開発を行う。
・ 多文化化が急速に進む我が国の環境を生かして，地域に居住する諸外国の人々と連携を図り，諸外国の音楽文化の体験活動を進める。

（加藤富美子）

4 | 特別活動との関連

▶ 特別活動の特質と音楽科

学級活動，児童会活動，クラブ活動と学校行事からなる特別活動は，様々な集団活動を通して個人的な資質とともに社会的な資質を育て，自主的・実践的な態度を養っていくという教育的な特質をもっている。これは合唱や合奏の活動などを通して音楽科が育成を目指すものと深く関わっており，両者を適切に関連させた指導によって，子どもたちの音楽的成長と人間的成長に大きな効果を生むことが期待できる。

音楽科における合唱や合奏などの音楽活動は，一人一人が自分の役割を自覚してその責任を果たしつつ，全員が協力して一つの音楽を作り上げていくものである。そうした活動を積み重ねる中で，音楽的な資質や能力だけでなく，特別活動の目標の（1）や（3）にも示されている社会的な資質や能力も育むことができる。このような，音楽活動が本来的にもっている特質は，子どもたちの音楽活動が教科としての時間の枠を超えて，連続的・発展的に特別活動の中に位置付けられることで，さらに幅広く生かされることになるのである。

音楽は，教科で学習する対象であるだけではなく，学校生活の具体的な場面に組み込まれているものでもある。特別活動と音楽科を効果的に関連させながら学校生活全体を視野に入れた指導を心がけていきたい。

▶ 音楽科と関連する特別活動の例

音楽科と特別活動との関わり方には，主に以下の三つの形が考えられる。

ア　音楽科の指導計画と密接に連携させながら，教師の意図的・計画的な指導のもとに，完成度を高めた音楽表現の発表として行うもの。

イ　音楽科の内容を発展させる形で生演奏を鑑賞するなど，主に聴く活動を主体とするもの。

ウ　特別活動の様々な活動の中で，子どもたちが音楽の学習で培った力を生かして自分たちで作り上げる音楽的な内容を含む発表やレクリエーションとして行うもの。

[アの例]

音楽会・学習発表会などの文化的行事，卒業式・入学式などの儀式的行事における合唱や合奏のほか，音楽集会・6年生を送る会などの児童会活動での音楽的な出し物などがこれに当たる。これらの行事や集会では，音楽活動が非常に重要な役割をもっている。その音楽活動は，準備の取組を含めて子どもたちの意欲を大いに高めるだけでなく，行事や集会全体を豊かに彩る要となるのである。したがって，教材の選択や内容の企画は，その行事・集会のねらいと発表の場のシチュエーションをよく考慮して検討することが大切である。また，実質的な準備は音楽の時間内に行う場合が多いので，その際は年間指導計画における位置付けを明確にしておく必要がある。

[イの例]

文化的行事の音楽鑑賞教室や，地域に伝わる伝統芸能の体験教室などがこれに当たる。学校以外で生演奏の音楽に触れる機会は一般的には少ないことを考えると，こうした行事は子どもたちにとって何より貴重な音楽的な体験となるものである。指導に当たっては，多様な音楽に触れられるよう，企画の段階で配慮するとともに，音楽の指導計画と密接に関連付けながら，その行事の前後の学習に行事の体験が生きるようにすることが大切である。

[ウの例]

学級活動における朝の会などでの歌，たてわり班活動や交流給食などいろいろな場でのアトラクション，遠足・集団宿泊的行事のバス車内での歌やキャンプファイヤーの音楽など，子どもたちが自分たちの学校生活を楽しく豊かなものにするために行う音楽活動がこれに当たる。これらは基本的に子どもたちが自主的に行う活動になるが，こうした内容を相談する話し合いなどの場で，音楽科の学習が生かされるよう教師が適切な助言を与えることも重要である。

（徳田 崇）

5 地域との連携

▶「地域との連携」の意義

学習指導要領「総則」の「第5　学校運営上の留意事項」2のアでは，「学校がその目的を達成するため，学校や地域の実態等に応じ，教育活動の実施に必要な人的または物的な体制を家庭や地域の人々の協力を得ながら整えるなど，家庭や地域社会との連携及び協働を深めること，また，高齢者や異年齢の子供など，地域における世代を越えた交流の機会を設けること」と，家庭や地域社会との連携及び協働が示されている。また，同じく2のイでは，学校間の連携も示されている。さらに，「第3　教育課程の実施と学習評価」の1(7)では，「地域の図書館や博物館，美術館，劇場，音楽堂等の施設の活用を積極的に図り，資料を活用した情報の収集や鑑賞等の学習活動を充実すること」とある。こうした方向性は，第9次学習指導要領の理念である「社会に開かれた教育課程」に通じるものである。

地域と様々なレベルで連携，協働して音楽活動を展開することは，子供にとって「日常の音楽活動の可能性を越え出る経験をする」という点で意義がある。また，そうした連携，協働で生まれた音楽活動が，地域と学校を結ぶ架け橋となり，さらには「文化」として学校や地域に定着するようになれば，それはまさに新たな音楽文化や地域文化の創造，発信となる。地域と学校の双方が，「地域と学校がつながっている」，「学校が地域に生かされている」などと実感することは，地域の活性化につながる重要なファクターと考えられる。

▶「地域との連携」に向けて

実際に連携を進めるに当たっては，学校や地域の実態，協働の内容などに応じて，様々な方法が考えられる。

以下に，連携の手順の一例及び留意点などを挙げることにする。

(1) 学校内で連携に向けた意見交換を行い，その目的や方法，内容を学校内に周知する。

何のために地域と連携するのか，どんな内容の協力を依頼するのかなど，まずは，学校内でスタンスを明確にしておく必要がある。もちろん，実際の取組が始まると，当初の計画からの変更もあり得るが，地域に適切に情報を発信するためにも，学校側の明確なスタンスは重要である。音楽活動で連携する際でも，総合的な学習の時間や特別活動などを有効に活用するよう工夫する必要がある。

(2) ネットワークを駆使して地域に関する情報を収集する。

地域にどのような人的資源があり，どのような音楽に関係する団体や施設などがあるのかなど，いろいろなネットワークを通して情報を収集する。その際，学校側の連携の目的やニーズに即し，適切な人材や施設などの詳細な情報を集める作業が大切となる。

(3) 取組に向けて活発な意見交換を行う。

ここでは，地域と学校双方の意図や思いを真摯に伝え合い，受け止め合うことが重要である。実り多い連携，協働とするためには，事前の共感的なコミュニケーションが不可欠である。

(4) 事前の打ち合わせどおりに取組を遂行する。

準備が入念に行われていれば，取組中に予想外の出来事などが起きても，臨機応変に対応できると考える。

(5) 取組後，子供たちや学校側の感想などを必ず地域に伝える。

(6) 計画から事後に至るまでのプロセスを振り返り，可能性や課題を明らかにする。

多岐にわたる「地域との連携」を着実に実施し，発展的に継続させていくためには，共感的なコミュニケーション力，情報発信力，そして，新たな関わりを開いて，ネットワークを構築していく力などが求められる。

（佐野 靖）

6 特別支援教育と音楽教育

▶ 特別支援教育の対象

特別支援教育は，視覚障害者，聴覚障害者，肢体不自由者，病弱者，知的障害者などが教育の対象となる。なかには，近年注目がなされている発達障害者や自閉症者なども含まれる。障害のある子どもたちの多くが言語・コミュニケーションの課題などを抱えている。また，情緒の発達に課題のある子どもも少なくない。

特別支援教育では，様々な障害のある子どもたちが心身ともに豊かな生活を送ることができるようにするために，障害や発達の状況などを考慮しながら指導が行われている。

特に発達に様々な課題を抱える子どもたちが多いので，諸能力の発達促進を第一に考えながら，子どもたちが将来にわたって安定した生活，豊かな生活を送れるように導くために，様々な観点で工夫がなされた教育が行われている。

▶ 障害のある子どもたちへの音楽教育の基本

（1）学習指導要領に示されている音楽教育の基礎

平成29年4月に告示された特別支援学校の学習指導要領では，音楽教育の目標や内容などについて大幅な改訂がなされた。教師には，学習指導要領の考え方や内容などを十分に念頭に置いて指導に当たることが求められる。

新学習指導要領では，小学部段階における音楽科で育成を目指す資質・能力を「生活の中の音や音楽に興味や関心をもって関わる資質・能力」と目標の中で規定している。それらについて「知識及び技能」，「思考力，判断力，表現力等」，「学びに向かう力，人間性等」を示した。

このような目標を受けて，内容についても示されている。従前は「音楽遊び」，「鑑賞」，「身体表現」，「器楽」，及び「歌唱」で構成されていたが，今回の改定では「A表現」（「音楽遊び」，「歌唱」，「器楽」，「音楽づくり」，「身体表現」の5分野），「B鑑賞」の二つの領域及び〔共通事項〕で構成された。これらの二つの領域がさらに，「A表現」は「知識」，「技能」，「思考力，判断力，表現力等」，「B鑑賞」は「知識」，「思考力，判断力，表現力等」をもとに整理された。

このように，初等中等教育全体の改善・充実の方向性に沿って，育成を目指す資質・能力の三つの柱に基づき整理された。以上の詳細については新学習指導要領及びその解説書を読み解いていただきたい。

教育の最も重要な基本は，＜一人一人の子どもの実態を考慮して取り組むこと＞である。教師は対象の子どもの発達状況や障害の状況などを念頭に置いて指導を組み立てる。その際，学習指導要領が示す考え方や内容などを参考にしたい。

（2）知的障害特別支援教育用の音楽教科書

文部科学省は，視覚障害者用の点字教科書，聴覚障害者用の言語指導や音楽の教科書，知的障害者用の国語，算数など複数の教科書を出版している。

知的障害者を対象とする特別支援教育用の著作本の中には，小学部及び中学部用の音楽の教科書が含まれている。これは，星本と呼ばれる。小学部用は☆～☆☆☆，中学部用は☆☆☆☆として出版されている。教科書は小・中で4冊，指導書伴奏編4冊，指導書小学部用，中学部用各1冊の，計10冊から成る。教科書は10年ごとの学習指導要領改訂に伴って改訂される。なお，音楽の教科書は学習指導要領の中の「各教科の目標及び内容」（前述）に沿って編集されている。

教科書は，教育現場の声を受け止めながら編集されている。内容は改訂ごとに少しずつ変化しており，音楽教育を行う際に役立つ内容が豊富に掲載されている。指導書には，音楽教育に従事する教師にとって大いに役立つ内容が含まれている。

なお，教科書について不明な場合は，文部科学省初等中等局特別支援教育課に尋ねるとよい。

（3）音楽教育の手順

音楽教育を進める際の手順はすべての教育と変わることがない。基本的には下記の流れを念頭に置くとよい。

①対象の理解：実態・課題・問題点などの把握

②指導上の目標設定：目標は，対象者の理解に基づいて設定する
③指導実践・実施の計画：目標を念頭に置いて内容・方法などを検討する
④実施：実施・観察
⑤評価：記録・反省・評価
⑥次回の計画：記録，反省，評価に基づいて計画を立てる
⑦次回の授業の実施：実施・観察・記録

以上の中でも特に大切なことは＜個々の子どもの実態をしっかりと把握すること＞である。音楽教育は，対象となる子ども一人一人の実態を考慮して進められるからである。集団であっても個を重視したい。実態の把握の中でも特に＜様々な能力の発達状況の理解＞＜障害状況の理解＞＜音や音楽に関する受容能力などの理解＞は大切である。

▶ 障害状況を考慮した関わりに焦点を当てて

障害状況を考慮した関わりに焦点を当てつつ特別支援教育における音や音楽の扱い方について基本的なことを述べてみたい。

(1)「個」に沿う音・音楽の扱い方が大切

前述のように，特別支援教育の対象者は多様な障害状況にある。こうした子どもたちに対する音楽教育を行うに当たって大切なことは＜個々の実態＞を重視することである。一般的に「音楽は集団によって効果を発揮する」と考えられる傾向にあるが，私は決して十把一絡げに考えることはできないと考えている。子どもたちの実態を観察していると，教育・生活環境の中に存在する音や音楽に対する受容や反応は皆異なる。ときには，特定の音や音楽に苦しむ様子を見せることがある。したがって，音楽教育の中で扱う音や音楽の選択や提示（提供）には，細かい配慮が必要である。

また，授業の中で扱われる様々な音や音楽は音量やテンポ，音質などに対する細かい配慮が求められる。個々の子どもの反応や活動への参加状況を細かく観察しながら，適切に取り組まなければならない。

(2) 発達障害や自閉症などのある子どもに関わる際には，より細かい配慮を!

これらの障害についてここでは詳細を述べないが，彼らの中には音や音楽に対して非常にデリケートな感覚で受け止める場合が少なくないので，より細かい配慮が必要である。なかには，聞こえすぎる耳を持っている場合もある。また，音に対する特異な反応を示す子どももいる。

(3) 子どもの能力を低く見すぎないこと

障害のある子どもの中には，表現をするための能力に課題がある場合が多いが，一人一人はそれぞれの思いを精一杯に表現しようとしている。このことをしっかりと受け止めなければならない。ともすると，障害があるが故に表現能力が低いと捉えられがちであるが，それは間違っている。指導者は，子どもの能力を低く見すぎないように心がけなければならない。

(4) 教育の中で扱われる活動は，子どもたちに何をもたらすのかをよく考えること

授業では，「最初に活動ありき」の考えを捨てなければならない。音楽の活動を計画し実践に移す際には，その活動が子どもたちにとって何になるのか，何の意味があるのかを考える必要がある。

子どもたちは，音楽の活動を通して＜いろいろな感覚の発達＞＜運動能力の発達＞＜認知能力の発達＞＜言語能力の発達＞＜社会性の発達＞などを得ることができる。また，情緒の安定や発達が期待できる。教師は，このような音・音楽の影響を念頭に置いた活動への工夫と活用を心がけたい。

▶ おわりに

特別支援教育に携わる教師には子どもたちの状況に応じて臨機応変に対応する能力が求められる。個々の子どもの障害状況，発作，情緒の変動などへの対応は一般の子どもへの教育場面とは多少異なる場合があるかも知れない。そうした状況の変化を鋭く捉えて対応できる能力が求められる。

子どもたちには，音楽がもたらす快さや喜びを味わわせたい。音や音楽のよさを子どもたちとともに求めていける教師でありたい。（遠山文吉）

7 | 校種間の連携と音楽科
①幼・小の連携

▶ 幼児期の終わりまでに育ってほしい姿との関連

小学校学習指導要領・音楽（平成29年改訂）の「第3 指導計画の作成と内容の取扱い1（6）」では幼・小の連携に関して以下のように明記されている（下線は筆者による）。

> 低学年においては，（中略），幼稚園教育要領等に示す幼児期の終わりまでに育ってほしい姿との関連を考慮すること。（後略）

平成29年改訂（改定）の幼稚園教育要領等では，育みたい資質･能力として「知識及び技能の基礎」「思考力，判断力，表現力等の基礎」「学びに向かう力，人間性等」の三つが挙げられている。これらの資質・能力が育まれている具体的な姿が，上記の「幼児期の終わりまでに育ってほしい姿」である。具体的には以下の10の姿である。

> 幼児期の終わりまでに育ってほしい姿
> （1）健康な心と体，（2）自立心，（3）協同性，（4）道徳性・規範意識の芽生え，（5）社会生活との関わり，（6）思考力の芽生え，（7）自然との関わり・生命尊重，（8）数量や図形，標識や文字などへの関心・感覚，（9）言葉による伝え合い，（10）豊かな感性と表現

これらの姿を手がかりに，小学校教師と幼稚園教師などが子どもの姿を共有するなどして，幼・小の円滑な接続を図ることが大切とされている。

▶「豊かな感性と表現」と音楽

ここでは音楽科と特に関係が深い「豊かな感性と表現」を取り上げる。この姿について幼稚園教育要領等では以下のように説明される。

> （10）豊かな感性と表現
> 心を動かす出来事などに触れ感性を働かせる中で，様々な素材の特徴や表現の仕方などに気付き，感じたことや考えたことを自分で表現したり，友達同士で表現する過程を楽しんだりし，表現する喜びを味わい，意欲をもつようになる。

幼児にとって心を動かす出来事の一つに，音楽がある。幼稚園生活などを通して幼児は様々な音楽に触れ，心を動かして，自らの感性を働かせる。そして，声や身体の動きなどで自分なりに表現する。これらを通して，幼児の音楽的感性・表現は育まれていく。また，幼児の音楽的表現は，教師や他児などによって受け止められる中で，より豊かになっていく。このような体験を通して5歳児後半になると，音楽の特徴に対しても気付き，感じたことや考えたことを歌ったり，踊ったり，あるいは楽器を弾いたりして音楽的に表現する。さらに，友達と一緒に音楽を表現していく過程を楽しみ，表現を認め合い，意欲をもつようになる。

▶ 幼児教育から小学校音楽科へ

東京都日野市の実践では，5歳児3学期の楽器遊びについての事例が紹介されている[1]。この事例では，幼児たちが曲を聞きながら，曲のイメージに合う楽器や鳴らし方などの表現を考え，イメージを共有し，表現することを楽しんでいる。A児が「はじめは，歩いているみたいだから，カスタネットで1，2，3，4ってやったらいいんじゃない！」と言うと，B児が「そうだね。次のところは，だんだん元気になってくるみたいだから，タンブリンで強くたたいたら，いいね！」と答えるといった幼児同士のやり取りが示されている。曲の特徴に気付き，感じたことや考えたことを伝え合い，合奏の表現を楽しむ。低学年では，このような幼児期終わりの姿が発揮され，さらに伸びていくような指導が期待される。

幼児期の終わりまでに育ってほしい姿との関連を考慮した指導を考える際は，音楽から子ども自身が感じ，考える機会をまず大事にしたい。そして子どもなりに表現していく姿を教師として認めていき，その上で，より良い音楽的表現への指導が求められる。

（水﨑 誠）

（1） 日野市教育委員会「遊びっ子　学びっ子」編集委員会 with 齋藤政子『就学前教育と小学校教育の連携　遊びっ子　学びっ子ー接続期における「主体的・対話的で深い学び」とはー』東京書籍，2017年，p.156.

②小・中の連携

学校教育法などの一部改正により，平成28年度から小学校から中学校までの義務教育を一貫して行う「義務教育学校」が新たな校種として規定され，小・中学校段階の9年間を一貫させた教育課程の編成が進められるなど，小・中の連携がますます求められている。

また，中央教育審議会の答申（平成28年12月）においても，子どもたちが未来を切り拓いていくために必要な資質・能力を確実に身に付けられるように，学校段階間のつながりを踏まえた教育課程の編成の重要性が示され，これを受けて平成29年3月に告示された学習指導要領においても，第1章総則に「学校段階等間の接続」が新設され，配慮事項が示されている。

音楽科においても，改訂された学習指導要領を踏まえ，義務教育9年間を通して音楽的な見方・考え方を働かせ，生活や社会の中の音や音楽，音楽文化（中学校）と豊かに関わる資質・能力の育成を目指し，小・中学校の教員が連携の意識を高くもち，子どもの9年間の音楽的な成長を大切にした学習指導と評価を進めていくことが肝要である。

▶ カリキュラムや指導方法における連携

高学年で年間50時間あった音楽の授業時数が，中学1年では45時間，2，3年では35時間と減っていく。中学校では限られた時間の中で，小学校での子どもの音楽経験を最大限に生かして，楽しい充実した音楽活動を展開する必要がある。そのためには，子どもが進学する中学校の音楽の教員と連携を図り，互いの音楽のカリキュラムに目を通したり，扱う教材や活動の仕方，指導方法などの情報交換をしたりすることが有効である。

例えば，器楽指導でのリコーダーの扱いなどは，小学校では主にソプラノ・リコーダーを中心に扱い，アルト・リコーダーを扱う場合は，その導入時期や指導については学校によって異なっている。中学校の器楽指導では，アルト・リコーダーを中心に扱う場合が多いが，小中の教員が互いにリコーダーの指導の流れを共有し，指導方法などを情報交換していると実際の指導に大いに役立つ。和楽器についても，小学校でどんな和楽器を扱い，どのような活動経験をしているのかを把握しておくと，中学校での和楽器の用い方や表現活動への生かし方などの参考になる。鑑賞の指導においても，小中学校で扱っている楽曲を知っておくだけでも，指導の補充や発展に役立つ。

▶ 教員同士の授業連携

小中学校の接続を考えた場合，特に小学校5，6年と中学校1年の指導のつながりを図ることが大切である。小学校に音楽専科教員が配置されていると，中学校の音楽教員との連携が比較的図りやすい。すでに述べてきた，小中の教員同士のカリキュラムや指導方法などの情報交換はもちろんのこと，時間的に可能ならば，小中の教員が互いに授業を見合ったり，また中学校の教員が小学校高学年の授業を実際に行ったり，小学校の教員が中学校の授業にチーム・ティーチングで関わったりするなど子どもとの関わりをもつことで，教師自身が子どもの成長を実感でき，そこから子どもが意欲的に音楽活動に取り組めるような指導方法の工夫などにつなげることができる。

▶ 児童生徒の音楽交流

小中学生が互いに創り上げた音楽を鑑賞し合う場を教育活動の中でもてると，子どもたちの音楽活動への意欲や励みにつながる。例えば，小学校での学習発表会などに中学生を招待し，ブラスバンドや合唱の演奏などを聴かせてもらったり，小学生が中学校の校内合唱コンクールや文化祭などに参加し，中学生の演奏を聴いたり演奏を披露したりするなど，様々な可能性がある。小学校に特設の音楽の部活動があれば，部活動の交流も可能である。小中互いの行事を見ながら教師の負担にならない範囲で設定できるとよい。小学生は中学生のすごさを感じ，「あんな中学生になりたい」という中学生への憧れと期待をもち，中学生は年長者である自らの存在を実感し，優しく思いやりの気持ちをもって接するよい機会となる。

（長谷川祐子）

8 | 多様な音楽文化

①日本の伝統音楽

▶ 範囲と定義

日本の伝統音楽には，芸術音楽として雅楽，能楽，近世邦楽(箏曲，歌舞伎や文楽の音楽を含む三味線音楽)，宗教音楽として仏教音楽の声明，神道音楽の神楽(かぐら)，尺八楽，盲僧琵琶など，民俗音楽として，民謡，わらべうた，郷土芸能の祭り囃子などがある。これらの音楽は，日本で行われているすべての音楽から，いわゆる洋楽を除外した部分を指し，「古くから日本で伝えられてきた音楽」，あるいは「その様式でつくられた音楽」と定義できる。古代から現代まで1500年以上続いている日本音楽の歴史は，西洋音楽のように一つの系統の音楽が発展しながら変化してきたものではない。日本音楽では，新しい時代に新しい系統の音楽が発生しても，それ以前の音楽の種目が消滅することはなく，その多くが今日まで存続し，新旧が併行して存続している。

▶ 指導の意義

多くの日本人が意外にも自国の伝統楽器の本物を実際に見たことがなかったり，触れたり演奏した経験がない。さらに，その音楽を聴く機会がお正月だけであるという大変不自然な現実がある。また海外で「あなたの国の文化や伝統音楽について教えてください」と言われたとき，語れない人が大変多いとも言われている。このような状況は教育を通して改善することが求められる。そこで，この現実を改善するためには，小学生のときから自国の文化や音楽に触れさせ(生の音や音楽を聴き演奏体験すること)，日本の音楽文化の特性を理解させ，同時に他国の文化を受け入られる柔軟な音楽観を育むことが重要である。

▶ 特徴

吉川英史は日本の音文化の特徴として，単音愛好性，余韻愛好性，噪音(そうおん)愛好性，声楽愛好性，音色尊重主義を挙げている。これをもとにして，以下に日本の伝統音楽の特性を説明する。

●単音愛好性

西洋音楽のようにハーモニーの音楽を追求するのではなく，一音や単旋律にいかに味わいを出すか，自分の求める表現のためいかに変化をつけるのかを追求してきた音楽である。そのため，一音を長く伸ばしそこで「こぶし」などの複雑な音程変化をつけたり，母音を言い直す「産字(うみじ)」をつけたり，フレーズの始めの音をズリ上げて目指す音程に向かう「塩梅(えんばい)」の奏法で演奏したりする。

●余韻愛好性

音を発音した後の余韻の変化を味わう好み，さらに，音が消えた後の「しじま」をも味わう好みをもっている。これは楽器の音の余韻を変化させる奏法にも現れている(箏のツキイロ，ヒキイロ，後押し，ユリイロなど)。また，雅楽の演奏で楽曲を繰り返す過程で徐々に奏者を減らしていく「残楽(のこりがく)」という演出法もこれに当たる。

●噪音愛好性

日本人は，自然の音や虫の声も音楽として味わう感性をもっている。つまり，ド，レ，というように一定の周波数の音程の音だけを音楽として味わうのではなく，テレビのノイズのように複数の周波数の音をも音楽として味わう感性をもっているということである。各楽器の奏法(箏のスリ爪，輪連(われん)，尺八のムラ息，カザ息など）にもこれらが取り入れられている。

●声楽愛好性

日本の伝統音楽は雅楽と尺八を除けば純然たる器楽は存在しない。ほとんどすべてが声を伴う音楽であり，演奏者の声の音域に合わせて基本の音の高さを移調する相対音高である。

●音色尊重主義

西洋音楽では規則的な倍音の音を求めるのに対して，日本の伝統音楽では不規則な倍音(一つの音の中に複雑な倍音を含む)の音を好む。つまり，澄んだ声より「さびた声」「渋い声」を味わいのあるものとして好むのである。

こうした日本の音文化の一般的特徴を反映して，日本の伝統音楽には次のような具体的な特徴が認められる。

ア　日本の伝統音楽の楽器は竹や桐の木など木の素材や絹糸，皮などの自然の素材を使ってつくられている。さらに，楽器がつくられて以来，その構造は基本的に変わることなく単純な構造をしている。それゆえに，演奏者の表現次第で複雑な音色や表現が可能となる。

イ　各楽器の旋律やリズムに一定の音節を当て，口で唱える「唱歌（しょうが）」の方法が確立されている。

ウ　楽譜が五線譜ではなく，楽器ごとの絃名譜や奏法譜であるため，五線譜の苦手な児童も同じスタートラインで学習できる。

▶ 音組成

基本的にどのジャンルの音楽も，ペンタトニック・スケール（五音音階）でつくられている。これはオクターヴの中に五つ音がある音階で，オクターヴの中の音の配置により，違う表情の音階をつくることができる。これを小泉文夫はテトラコード理論で分かりやすく説明している。これは4度音程の両端の核音の間に一つ中間音があり，この中間音の位置により音階が変化し違う表情の音階になる。その基本のテトラコードは次の4種類である。

テトラコード

そして，民謡音階，都節音階，律の音階，琉球音階は，上記の各テトラコードを二つ組み合わせてオクターヴの音階としたものである。

基本音階

▶ 指導のポイントと留意点

①教師が日本の伝統音楽の指導の意義を理解し，実感していること。さらに，教材の価値を理解・把握し，明確な指導目的をもって授業を計画し，実施すること。

②ゲスト・ティーチャーを依頼するときは，授業の目的，流れ，内容を明確にし，打ち合わせでお願いしたい内容の十分な相互理解を図ること。

③地域の伝統芸能やそれらの行事を調べ，活用できる内容があれば積極的に取り入れること。

④取り上げる題材に関して，音楽的内容だけでなく，その音楽の文化的背景も把握すること。

⑤児童の発達段階に応じた活動，内容を取り上げるよう工夫し，配慮すること。

▶ 具体的指導例

どの学年でも，表現と鑑賞を融合した学習を実施することが望ましい。以下指導例の【　】内は，学習指導要領の表現及び〔共通事項〕関連項目の番号。

(1) 低学年《わらべうた・絵描きうたの活用》

わらべうたによく使われるリズムパターンを使い，テトラコードの3音を使ったふしを用いたり，つくったりして，即興的な模倣唱（奏）や問答唱（奏）をする。【A表現（3）ア（ア）（イ），ウ（ア）〔共通事項〕（1）ア】

(2) 中学年《和楽器の活用》

和楽器の生の音に触れる。楽器の演奏体験（例：「さくらさくら」など）を通して，和楽器の音色を味わう。さらに，1面の箏でも，主旋律に伴奏，オスティナートや合いの手のパートを加えて合奏し，演奏に広がりを与える。【A表現（2）ウ（イ）（ウ）〔共通事項〕（1）ア】

(3) 高学年《和楽器で日本の音の特徴を味わう》

和楽器で噪音効果の奏法（箏の場合：風のイメージの音としてスリ爪，散し（ちらし）爪，輪連など，尺八のムラ息，カザ息など）を体験し，それらの奏法を使って風の様子や桜の花びらが風に舞う様子などを表現してみる。【A表現（2）ア，ウ（イ）（3）ア（イ），ウ（イ）〔共通事項〕（1）ア】

(4)《民謡などで日本の伝統音楽の歌い方を学習》

地域の民謡など日本の唄の特徴である「こぶし」の付け方などをまねしてみる。聴くだけでまねるのが難しい場合は，楽譜に自分なりの歌い方のメモを書き入れたり，「江差追分」の楽譜のように，歌い方を線で表したりするとよい。【A表現（1）ア，ウ（イ）〔共通事項〕（1）ア】

（尾藤弥生）

【参考文献】吉川英史『日本音楽の性格』音楽之友社，1979年

②諸外国（諸民族）の音楽

「諸外国（諸民族）の音楽」の対象範囲を明確にするのは難しい。そもそも「世界の音楽」「ワールドミュージック」「世界音楽」「民族音楽」「民俗音楽」など，似たような用語が多い。近年，異文化に対する差別的な意味合いが含まれているとの指摘から，さすがに「民族音楽」という用語は消えつつあるが，「民族楽器」という用語は，今なおよく使われている。ここでは便宜上，「諸外国（諸民族）の音楽」を，諸民族の要素を取り入れたポピュラー音楽や世界のすべての音楽を含む広い概念とする。ただし，この概念に含まれるべき日本音楽については，別項に譲りたい。

▶「諸外国（諸民族）の音楽」を学ぶ意義

日本人の海外進出，諸外国からの来訪者の増加に加えて，教育界においても，インターネットの普及などに伴い，諸外国の子どもとの交流の機会が増えた。こうした状況を踏まえて，諸外国（諸民族）の音楽を学ぶ意義を考えてみよう。

(1) 異文化理解の姿勢の育成

今や絶えず異文化と接触せざるを得ない日本では，未来を担う子どもに，幼い頃から世界の多様な音楽文化を享受できる感性や能力を育てていく必要がある。

(2) 諸外国との比較による自国の音楽の理解

自国の文化を習得する文化化の過程でアイデンティティーを獲得し，かつ諸外国の音楽との比較を通じて自国の音楽文化に対する理解が深まる。

(3) グローバルな日本の文化状況の反映

いながらにして世界の多様な音楽文化を享受できる特異な日本の状況を反映する必要がある。

(4) 音楽の総合的な性格の把握

世界の諸民族の音楽を知ることで，造形，舞踊，物語，社会，歴史などとつながる音楽の総合的な性格を把握する。

(5) 学習指導要領の尊重

我が国及び諸外国の文化への興味・関心を喚起することが学習指導要領で求められている。日本の子どもには，共通にこの分野を学ぶ権利がある。

▶ 教材化に向けて

日本の一地域やある演目に限定しても，その地域独特の様々な音楽がある。その中からどれを取り上げ，教材化するのかを決めるのは大変な作業である。まして授業時数・楽器の入手などの諸問題を考えると，諸外国（諸民族）の音楽については，無理せずに，できるところから実践を積み上げていく姿勢が必要である。教材化に際して，まずは「何」を取り上げるかを吟味する。

(1) 音楽的内容及びその関連分野の検討

文献や視聴覚資料などを参考に，取り上げる音楽については，次の点を検討する必要がある。

A：音楽体験の意味，音楽的背景，音楽の構成要素・特徴付けている音組織・音楽語法や技法・楽器の奏法・唱法などの形成原理など，音楽的な内容

B：取り上げる音楽に関わる歴史・社会・宗教・環境・造形・舞踊・物語・言語・習慣などの関連分野についての内容

特にAの音楽の構成要素については，〔共通事項〕との関連を図るようにするとよい。

(2) 子どもの実態に応じた身近な音楽の教材化

子どもの実態に合わせて，世界のわらべうたや諸外国の祭り音楽など身近なものを取り上げる。また，歴史的にも地理的にも身近なアジアの同胞の音楽を知ることから始めるのもよいだろう。

(3) 学習指導要領との関連の明確化

学習指導要領の「3　内容の取扱い」の（3）鑑賞教材には，第3・4学年で「諸外国に伝わる民謡」，第5・6学年で「我が国の音楽や諸外国の音楽など文化との関わりを捉えやすい音楽」と明記されている。また，「第3 指導計画の作成と内容の取扱い」の2の（5）ア，エに示された，全学年で扱う諸外国の打楽器，高学年の旋律楽器の導入を重視したい。

(4) 新しい音楽の動向の把握と教材化

「諸外国（諸民族）の音楽」を扱う場合，伝統的で典型的な音楽だけではなく，現代に生きる新しい音楽動向にも目を向けて教材化を図るとよいだろう。「現代から過去」へと遡る導入も，子どもの興味関心を高めるに違いない。

▶ 指導の工夫

「何を」取り上げるのかが明確になったならば，次に「どのように」取り上げるのかを検討する。取り上げ方は，(1) 楽曲などの鑑賞活動，(2) 表現活動につなげる鑑賞活動の二つに大別できる。

(1) 楽曲などの鑑賞活動

視聴覚教材による純粋な鑑賞活動に関する事例を挙げておく。

①楽器群（体鳴・膜鳴・弦鳴・気鳴楽器など）に着目した多様な楽器の音色や奏法の比較鑑賞

楽器の比較鑑賞では，特に歴史的な関連が深いアジアの楽器に注目したい。例えば，タイのチャケーと日本の八雲琴（二絃琴），マレーシアのサペと日本の琵琶，韓国の伽倻琴と中国の古筝と日本の箏などの比較鑑賞は，興味や関心を広げる。

②言葉を補う楽器・写真・映像などの活用

鑑賞するときに，本物の楽器や衣装，取り上げる国や民族に関する写真や映像などを見せることで，子どもにとって印象的な鑑賞体験になる。

③あるテーマ（祭り，人形劇，踊りなど）に関わる音楽についての比較鑑賞

テーマもしくはキーワードを決めて，日本と諸外国（諸民族）の音楽や芸能を比較鑑賞すると，日本文化の独自性が見えてくる。例えば，日本の文楽，ベトナムの水中小屋掛け芝居，ラオスのイポック，ミャンマーや南インドの糸あやつり人形など，人形劇と音楽の比較鑑賞も興味深い。

また世界の祭りには，季節の節目や信仰などから生まれたものが多く，先祖供養，五穀豊穣，自然崇拝，子孫繁栄など様々な祈願が込められている。身近な祭りの音楽の比較鑑賞は，諸外国（諸民族）の豊かな音楽の扉を開いてくれるだろう。

(2) 表現活動につなげる鑑賞活動

①特色ある民族楽器に親しむ活動

近年，一般の楽器店でも民族楽器を扱うようになり，エスニック調の民芸店で小物の民族楽器や音具を扱っている場合もある。これらの民族楽器を活用した器楽演奏や音楽づくりを楽しみながら，諸外国（諸民族）の雰囲気を味わいたいものである。

②諸外国の特徴ある旋律や歌や踊りに親しむ活動

音楽の教科書には，ずっと以前から世界中の歌がちりばめられている。発声を工夫して，その地域らしい表現を試みる活動も楽しい。また諸外国（諸民族）の音楽には，他分野とつながる総合的な性格のものも少なくない。特に踊りと音楽は結び付きやすい。例えば，フィリピンの3拍子や4拍子のバンブーダンスの鑑賞から，自由にステップや音楽を工夫して，自分たちのバンブーダンスづくりの活動に発展させることもできる。上半身をほとんど動かさないアイルランドのダンスをまねた，飛び跳ねるダンスと音楽の工夫も楽しい活動である。

③音楽の仕組みや構成要素による音楽づくり

諸外国（諸民族）の音楽は，それぞれ独自の仕組みをもっている。例えば，インドネシアのケチャやガムラン音楽の鑑賞から，入れ子式のリズムによるケチャやガムラン風音楽づくりに発展させる実践は，すでに広く行われるようになっている。

また，大正琴やシンセサイザーや手持ちの打楽器で，インドのラーガやターラを活用して独特の響きのインド風音楽づくりを楽しむことができる。

一挙に様々な諸外国（諸民族）の音楽づくりに取り組ませたい場合は，好きな国や地域の音楽・文化・風土・歴史などの調べ学習から，その音楽の仕組みや特徴ある楽器やイメージによるグループごとの音楽づくりに発展させるとよい。

この諸外国（諸民族）の音楽づくりの活動では，単につくる活動の手段として，諸外国（諸民族）の音楽を軽く扱うのではなく，対象楽曲の音楽文化としての価値を尊重した鑑賞活動が行われなくてはならない。また，教師は調べ上げた情報のすべてを子どもに提示したくなりがちだが，情報過多によって，かえって子どもを混乱させないよう配慮する必要がある。

「諸外国（諸民族）の音楽」の教材化の核に，指導者自らの感動体験があることが望ましい。対象を日本からアジアや世界へと，つまり「近くから遠くへ」と拡げながら，指導者自身の音楽観・教育観も同時に，豊かに拡げたいものである。

（島崎篤子）

9 | 音楽科と生涯学習

▶ 生涯学習と生涯学習社会

生涯学習は，1965年のユネスコ成人教育推進国際委員会で示された生涯教育の考え方を契機とし，具現化する過程において，1981年の中教審から広く使われてきた語である。背景には，急速な社会構造の変化への対応や近代の学校教育への批判，教育・就労の循環といったリカレント教育を含む成人教育のあり方や自発的意思に基づく学習と方法，学習機会の格差是正など，現代的課題の解決を図る指針が求められてきたことにある。

現在，生涯学習は「人々が生涯に行うあらゆる学習，すなわち，学校教育，社会教育，文化活動，スポーツ活動，レクリエーション活動，ボランティア活動，企業内教育，趣味など様々な場や機会において行う学習」を意味するものと捉えており[(1)]，音楽科及び音楽科以外で行われている様々な音楽活動はこれに含まれる。

また，教育基本法第3条には生涯学習の理念が明記されており，それを可能とする生涯学習社会が目指されている。日本の生涯学習振興行政は，学校・社会・家庭教育の連携と支援を軸とし，まちづくり・高齢者対策・男女共同参画・青少年支援など取組が進められている。

生涯学習社会では，教育における多様性の尊重や，生涯各期のライフステージに応じた「縦の接続」，社会全体の「横の接続」や協働の在り方が問われる。学校教育はその基盤を社会教育や家庭教育との連携において担うべきものである。

▶ 生涯学習と音楽科

小学校音楽科では，児童を取り巻く環境（横の接続）と児童がこれまで関わってきた環境や将来関わる環境（縦の接続）の両方を射程として音楽に対する関心，学ぶ意欲，児童の自ら学ぶ意欲・態度を育てるとともに，学習の多様化や高度化にも対応しうる基礎的な能力の育成を図る必要がある。このとき，次のような視点も大切にしたい。

①生活や社会の中の音や音楽と豊かに関わる資質・能力の育成

生涯学習の軸ともなる目標である。まずは，児童をとりまく音楽環境を把握し，その関連を考慮するとともに，生涯にわたって音楽文化に親しむ態度を育みたい。また，学習指導要領の第3の2(1)エに関わり，学校内及び公共施設などの学校外における音楽活動とのつながりを児童が意識できるようにしたい。

②児童の主体的な学びとその支援

生涯学習論では学習者主体の在り方が議論されてきた。音楽科においても児童が音楽活動に主体的に関われるよう，個を生かす学習とその支援が求められる。児童それぞれに適した手段や方法が選択でき，学習に取り組めるような工夫もしたい（例：タブレット端末などICTを生かした主体的な学習〈情報収集／児童主体で行うパート練習／アプリを利用した音楽づくりなど〉）。

学習内容や評価についての児童とのコンセンサスや，なす意味が実感できる課題設定も重要となる。

③人や社会とつながる音楽科

児童間のつながりでは，音楽を介して協働的に音楽活動に取り組むために，役割意識をもたせたい（例：役割分担シートの作成／協働して音楽作品の構造を理解する鑑賞授業など）。

アウトリーチなどで演奏家を招く場合は，演奏とともに，楽器との出合い，学習方法，継続時の葛藤，音楽とともに歩む意味も学びたい。地域で行われている音楽活動とのつながりをもとにした新たな音楽コミュニティの創出も図りたい。

④生きがいや自己実現ー学びの蓄積とデザイン

音楽活動によって得られる充実感・満足感は，多様に提供されている音楽学習機会への「とっかかり」ともなる。その他，「本物感」が実感できること，さらに深めていきたいという気持ちが生まれる活動，学んだ成果を適切に生かす経験も大切である。他にも，児童の音楽活動歴・音楽聴取歴を各自で管理させることで，児童が自身の音楽の志向を捉えたり，様々な音楽のよさについて考えるきっかけをもたせるようにしたい。（石川裕司）

(1) 文部科学省（2017）「平成28年度文部科学白書」p.94を参照

10 著作権

小学校学習指導要領「音楽」第3の2（1）オには，著作権に関する項目が新設された。

> 表現したり鑑賞したりする多くの曲について，それらを創作した著作者がいることに気付き，学習した曲や自分たちのつくった曲を大切にする態度を養うようにするとともに，それらの著作者の創造性を尊重する意識をもてるようにすること。また，このことが，音楽文化の継承，発展，創造を支えていることについて理解する素地となるよう配慮すること。

このような著作者についての記述は，図画工作科にも新設されている。

▶ 著作権とは

そもそも著作権とは何か。学校や音楽科は著作権と常に隣り合わせにある。関わりの深い内容を抜粋する。

（1）著作権の位置付け

『知的財産権』の中の，

- 産業財産権（特許権，商標権など）
- 著作権（著作権，著作隣接権など）
- その他の権利（回路配置利用権，育成者権など）

（2）主な特徴

- 作者に対して与えられる権利
- 登録が必要ない
- 対象物は音楽のほか，書物，言語，絵画，建築，図形，映画，写真，コンピュータープログラムなど
- 保護期間は著作者の生存期間と死後70年

（3）主な権利の内容

- 作者に断りなく，作品や作者の名前を公表したり，作品を変えたりしてはいけない。
- 作者には，複製，演奏，放送やインターネット送信，作品の改変に対する権利が与えられる。

▶ 学校における著作権

（1）児童

児童がつくった作品や演奏を録音・録画した物にも著作権は発生する。学校外に出す場合など，作品がどう使われるか説明する必要がある。また，クラブ活動の発表，運動会，卒業式，学芸的行事などは細かく定められているので後述の専門的なサイトを参照されたい。

（2）教員

作品を複製するには許可が必要だが，学校では下記の要件を満たせば許可をとる必要がない。

- 営利を目的としない教育機関
- 授業をする教員や受ける児童がコピーをする
- 本人の授業で使用する
- 授業で必要な限度内の部数である
- 既に公表されている著作物である
- 著作権者の利益を害しない
- 原則として「出所の明示」が必要

しかし，あくまで学校内で許されていることなので，生活や家庭の中では同じでない場合があることに注意させたい。

▶ 実践

児童が法律や権利の内容に触れるのは困難な場合がある。そこで，作詞者・作曲者に触れる，いろいろなアレンジを聴き分けるなど作者への意識は曲を理解する上でも，折をみて取り上げるようにしたい。また，児童自身が作者になる場合を想定し，自分の作品が意図せずに使用されたり，他人の作品を加工したりすることにも触れたい。このような内容は道徳でも扱える。

▶ 情報源

児童向け，指導者向けに著作権を学ぶための様々な資料がある。知識がなくても，分かりやすくまとめられている上，指導の仕方や実践事例もある。特に学校行事の項目は音楽科として必読の内容である。

（原口 直）

【参考資料】
- 著作権情報センター「みんなのための著作権教室」
  http://kids.cric.or.jp/（2020.1.17. 閲覧）
- JASRAC「音楽著作権を楽しく学ぶ JASRAC PARK」
  https://www.jasrac.or.jp/jasracpark/index.html（2020.1.17. 閲覧）

11 音楽科とICT

▶ 音楽室のICT環境整備

学習指導要領が示す学びを支えるために，「教育のICT化に向けた環境整備5か年計画（2018～2022年度）」が策定され，「2018年度以降の学校におけるICT環境の整備方針」が明らかになった。音楽室をはじめとする特別教室もこの方針の対象とされた結果，音楽室のICT環境整備の方向性を示すことができるようになった。音楽室には次のICT機器を整備する必要がある。

・教師用パソコン及び教師用タブレット
・実物投影機（書画カメラ）
・大型提示装置：教材の拡大提示，映像の出力用として使用する。電子黒板，プロジェクター＋大型モニターまたはスクリーンによる表示がある。画面のサイズは教室最後方から楽譜が十分見える大きさのものが望ましい。
・無線LAN：大容量データのダウンロードや集中アクセス時にも安定的に稼動する環境を確保する。
・児童用タブレット：授業展開に応じて「一人1台」もしくはグループで1台使用する。

▶ 音楽科におけるICT活用のメリット

ICT環境が整った際の教師側の主なメリットは，以下の4点である。

①教務や授業準備などの効率化：教務用のソフトやアプリによる授業計画や実施記録，評価記録の作成及び教材の電子化によって，再利用や書き込み，再編集が容易になり，教務や授業準備に要する時間を短縮する。②授業のスピード感アップと音楽室のシンプル化：パソコンやタブレットで関連画像，音源，動画を一元管理することによって，教材提示や伴奏再生などが瞬時に可能となると同時に，音楽室内の整理整頓が促される。③分かりやすい授業の実現：大型画面に画像や映像を提示すること，実物投影機で教師による範奏の手元を映すこと，音形編集アプリで楽曲のテンポや調を瞬時に変化させることなどによって，児童の理解度や技能に合った授業ができる。④音楽行事の現代化：演奏に関連する映像やスライドショーの投影，使用音源などの管理ができる。

児童用タブレットが普及した時点での児童側の主なメリットは，以下の4点であろう。①演奏に対する自己評価：タブレットの録画・録音機能を使用し，自身の演奏を省察できる。②主体的で協働的な学びのための道具として：アプリを使用して仲間と音楽づくりができる，音楽を形づくっている諸要素を個別にあるいは協働で学べる。③音楽体験などの増加：鑑賞／楽器アプリや動画共有サイトなどを活用し，学習の機会が増える。④家庭学習の確保：児童がタブレットを自宅に持ち帰ることができるならば，家庭学習（反転学習）を促進する。

▶ タブレットを活用した新たな実践例

近年，タブレットやアプリを活用した実践は少しずつ増えている。具体例としては，箏アプリと実際の箏の両方を使った箏体験学習，カード型プレゼンテーションアプリを使って，主題の展開を個人あるいはグループで考えさせる鑑賞の活動，ビジュアルプログラミングアプリを使ったリズム創作，児童用タブレットに入れた演奏動画教材を視聴しながら行う家庭での演奏練習，iMovie教材によるリコーダー学習，GarageBandを使った五音音階によるメロディ創作などである。

音楽科が学校教育全体のICT化の動きに乗り遅れないためにも，さらなる実践の蓄積が急務である。

▶ プログラミング教育との関連

音楽には順次処理，条件分岐，反復といったプログラムの構造を支える要素と共通する性質があるため，とりわけコンピュータを使用した音楽制作がプログラミング的思考の育成に有効であるとされている。しかし，個々の実践については，音楽の本質的な学びとなっているかを検証する必要がある。一方，従来のアナログな論理的思考によってプログラミング的思考の代替にしようという安直さは避けなければならない。プログラミング的思考の育成につながる音楽の授業とはいかなるものなのか，議論を重ねてほしい。（深見友紀子）

第4部
教材編

1　教材例 【歌唱共通教材】

第1学年　1．うみ

楽曲について

昭和16（1941）年4月から施行された国民学校（小学校）芸能科音楽の教科書として，文部省が著作・発行した『ウタノホン上』（初等科第1学年用）に新作掲載。作曲者井上武士は，当時，東京高等師範学校教諭で，国民学校の芸能科音楽教科書の編纂（さん）委員の一人であった。

曲は a a′ 型の一部形式で，第2フレーズの初めが頂点を形成している。リズムは a a′ 同型である。♫♩♩のリズム型は明治期につくられて人気があった「港」（旗野十一郎（とりひこ）作詞・吉田信太（しんた）作曲），大正期に発表された「背くらべ」（海野（うんの）厚作詞・中山晋平作曲）などに，日本的な3拍子のリズムとして用いられてきた。

歌詞の第3節「うかばせて」の原詞は「ウカバシテ」である。昭和52（1977）年の第5次学習指導要領以降，共通教材となった。

（木村信之，以下177ページまで同じ）

指導のねらい

・広々とした海の情景を思い浮かべながら，気持ちを込めて歌えるようにする。
・揺れるような3拍子の拍子感（リズム感）を感じ取らせる。
・リズム唱やリズム打ちができるようにする。

3/4 ♩♩♩｜♫♩♩｜♫♩♩｜𝅗𝅥. 𝄽｜
タンタンタン　タタタンタン　タタタンタン　ターアー

指導のポイント

・拍の流れにのって左右に体を動かしたり，腕を波のように動かしたりしながら1小節をひとまとまりにして，3拍子の拍子感を捉えさせる。

（坂田映子，以下177ページまで同じ）

注　☆印の曲は，音楽之友社の編曲。コードネームは深見友紀子。以下同じ。
（　）内の音は省略可

うみ

文部省唱歌
林(はやし) 柳波(りゅうは) 作詞
井上武士(いのうえたけし) 作曲

2. かたつむり

楽曲について

明治44（1911）年の文部省著作『尋常小学唱歌』（第1学年用）に新作掲載された。編纂委員は作詞委員，作曲委員からなるが，文部省の著作物として発行されたため，今日では作詞・作曲者不詳のものが多く，それらは「文部省唱歌」とだけ表記されている。

曲はa a′ bの小三部形式である。第1・2フレーズは同型リズム，第3フレーズで変化を付け頂点を形成している。

第1・2フレーズは♪.♬♫の反復であるが，第3フレーズで♫ ♫と変化し，終止の前では♫ ♪.♬となっていて，リズムを間違いやすい。範唱をしっかり聴き取らせるとともに，リズムのパターンを正しく感得させる。

2/4 ♪.♬♫ ‖ ♫ ♫ ‖ ♫ ♪.♬ ‖　など
タッカタタ　タタタタ　タタタッカ

指導のねらい

・かたつむりに話しかけるように，親しみを込めて歌えるようにする。
・第3フレーズで盛り上がるように歌わせ，強弱や曲の山を捉えるようにする。

指導のポイント

・拍の流れにのって体を動かしながら歌わせる。
・「つのだせ　やりだせ　あたまだせ」の第3フレーズを，思いをもって工夫して歌えるようにする。
（リズムの例）

2/4 ♩ 𝄽 | ♩ 𝄽 | ♩ ♩ | ♩ 𝄽 |

簡易伴奏　かたつむり：文部省唱歌／本間貞史編曲

かたつむり

文部省唱歌

♩= 92
mf
1. 2. で　んで　ん　む　しむし　か　たつむ　り
mf

お　まえの　あ　たまは　どこにある
め　だまは

f
つのだせ　やりだせ　あ　たま　だせ
め　だま
f
前奏

3．日のまる

楽曲について

出典は「かたつむり」と同じ『尋常小学唱歌』第１学年用で，その第1曲に「日の丸の旗」として掲載された。日の丸の旗に対する誇りと国家意識の高揚という教育的意図が感じられる。

原詞の第2節は，「朝日の昇る　勢見せて　ああ勇ましや　日本の旗は」であった。

国民学校音楽教科書『ウタノホン上』（前出）では，原詞第1節「白地に赤く……」が，現在の第2節「青空高く……」になるなどしたが，戦後は平和日本にふさわしいように，再び修正された。

曲は原本の第1曲として，易しく歌いやすいということを考慮してつくられたと思われ，2拍子の基本リズムで，音域もド～ラに抑えられている。なかでも第2フレーズの終わりのふし「ララソ」に続け，第3フレーズの初めを「ララソソ」として，しりとりのような面白さを出している。そこが頂点を形成している。

指導のねらい

- 日の丸の旗が日本の国旗であることを理解させ，日の丸のひるがえる様子を思い浮かべながら歌えるようにする。
- 階名模唱や楽器で演奏（一部分でもよい）できるようにする。

指導のポイント

- 階名模唱は，指導者が正しい音程で歌い，模唱させるようにする。階名唱で歌う場合は，ドレミ体操で音の高低を確かめながら歌わせるとよい。

簡易伴奏　日のまる：文部省唱歌／高野辰之作詞／岡野貞一作曲

日のまる

文部省唱歌
高野辰之（たかのたつゆき）作詞
岡野貞一（おかのていいち）作曲

4．ひらいたひらいた

楽曲について

東京（江戸）を中心にして古くから歌われた遊び歌で，全国的に広まった。昭和52（1977）年の学習指導要領改訂では，各学年の歌唱共通教材に日本音階の曲を1曲ずつ取り入れた。この曲は第1学年の指定教材。

曲の前半はミソラの音を中心にして旋律が形成され，後半ではラシレのパターンが現れ，ラの核音で終止している。

歌詞の「れんげ」は,「れんげ草」ではなく「はすの花」のことである。はす（蓮）は大きな美しい花と，食用にするれんこん（蓮根）でなじみ深い。そのはすの花は朝日を受けて開き，午後3時頃閉じ，毎日開花を繰り返して4日目に散る（『世界大百科事典』，平凡社）。はすの花の開いたり閉じたりする面白さを，集団で手をつないで輪をつくり，広がったり中央へ集まって閉じたりする遊びにしたものである。

指導のねらい

・歌いながら遊ぶ楽しさを味わわせる。
・わらべうたのふしを経験させる。

指導のポイント

・グループになって，手をつなぎ，ひらいたりつぼんだりしながら楽しく歌わせる。
・2拍子にのり，どならずに柔らかい声で歌わせるようにする。

簡易伴奏 ひらいたひらいた：わらべうた／渋谷沢兆編曲

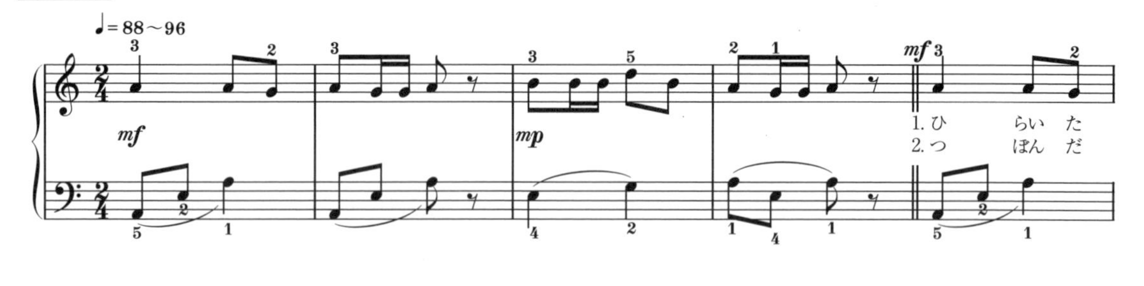

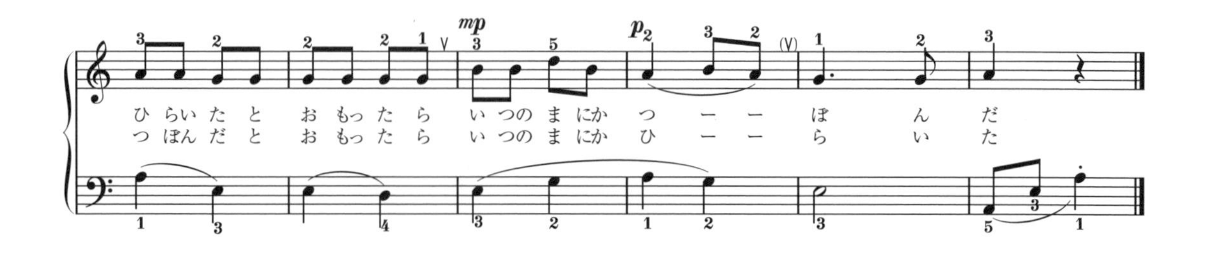

ひらいたひらいた

わらべうた
♩=88～96
mf
mp
1. ひ　らい　た　ひ　ら　い　た　な　んの　は　なが　ひ　ら　い　た
2. つ　ぽん　だ　つ　ぽ　ん　だ　な　んの　は　なが　つ　ぽ　ん　だ
れん　げの　は　なが　ひ　ら　い　た　ひ　らい　た　と　お　もっ　た　ら
れん　げの　は　なが　つ　ぽ　ん　だ　つ　ぽん　だ　と　お　もっ　た　ら
p
い　つの　ま　にか　つ　ー　ー　ぽ　ん　だ
い　つの　ま　にか　ひ　ー　ー　ら　い　た
8va
☆

第2学年

5．かくれんぼ

楽曲について

出典は第1学年の「うみ」と同じ，『ウタノホン上』である。

国民学校は戦時下にできた制度であり，この教科書が発行された当時は日中戦争下であった（同じ年の12月には大平洋戦争も始まる）。そのため戦争に関する歌唱教材も少なくない。また超国家主義的，国粋主義的傾向のもと，我が国の伝統や文化の優れている点が強調された。

そのような傾向から，文部省著作の音楽教科書にも「コモリウタ」「さくらさくら」などのほか，わらべうたや民謡調のものが新作掲載された。戦後，作詞・作曲者が明らかになったが，どちらも国民学校教科書の編纂委員で，下総皖一は東京音楽学校助教授（後に教授）。

曲は，わらべうた風で，スキップのリズムを入れた活発な感じである。「もういいかい」以下を3回繰り返し，3回目では *p* にして面白さを出している。

指導のねらい

- わらべうたを，リズミカルに快活に歌えるようにする。
- リズム唱やリズム打ちによって，スキップのリズム（♪.♬♪.♬）を捉えるようにする。

指導のポイント

- ペアやグループになり，呼びかけたり答えたりなどの交互唱をし，呼びかけとこたえの仕組みを感じ取らせる。
- 「まあだだよ（タッカのリズム）」「もういいよ（タンタンタン）」のリズムの違いに気付かせて歌わせる。

簡易伴奏　かくれんぼ：文部省唱歌／林　柳波作詞／下総皖一作曲／渋谷沢兆編曲

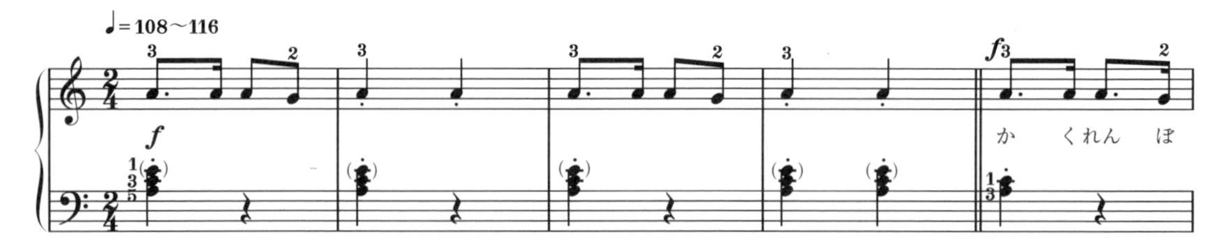

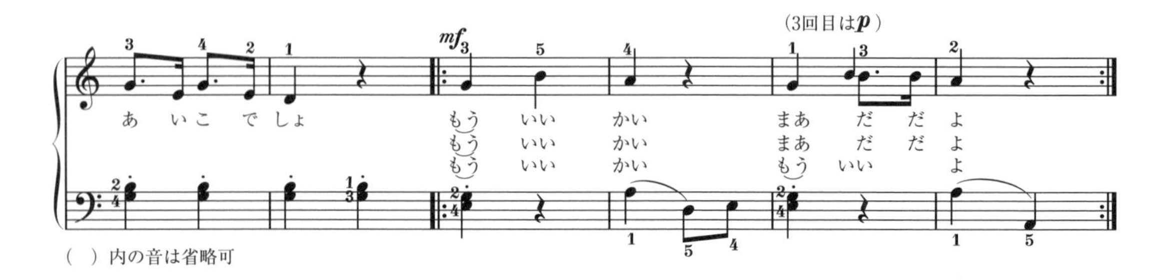

（　）内の音は省略可

かくれんぼ

文部省唱歌
林　柳波（はやし りゅうは）作詞
下総皖一（しもふさ かんいち）作曲

6．春がきた

楽曲について

明治43（1910）年7月発行の文部省編纂『尋常小学読本（とくほん）唱歌』に掲載された。『読本唱歌』は，当時の文部省編纂『国語読本』（国語教科書）にあった，定型詩に作曲した唱歌教科書（全1冊，27曲収載）である。

作詞・作曲者は戦後判明したもので，両者は東京音楽学校の教員コンビである。また岡野貞一はこの教科書の編纂委員であった。

曲は a a′ 型の一部形式で，二つのフレーズは同型リズムで，7小節目で頂点を形成する。旋律は短いが極めて形式が整っている。

♩ ♫♩ ♩ のパターン（部分動機）を繰り返しながら上行し，後半の ♩ ♩ ♩.♪｜𝅗𝅥.　のなだらかなパターンと対照的な効果を出している。

歌詞は整っているが，いわゆる「春・花・鳥」という概念的なもので，児童の心情に訴えるかは疑問。この曲は旋律で生きている。

指導のねらい

- 旋律の上行・下行に合う自然な強弱変化を付けて歌えるようにする。
- 歌詞の情景を思い浮かべながら，心を込めて美しく歌えるようにする。
- 楽器で旋律奏したり，簡単な打楽器伴奏を加えて器楽合奏ができるようにする。

指導のポイント

- 階名唱で，音の高低を捉えさせ，第2フレーズ「やまにきた　さとにきた　のにもきた」の旋律やリズム，歌詞に思いをもち，強弱を付けて歌えるようにする。

簡易伴奏　春がきた：文部省唱歌／高野辰之作詞／岡野貞一作曲

春がきた

文部省唱歌
高野辰之（たかのたつゆき）作詞
岡野貞一（おかのていいち）作曲

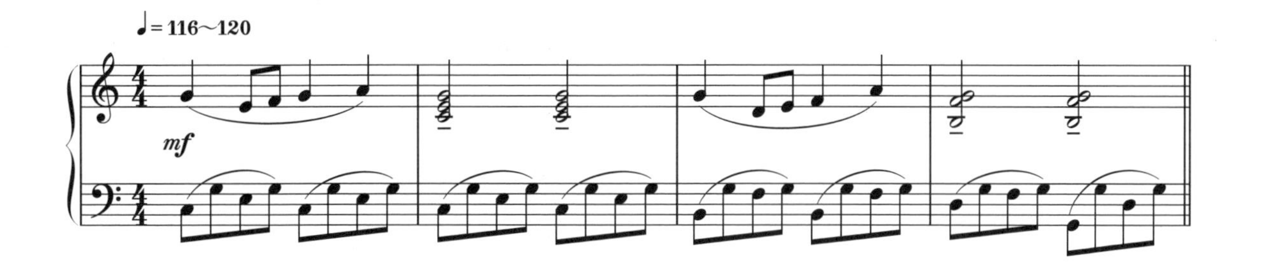

7．虫のこえ

楽曲について

「春がきた」と同様『尋常小学読本唱歌』所収で，その後今日まで歌い継がれているが，共通教材になったのは，平成元（1989）年の改訂学習指導要領からである。

歌詞第2節の「キリキリキリキリ　こおろぎや」の原詞は，「きりきりきりきり　きりぎりす」であった（改訂は昭和7〔1932〕年発行の『新訂尋常小学唱歌』〔第3学年〕）。虫の擬声語がこの曲の特徴であり，それが愛唱された要因であろう。

曲は四つのフレーズで構成されるが，第1・第2フレーズは同じ旋律の反復で，2小節ずつの擬声部分が付く。第3フレーズ後半の「ドドシラソ」を，第4フレーズで「ドシラソソミ」と模倣し，そこで頂点を形成している。

指導のねらい

・擬声語を生かし，秋の夜の虫の声の面白さを楽しく表現できるようにする。
・虫の声の音づくりでは，いろいろな楽器の響きのよさを感じて鳴らすようにする。
（虫の声に合う手づくり楽器を工夫させ，合奏の楽しさを味わう）

虫のこえ

文部省唱歌

♩=80
1. あれまつむしが ないている チンチロチンチロ チンチロリン あれすずむしも なきだした リンリンリンリン リーンリン
2. キリキリキリキリ こおろぎや ガチャガチャガチャガチャ くつわむし あとからうまおい おいついて チョンチョンチョンチョン スイッチョン
あきのよながを なきとおす ああおもしろい むしのこえ
前奏

8. 夕やけこやけ

楽曲について

小学校の教師をしながら童謡をつくっていた中村雨紅がこの詩を書いたのは大正8（1919）年，草川信が作曲したのは同12（1923）年で，『文化楽譜：あたらしい童謡その一』に発表された（鶴見正夫『童謡のある風景』小学館，1984年）。

八王子市の恩方（おんかた），宮尾神社の息子として生まれた中村は，任地東京とふるさとを往復するときに，幼時を思い出してこの詩をつくったという。

曲は ♫♫ と単調でのどかな田園風リズムにのって，美しい旋律を展開する。音楽学校でヴァイオリンを専攻した草川の特徴が出ている。第3フレーズの頭で一度だけ ♬♫ とリズムに変化を与え頂点を形成している。二部形式。

指導のねらい

- 夕やけの様子を思い浮かべながら，気持ちを込めて歌えるようにする。
- 階名唱をさせたり，楽器で旋律奏ができるようにする。
- 𝄐 の部分で，シンバルなどを使って鐘の響きを工夫させる。

指導のポイント

- どのように歌うかについてカードに書かせ，思いを込めて歌えるようにする。

夕やけこやけ
中村雨紅 作詞
草川 信 作曲
♩=84
mf
1. ゆ う や け こ や け で ひ が く れ て
2. こ ど も が か え っ た あ と か ら は
pp
p
mf
con 8va
や ま の お て ら の か ね が な る
ま る い お お き な お つ き さ ま
f
お ー て て つ な い で
こ と り が ゆ め を ー
み な か え ろ か ら す と い っ しょ に か え り ま しょう
み る こ ろ は そ ら に は き ら き ら き ん の ほ し
rit.
Fine
a tempo
D.S.

第3学年

9．うさぎ

楽曲について

江戸時代から歌われ，全国的に広がったといわれる。明治になって唱歌教育を実施するため，明治12（1879）年に音楽取調掛（とりしらべがかり）が設けられ，同15～17（1882～84）年に『小学唱歌集』3冊が発行された。取調掛（後に取調掛長）伊沢修二（いさわしゅうじ）は,「東西二洋ノ音楽ヲ折衷シテ新曲ヲ作ル」という理想をもっていたが,唱歌集は外国曲が中心になった。

伊沢は明治25～26（1892～93）年に，個人で編集した『小学唱歌』6冊を刊行,その第2巻に「うさぎ」を収録した。この唱歌集は，初めてわらべうた,民謡を取り入れたほか,「言文一致（口語体）唱歌」を試み，教授法に問答法を採用した。

楽譜で示した旋律は陰音階であるが，地方によって様々な旋律やリズムで歌われたと思われる。その一例が（♯）で示したような陽音階の旋律が混ざったものである。

歌詞はいうまでもなく，月が満ちたときの，いわゆる月の中の「うさぎ」を歌ったもの。

指導のねらい

・童話的な世界にひたって，しっとりとしたふしを味わって歌えるようにする。

・旋律楽器や打楽器で，簡単な器楽合奏ができるようにする。

・教師の伴奏に合わせて，柔らかさを生かした身体表現ができるようにする。

指導のポイント

・日本に古くから伝わる陰音階の旋律を感じて歌えるよう，ゆったりとしたテンポで歌わせる。

・ペアやグループになって1・2フレーズ目を交互唱し，歌詞に思いを込めて工夫して歌えるようにする。

簡易伴奏　うさぎ：日本古謡

うさぎ
日本古謡
渋谷沢兆編曲
♩＝72～80
リコーダー1
リコーダー2
歌
うさぎうさぎ なにみてはねる
リコーダー
（●）は分けて
じゅうごやおつきさま みてはーーねる
※この曲は(♯)で示したように歌われることもある。

10. 茶つみ

楽曲について

明治45 (1912) 年,『尋常小学唱歌』(第３学年用) に「茶摘」として新作掲載された。『尋常小学唱歌』は，各教科に関連する題材を積極的に取り上げているので，この教材も単なる季節の風物詩としてだけでなく，生活文化あるいは実業面との関連も考慮したと思われる。

旋律は「ヨナ抜き音階」(ファ, シのないもの) で, 日本的な感じがし,「手合わせ」遊びを付けて歌い親しまれてきた。呼びかけ･こたえ，呼びかけ･こたえのようにつくられた二部形式で，第4フレーズで頂点を形成し，リズムも少し変化する。

指導のねらい

- 昔の茶つみの様子を想像しながら，リズミカルに歌えるようにする。
- 弱起に注意させ，リズム唱やリズム打ちで躍動的なリズムを正しく捉えさせる。

4/4 ♩. ♪♩ ♩

ターン　タタン タン

指導のポイント

- 4フレーズとも同じリズムの反復であることに気付かせる。

茶つみ

文部省唱歌

♩=104
p
mf
1. な つ も ち か づ く は ち じゅう は ち や の に も や ま に も わ か ば が し げ る
2. ひ よ り つ づ き の きょ う こ の ご ろ を こ こ ろ の ど か に つ み つ つ う た う
あ れ に み え る は ちゃ つ み じゃ な い か あ か ね だ す き に す げ の か さ
つ め よ つ め つ め つ ま ね ば な ら ぬ つ ま にゃ に ほ ん の ちゃ に な ら ぬ
poco a poco rit. e dim.

11．春の小川

楽曲について

大正元（1912）年，『尋常小学唱歌』（第４学年用）に新作掲載され，戦後になって作詞・作曲者が判明した。作詞者高野辰之が題材に取り上げた小川は，東京の代々木が原を流れていた河骨川（こうほねがわ）だといわれ，現在は暗渠（あんきょ）の中を流れている（毎日新聞学芸部編『歌をたずねて』音楽之友社, 1983年）。

「さらさらいくよ」「ささやきながら」は，原曲では「さらさら流る」「ささやく如く」で，歌詞は第3節まであった。

A（a a′）B（b a′）の典型的な二部形式で，単純なリズムと歌いやすい旋律は，原本でも楽譜指導を配慮していたものであろう。

指導のねらい

・春の気分と童話的な世界の面白さを味わいながら歌えるようにする。
・各フレーズごとの旋律線に合わせた自然な強弱変化を付けて歌えるようにする。
・五線とハ長調の音階を理解し，階名視唱（一部分でも）ができるようにする。
・楽器で旋律奏ができるようにする。

指導のポイント

・音階図を掲示し，階名で歌ったりドレミ体操をしたりして正しい音程で歌えるようにする。
・自然を大切にして歌おうとする心を育む。

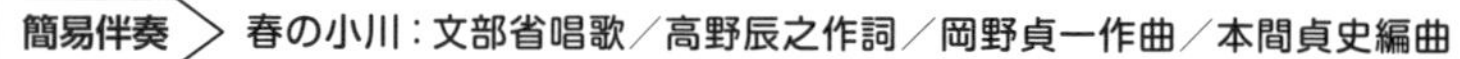

春の小川

文部省唱歌
高野辰之（たかのたつゆき）作詞
岡野貞一（おかのていいち）作曲

12. ふじ山

楽曲について

明治43（1910）年発行の『尋常小学読本唱歌』（前出）に，「ふじの山」（『尋常小学読本』巻四）として掲載。翌年の『尋常小学唱歌』（第2学年用）では，「富士山」と漢字表記になった。昭和52（1977）年に，「ふじ山」として第3学年の共通教材に指定された。

旋律はA−Bの二部形式で，第2フレーズに小さな山がある。第3フレーズは順次進行で1オクターヴ上行し，第4フレーズの頭で効果的な頂点を形成する。

中庸の速度で，♩. ♪♩ ♩の跳躍するリズム型が雄大な感じを出すはたらきをしている。

指導のねらい

- 日本の象徴的な山である富士山の，雄大で美しい姿を想像しながら，曲想を生かして歌えるようにする。
- 自然な強弱変化，特に曲の山の盛り上げ方を工夫して表現できるようにする。
- 階名唱や旋律楽器での演奏ができるようにする。

指導のポイント

- 歌詞の情景を捉え，どのように歌いたいかについて思いを楽譜に書き込んだり，グループで話し合ったりして強弱・テンポを工夫して歌うようにさせる。

簡易伴奏 ふじ山：文部省唱歌／巌谷小波作詞／本間貞史編曲

ふじ山
文部省唱歌
いわやさざなみ
巌谷小波 作詞
♩=96～100
mf
p
poco rit.
a tempo
mp
f
1. あ たま を く も ー の う え に だ ー し し ほ う の や ー ま を み お ろ ー し ー て か み な り さ ー ま ー を し た に き く
2. あ お ぞ ら た か ー く そ び え た ー ち か ら だ に ゆ ー き の き も の ー き ー て か す み の す ー そ ー を と お く ひ く
ふ じ は に っ ぽ ん い ち の や ま

第4学年

13. さくらさくら

楽曲について

日本の代表的な旋律として外国にもよく知られている。旋律は近世箏曲のもので，明治21（1888）年に刊行された『箏曲集』（文部省音楽取調掛撰）に収められている。元の歌詞は，

さくら　さくら　弥生（やよい）の空は　見渡（みわた）すかぎり
霞（かすみ）か雲か　匂（にお）いぞ出（い）ずる
いざや　いざや　見（み）にゆかん

であるが，昭和16（1941）年，国民学校の音楽教科書『うたのほん下』（初等科第2学年用）に，現在のように改訂して入れられ，同33（1958）年の学習指導要領以降，共通教材となった。

旋律構成は，a（2）b（4）b（4）a（2）c（2）で，形式も整っている。

音階は陰音階（都節（みやこぶし）音階）で，箏曲では平調子（ひらぢょうし）（陰音階をもとにした調弦法）で演奏する。

指導のねらい

・美しい陰音階の旋律を味わいながら，気持ちを込めて歌えるようにする。
・旋律の上行や下行に合わせて，自然な強弱変化を付けて歌えるようにする。
・箏曲「さくら変奏曲」（宮城道雄作曲）などがあれば鑑賞させる。

指導のポイント

・日本に古くから伝わる陰音階の旋律を感じて歌えるようにする。
・日本の伝統音楽を大切にする心を育む。

簡易伴奏　さくらさくら：日本古謡

さくらさくら

日本古謡
橋本国彦編曲

14. とんび

楽曲について

大正童謡運動の前ぶれともいえる，大正8（1919）年発行の，『大正少年唱歌』に発表された。歌詞は曲に合わせてつくられたという（堀内敬三・井上武士編『日本唱歌集』岩波文庫，1958年）。

「城が島の雨」などで知られている梁田 貞の旋律は流暢で形式的にも整い，特に第3フレーズで，強弱（遠近）の変化を付けたところは面白い。この曲はアメリカの教科書にも取り上げられた。a a′ b a″ の二部形式。

♩. ♪♫♫｜𝅗𝅥 𝅗𝅥｜のように，動きのある第1小節に対し，第2小節ではとんびが滑空するような感じで，これは第3・4小節でも同様である。

指導のねらい

・とんびの飛翔する様子を想像し，伸びやかに，強弱変化を付けて歌えるようにする。
・第3フレーズの強弱変化を工夫して歌えるようにする。
・旋律楽器リコーダーで副旋律を演奏し音の重なりを楽しむようにする。

指導のポイント

・各グループの音楽表現の工夫を発表させ，よさを相互評価させる。

(1) 前奏のときは演奏しない。(2) 左手のリズム ♩.. ♬𝅗𝅥 は，♩. ♪𝅗𝅥 としてもよい。

とんび

葛原（くずはら）しげる 作詞
梁田（やなだ） 貞（ただし） 作曲

15．まきばの朝

楽曲について

昭和7(1932)年,『尋常小学唱歌』(明治44〔1911〕～大正3〔1914〕)の改訂版である,『新訂尋常小学唱歌』(第4学年用)に,「牧場の朝」として掲載されて以来,教科書に取り上げられてきた。平成元(1989)年に共通教材に指定された。

戦後明らかになった作曲者船橋栄吉(1899～1932)は声楽家で,東京音楽学校教授であった。この曲をはじめ歌曲数曲を残している。

曲は8小節の前奏に続いて,通作的な20小節からなるが,第4フレーズでいったん終止し,コーダ的なまとめの第5フレーズが続く。

さわやかな牧場の朝の情景を歌った歌詞にふさわしく,旋律もリズミカルに流れる。

歌詞に歌われた牧場は,福島県岩瀬郡鏡石町の岩瀬牧場で,作詞者は朝日新聞記者で随筆家でもあった,杉村楚人冠(1872～1945)だというのが定説である。

歌に出てくる鐘は,明治40(1907)年,オランダから13頭のホルスタイン牛を輸入したときに贈られたもので,時鐘として用いられていた。

昭和58(1983)年,鏡石町の鳥見山公園に歌碑が建てられ,除幕式が行われた。(毎日新聞学芸部編『歌をたずねて』音楽之友社,1983年)

指導のねらい

・牧場の朝の情景を想像しながら,強弱変化を付けて歌えるようにする。
・旋律楽器でも演奏できるようにし,簡単な打楽器伴奏を工夫して,器楽合奏ができるようにする。

まきばの朝

文部省唱歌

一、ただ一面に　立ちこめた
まきばの朝の　きりの海
ポプラなみ木の　うっすりと
黒いそこから　いさましく
かねが鳴る鳴る　カンカンと

二、もう起きだした　小屋小屋(こやごや)の
あたりに高い　人の声
きりにつつまれ　あちこちに
動く羊の　いくむれの
すずが鳴る鳴る　リンリンと

三、今さしのぼる　日のかげに
ゆめからさめた　森や山
あかい光に　そめられた
遠い野ずえに　ぼくどうの
笛が鳴る鳴る　ピーピーと

まきばの朝

文部省唱歌
船橋栄吉（ふなばしえいきち）作曲

mf
p
ポプラなみーきーのうーっすりとく
きりにいつーまーれあちこちにう
あかいひかーりーにそめられたと
ろいそこからいさましくか
ごくひつじのいいさくむれののす
おいのずえにぽくくどうのふ
ねがなーるなるカンカンとと
ずがなーるなるリンリンとと
えがなーるなるピーピーとと
2nd time D.C.

16. もみじ

楽曲について

明治44(1911)年の『尋常小学唱歌』(第2学年用)に「紅葉」として新作掲載された。当時の児童にとって，この歌詞の意味は分かりにくかったと思われる。作詞・作曲者は戦後判明し，昭和52(1977)年，共通教材に指定された。

曲は「春がきた」,「ふるさと」などの作曲者でもある岡野貞一で，旋律的であり歌いやすい。

A（a a′）B（b b′）と見られる二部形式。

♩♫♩♩のリズムパターンが特徴的で，各フレーズとも問いと答えのような動機の応答がある。第3フレーズで盛り上がり，「ソラソミレド」のふしを第4フレーズで反復変化させ，模倣的な面白さを出している。

指導のねらい

・情景を想像しながら，自然で無理のない声で，レガートに歌えるようにする。

・曲の前半を2小節ごとに自然な ＜＞ を付けて歌わせたり，後半を盛り上げるように工夫して歌えるようにする。

・できれば二部合唱（中野義見編曲）ができるようにする。

指導のポイント

・ハーモニーを感じられるよう，リコーダーで音の重なりを捉えさせる。

もみじ

文部省唱歌
高野辰之（たかのたつゆき）作詞
岡野貞一（おかのていいち）作曲

第5学年

17. こいのぼり

楽曲について

大正2（1913）年発行の『尋常小学唱歌』（第5学年用）に「鯉のぼり」として新作掲載された。

歌詞は難しいが，5月の風にひるがえるこいのぼりを歌い，躍動的なリズムと旋律がこれにマッチし，季節教材として欠かすことのできない地位を占めている。なお，共通教材では，第2節が省略されている。

百瀬（ももせ）の滝を登ると竜になるという部分は，黄河の上流にある急流「竜門」に関する中国の故事からとったものである。

旋律はａａ′ ｂｂ′の形で，Ａ Ｂの二部形式という見方もあるが，第2・第3フレーズが連続的であるため異論もあろう。第3フレーズで一時ニ短調にして変化を付け，後半から盛り上げて，第4フレーズの頭で効果的な頂点を形成する。

指導のねらい

- 端午の節句の象徴であり，季節の風物詩でもあるこいのぼりのひるがえる様子を想像しながら，気持ちを込めて歌えるようにする。
- 躍動的なリズムを正しく感じ取り，表現を工夫して歌えるようにする。
- 楽器を加えた伴奏などを工夫して演奏できるようにする。

指導のポイント

- 思いや意図をカードに書き，表現を工夫させる。

簡易伴奏 こいのぼり：文部省唱歌

こいのぼり

文部省唱歌

♩= 96
mf
1. いーらーかのなーみーと くーもーのなみ
2. ひーらーけるひーろーき そーのーくちに
3. もーもーせのたーきーを のーぼーりなば
かーさーなるなーみーの なーかーぞらを
ふーねーをものーまーん さーまーみえて
たーちーまちりゅーうーに なーりーぬべき
mp
たちばなかーおーる あさーかぜに
ゆたかにふーるーう おおひーれにはと
わがみにに ーよーや おのーこごと
f
たかくおーよーぐや こいーのぼり
ものにどーうーぜぬ すがーたあり
そらにおーどーるや こいーのぼり
前奏

18. 子もり歌

楽曲について

わが国の代表的な子もり歌で，全国各地で歌われてきた。しかし，いうまでもなく口伝えで伝承されてきたものであるから，ここに見られる楽譜のように固定的に歌われるわけではなく，楽譜はひとつの典型である。

子もり歌は，子どもが歌うわらべうたとは異なり，大人が，あるいは子もりが，幼い子どもをあやしたり眠らせたりするために歌う。

「旋律A」の優雅な感じは，「律のテトラコード」（　）が支配的であるところからきており，「旋律B」が物悲しく感じられるのは，「都節（陰）のテトラコード」（　）が支配的であるためである。

指導のねらい

- 子もり歌について理解し，愛情を込めて歌えるようにする。
- 「旋律A」と「旋律B」を歌い比べて，感じの違いを感得させるとともに，五音音階であることを感じ取らせるようにする。
- 旋律楽器で演奏したり，助奏を工夫したりして，日本的な感じを味わわせるようにする。

※この楽譜は，『ウタノホン上　教師用』（昭和16年）に掲載されたもの。

参考教材

大分地方の子もり歌

大分地方民謡
小林秀雄編曲

旋律B

子もり歌 旋律A

日本古謡
渋谷沢兆編曲

※この曲は，旋律Aのように歌われたり，旋律Bのように歌われたりしている。リコーダーは，教師の学習用として入れた。

子もり歌　旋律B

日本古謡
渋谷沢兆 編曲

国歌「君が代」

延喜5（905）年に紀貫之らによって編纂された『古今和歌集』の，巻第7「賀歌」（長寿を祝賀する歌）の冒頭にある「よみ人しらず」の歌が，歌詞の初出といわれる。その後，長和2（1015）年に成立した『和漢朗詠集』（藤原公任撰）にも収載された。はじめ冒頭部分は「わが君は～」であったが，すでに平安末期には，現在の「君が代は～」に変わり，謡曲や地歌にも取り入れられるなどして，時代を超えて多くの人々に親しまれていた。

曲に視点を移すと，「君が代」にはいくつかの旋律が知られている。

明治2（1869）年，英国王子の明治天皇への謁見が決まり，歓迎行事で国歌を演奏する必要が生じた。そこで急きょ琵琶歌「蓬莱山」にある「君が代」の歌詞が選ばれ，横浜に駐屯中の英国軍楽隊長 J.W.フェントンが曲を付けた。しかしこの「君が代」は，一部を除いて日本語の抑揚と旋律が合わず，数年後には改訂が上申された。

明治12（1879）年3月，F.エッケルトがドイツから来日，海軍軍楽隊の軍楽教師に就任した。彼が，届けられた数曲の楽譜のなかから選び出して吹奏楽に編曲したのが，現行の「君が代」の原型であった。作曲者は宮内省雅楽課一等伶人だった林広守とされているが，実際には若い四等伶人の奥好義が作曲，代表者の林の名義となったようだ。この「君が代」は試演の際にさらに手が加えられ，明治13（1880）年10月に新しい国歌となった。

その後，明治26（1893）年に文部省は「祝日大祭日唱歌」を告示して，「君が代」をふくむ8曲を儀式用唱歌として定めた。あらためて現行の「君が代」が国歌となったのは，平成11（1999）年の「国旗及び国歌に関する法律」によってである。

このほか，明治15（1882）年に文部省が発行した「小学唱歌集 初編」にも「君が代」が収められ，しばらく歌われていた。源頼政の和歌による2番の歌詞もあるが，これはイギリスの作曲家S.ウェブ（シニア，1740～1816）の合唱曲「栄えあるアポロ」を借用したもので，音楽に対して歌詞が不足してしまい，「蛍の光」で知られる稲垣千穎が1，2番ともに補作している。（編集部）

【参考文献】
辻田真佐憲『ふしぎな君が代』（幻冬舎新書，2015）
CD「君が代のすべて」（キングレコード［KICG3074］，2000）

●平成11（1999）年の法制化の際に示された国歌「君が代」の楽譜

19. スキーの歌

楽曲について

「まきばの朝」と同じ，昭和7（1932）年の『改訂尋常小学唱歌』に，第6学年用として新しく取り入れられた。このときの新作教材で今日でもよく歌われているのは，「スキーの歌」と「まきばの朝」の2曲である。

作曲者の橋本国彦（1904～1949）は，東京音楽学校でヴァイオリンと作曲を学び，後に同校作曲科教授となった。歌曲「お菓子と娘」，「斑猫（はんみょう）」や，合唱曲「羊」，「いずみのほとり」は，小学校の合唱コンクールなどでよく歌われた。

曲はa a′ b a″ ＋コーダ（3小節）という構成。軽快なリズムと跳躍音程の第1・第2フレーズは躍動的である。第3フレーズは一転して流れるような旋律，第4フレーズで再び初めの旋律が再現し，高揚してコーダで最高潮に達する。

指導のねらい

・歌詞を理解し，情景を思い浮かべながら，変化のある躍動的な歌唱表現ができるようにする。

・リズム唱などにより，リズムを正しく取れるようにする。

・＜ ＞，タイ，マルカート，スタッカート，アクセントなどの表現ができるようにする。

簡易伴奏 スキーの歌：文部省唱歌／林 柳波作詞／橋本国彦作曲

スキーの歌

（部分二部合唱）

文部省唱歌
林 柳波 作詞
橋本国彦 作曲

も とをめ がけて ス タ ートき れーば
ぱ くかげ なーき てん ち ーのう ちーを
ち まちさ えぎる たに を ーばめ がーけ
f
こ ゆきはまいたー ち ーかぜー は ーさけー
ス トックかざしー て ーわれー は ーかけー
お どればさながー ら ーひちょう の ーここー
※
ff
ぶ かぜ は さ け ー ぶ
る われ は か け ー る
ち ひちょう の こ こ ー ち
※ 印の二重音は低音部が主旋律
いっぱく
一白かげなき天地のうちを…あたり一面真っ白な中を

20. 冬げしき

楽曲について

大正2（1913）年発行の『尋常小学唱歌（五）』に掲載された。初冬の風景が一日の時間の経過に沿って，六五調の歌詞と3拍子で歌われる。第1節は早朝の入り江で，水鳥の声だけが聞こえる静寂が，第2節では日中の小春日和の情景が，第3節では里の静かな夕暮れの様子が歌われている。

指導のねらい

・歌詞の意味を理解し，情景を思い浮かべて歌う。
・3拍子の流れに乗って，呼びかけとこたえの旋律や，楽曲の山を感じ取って歌う。
・一緒に動く声部の重なりを感じて合唱で歌う。

指導のポイント

文語体の歌詞を理解し，情景を思い浮かべながら，旋律の動きと強弱による音楽の起伏や，呼びかけとこたえの旋律を感じ取って歌う。4小節単位で一つのフレーズと捉え，各ブレスは言葉の切れ目を入れる程度に軽くとり，歌詞を浮き立たせる。第3フレーズは，順次進行から3小節目の最高音まで一気に到達し，楽曲の山を歌いあげる。

跳躍音程を正しい音程で歌えるようにし，語頭の濁音と語中の鼻濁音との発音を区別して歌う。本楽曲のように3節で歌う場合，第2節の後に前奏を間奏として挟んで演奏することもできる。

（原田博之，以下188ページまで同じ）

簡易伴奏 冬げしき：文部省唱歌

冬げしき

（二部合唱）

文部省唱歌

※ 原曲は単旋律（単音唱歌）

第6学年

21. 越天楽今様（えてんらくいまよう）

楽曲について

平成元（1989）年告示の学習指導要領で歌唱共通教材に指定。管弦による雅楽の平調《越天楽》の旋律に，比叡山延暦寺の高僧であった慈鎮和尚（1155～1225）による，当時の新興歌謡であった今様の詩が付された。四季の花鳥風月を愛でた七五調定型詩から，春と夏の歌詞が採用されている。

指導のねらい

・雅やかな旋律と曲想を味わいながら歌う。
・《越天楽》を鑑賞し，管弦の音色やゆったりとした音楽に，伝統的な雅楽の特徴を感じ取る。
・階名唱を通して，日本古来の旋律を味わう。

指導のポイント

律音階（レミソラシ）による日本古来の旋律と，ゆったりとした音楽の特徴を感じ取り，雅やかな旋律と曲想を味わいながら歌う。各フレーズは4小節単位で捉えられるが，ひと続きに歌うことはブレスの面で困難を伴う。2小節ごとに無理なくブレスをとりつつも，各フレーズをつなげる意識をもち，できるだけゆったりと歌うことで味わいが生まれる。

第2，14小節目は，歌詞のシラブルにより節ごとに歌のリズムが異なるが，音を伸ばして歌う節は，ピアノ伴奏のリズムを歌に合わせて変えることで，ピアノとの一体感を高めて歌うことができる。

簡易伴奏　越天楽今様：日本古謡／慈鎮和尚作歌／渋谷沢兆編曲

越天楽今様

日本古謡
慈鎮和尚作歌
下総皖一伴奏

夕ぐれ様のさみだれに…五月雨(さみだれ)で夕方のようになった中を

22. おぼろ月夜

楽曲について

大正3（1914）年発行の『尋常小学唱歌（六）』に掲載。春の田園の夕暮れから夜にかけての移ろいが，八六調定型詩と3拍子で歌われる。美しい旋律と歌い出しの弱起が，楽曲を特徴付けている。

「におい」は古語では「色の美しく映えること」の意味をもつ。ここでは，夕方にかかる月の美しく映えた色がかすかに見える様と捉えられる。

指導のねらい

・歌詞の意味を理解して情景を思い浮かべながら，美しい旋律を味わい，気持ちを込めて歌う。
・楽曲にふさわしい，柔らかい響きの歌声で歌う。
・各パートの動きを感じ取りながら，合唱で歌う。

指導のポイント

楽曲の雰囲気や旋律の美しさを味わって歌う。情景を想像しながら，表情を付けて抒情的に歌い，弱起の部分も十分に丁寧に歌う。動機ごとの強弱は歌声をレガートに導く。2部合唱では難しい音程の部分もあるが，美しい副旋律の動きも相まって，声の重なりの美しさを味わうことができる。

前奏に3小節が加えられた楽譜もあり，味わい深く演奏できる（足羽章編『日本童謡唱歌全集』ドレミ楽譜出版社ほか）。その3小節を，第1節を歌った後に間奏として挟んで演奏してもよい。

簡易伴奏　おぼろ月夜：文部省唱歌／高野辰之作詞／岡野貞一作曲

おぼろ月夜
（二部合唱）

文部省唱歌
高野辰之（たかのたつゆき）作詞
岡野貞一（おかのていいち）作曲

23. ふるさと

楽曲について

大正3（1914）年発行の『尋常小学唱歌（六）』に掲載。第1節では故郷の思い出が，第2節では両親と友人に対する思いが，第3節では故郷に錦を飾る思いが，六四調定型詩と3拍子で歌われる。

第3節の「帰らん」は，推量の助動詞「む（＝ん）」が一人称の主語では意志の意味が多いとされ（林・安藤編『古語林』），「帰ろう」と訳される。

指導のねらい

・歌詞の意味と世代を超えて愛唱される曲であることを理解し，故郷を思う気持ちを感じて歌う。

・音読で歌詞とその韻律を味わい，フレーズと音楽の高まりを，無理のない発声で伸び伸びと歌う。

・合唱で，重なり合う声の響きを感じ取って歌う。

指導のポイント

歌詞に歌われる情景や楽曲に込められた思いを感じ取って歌う。長野県中野市にある「高野辰之記念館」の二階からは，歌詞のモデルとされる作者の生家一帯の風景を一望することができる。

4小節単位の長い強弱記号により，冒頭の8小節は一つのフレーズと捉えられる。各ブレスは言葉の切れ目を入れる程度に軽くとり，後半の4小節へ音楽をつなげる気持ちで歌う。最後の4小節を間奏として，第2節の後に挟んで演奏できる。

簡易伴奏 ふるさと：文部省唱歌／高野辰之作詞／岡野貞一作曲／渋谷沢兆編曲

ふるさと

（二部合唱）

文部省唱歌
高野辰之（たかのたつゆき） 作詞
岡野貞一（おかのていいち） 作曲

24．われは海の子

楽曲について

明治43（1910）年発行の『尋常小学読本唱歌』に掲載。歌詞は『尋常小学読本』により，当時は国語と唱歌で同じ詩が教えられた。七五調定型詩で最初は7節あったが，軍国主義的な節が削られ，昭和22（1947）年に3節とされた。海辺で生まれ育った少年の心情が力強く高らかに歌われている。

指導のねらい

・歌詞の意味を理解し，情景を思い浮かべて表情豊かに歌う。
・♩. ♪ ♩ ♩ などのリズムと旋律の動きが生み出す音楽の躍動を感じ取り，生き生きと歌う。

指導のポイント

力強い歌詞とリズムや旋律の動きにより，躍動感溢れる音楽となっている。4拍子だが2拍子の趣で，4小節をひと続きに悠々と歌いあげるとよい。足羽章編『日本童謡唱歌全集』など第3フレーズ後半にクレシェンドの書かれた楽譜では，続く第4フレーズと合わせた8小節を一つのフレーズと捉え，さらに雄大に歌うことができる。

第1，6，9，14小節目は，節ごとに歌のリズムが異なるが，ピアノ伴奏のリズムを歌に合わせて変えることで，一体感を高めて歌うことができる。第2節に続けて，最後の4小節を間奏としてもよい。

われは海の子

文部省唱歌

とまや…とま（かやなどの草）で屋根がつくられた家

かっこう
小林純一作詞
ドイツ民謡
♩=108～116
C G7 C G7 C G7
1.2.カッコー カッコー しずかに
よんでるよ
ないてるよ
C G7 C G7 C
きりのなかほうらほうらかあさん
もりのなかほうらほうらあさだよ
前奏
☆
いるかはザンブラコ
東 龍男作詞
若松正司作曲
渋谷沢兆編曲
♩=132～144
G C G
1. いるかはザンブラコ いるかはザンブラコ おおなみ
2. ばったはピョンピョコピョン ばったはピョンピョコピョン のはらを
3. かえるはジャンブラコ かえるはジャンブラコ おいけに
G A7 D7 G G7
ザンブラコはねるぞ いるかはいるか
ピョンピョコピョンとびこせ ばったはばてた
ジャンブラコとびこむ かえるはかえる
C D7 C G
1.2. 3.
おやこでいるかザンブラコこえろよー
おやこでばてたピョンピョコピョンとびこせー
おやこでかえるジャンブラコかえるよー

このページの楽曲：富澤 裕 編『たのしいパートナーソング』（教育芸術社）より

さんぽ
「となりのトトロ」より
（二部合唱）
中川李枝子作詞
久石　譲作曲
富澤　裕編曲
Moderato ♩=120
ラ　ラ　ラ　ラ　ラ　ラ
ラ　ララララ　ラ　ラ　ララララ　ラ
ラ　ララララ　ラ　ラ　ラ
1.2.3. あ　る　こう　あ　る　こう
ラ　ララララ　ラ　ララ　ラ
3. あ　ーー　る　こう
（小音符は3番のみ歌う）
unis.
わたしは　げんき　あるくのーだいすき
わたしは　ーげんき　あるくのー　だいすき
どんどんゆ　こう
どんどんゆこう
1.さかみちー　トンネルー
2.みつばちー　ぶんぶんー
3.きつねもー　たぬきもー

cresc.
くさっぱら　いっぽんばしにーーでこぼ
はなばたけ　ひなたにとかげーーへびは
でておいで　たんけんしようーーはやし
cresc.
(小音符は2番)
f
(小音符は3番)
こじゃりみち　くものすくぐってーくだ
ひるね　ばったがとんーでーまが
のおくまで　ともだちたくさんうれ
f
1.2.
3.
りみち　な　ともだちたくさ
りみち
しい
んうれしいなー
senza dim.

※（　）内のコードネームは簡易伴奏用

mp
G D7 G E7 Am G D7 G
いまはもう うごかない そのとけいー
mp
mf
G (D7 D7 G G) G (D7 D7 G G)
ひゃくねんやすまずに チクタクチクタクおじいさんといっしょに チクタクチク
mf
G D7 G E7 Am G D7 G
タクいまはもう うごかない そのとけいー
☆
●コード一覧
G D7 D C Em A7 E E7 Am

ふるさと
（二部合唱）

小山薫堂 作詞
youth case 作曲
岩本達明 編曲

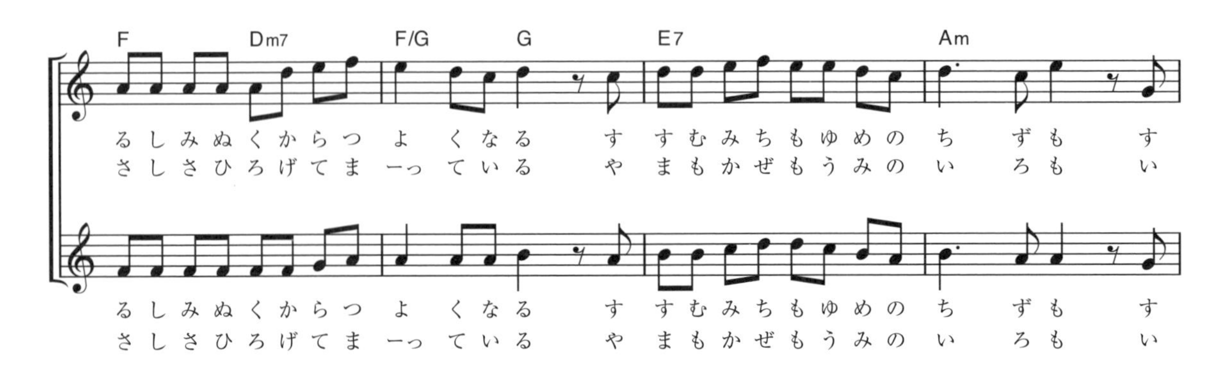

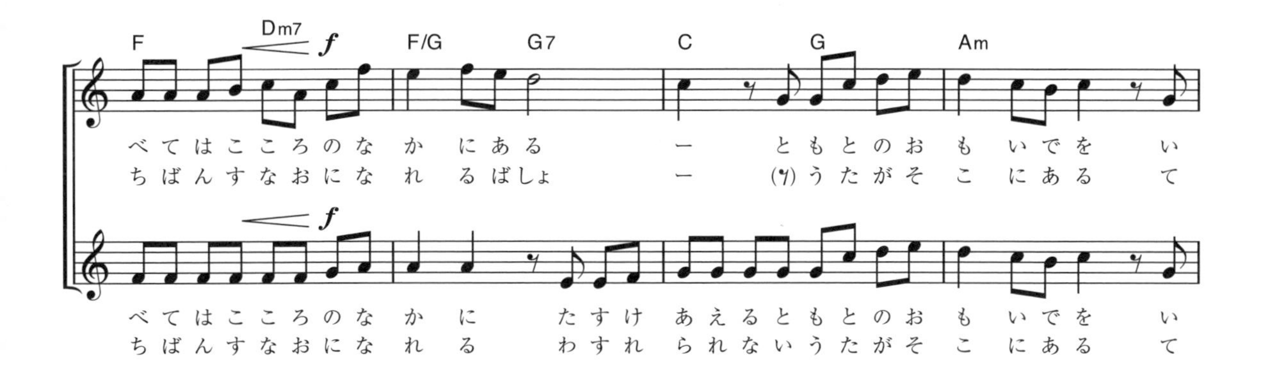
F Dm7 F/G G7 C G Am
f
べてはこころのなかにある ー とももとのおもいでをい
ちばんすなおになれるばしょ ー うたがそこにあるて
べてはこころのなかに たすけあえるとももとのおもいでをい
ちばんすなおになれる わすれられないうたがそこにあるて

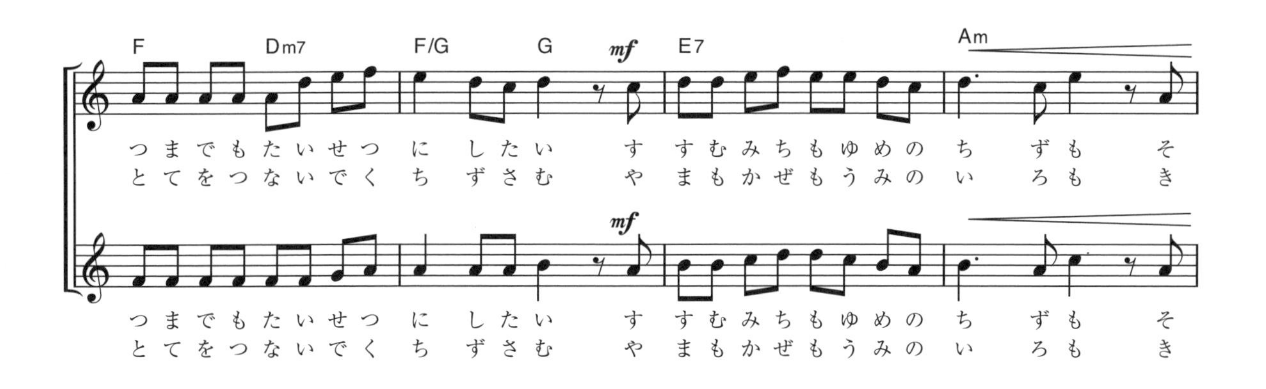
F Dm7 F/G G E7 Am
mf
つまでもたいせつにしたい すすむみちもゆめのちずもそ
とてをつないでくちずさむ やまもかぜもうみのいろもき
つまでもたいせつにしたい すすむみちもゆめのちずもそ
とてをつないでくちずさむ やまもかぜもうみのいろもき

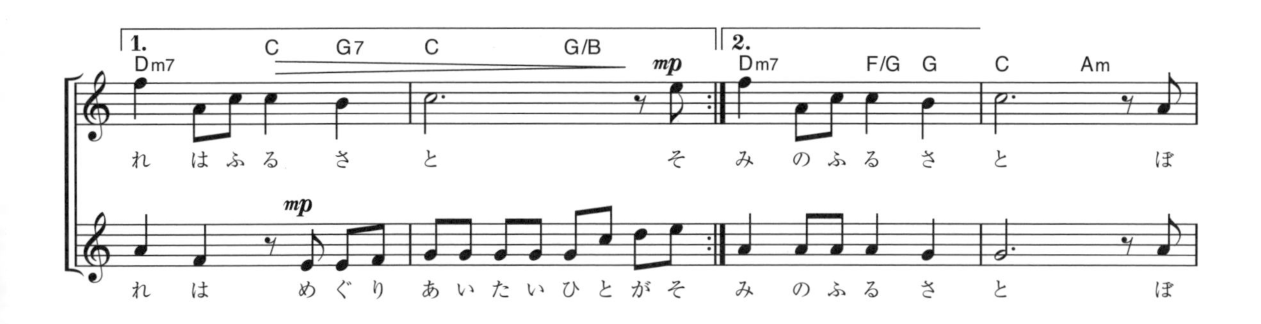
1. 2.
Dm7 C G7 C G/B Dm7 F/G G C Am
mp
れはふるさと そ みのふるさと ぼ
れは めぐりあいたいひとがそ みのふるさと ぼ

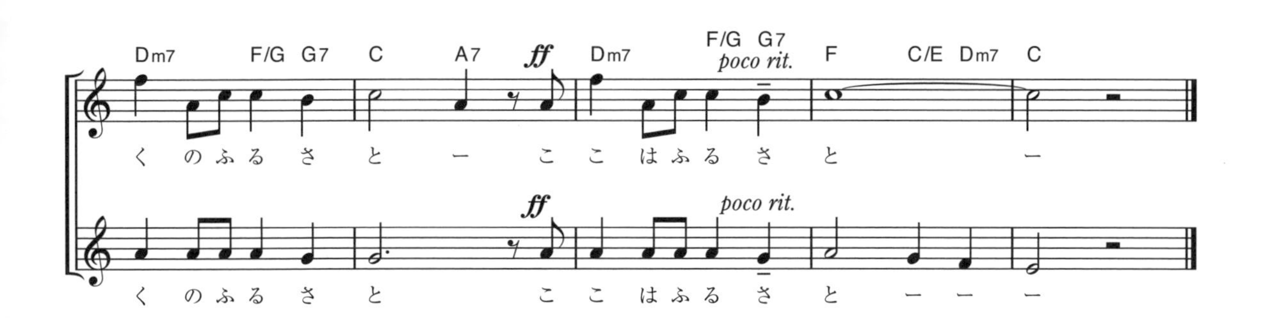
Dm7 F/G G7 C A7 Dm7 F/G G7 F C/E Dm7 C
ff
poco rit.
くのふるさとー ここはふるさとー
くのふるさと ここはふるさとーーー

旅立ちの日に
（混声三部合唱）

小嶋　登 作詞
坂本浩美 作曲
松井孝夫 編曲

1.
10
このひろいおおぞらに　ゆめを　たくして
10

2.
Più mosso
f
て　いま　わかれーの　ときー　とび
f
て　いまわかれーのー　ときー

たとうー　みら　いしんじて　はずむ　わかい
とびたとうみら　いしんじて　はずむわかい

cresc.
ちからーしんじてー　このひろいー　このひろいーお
ちからしんじてーこのひろいー　このひろいー　お

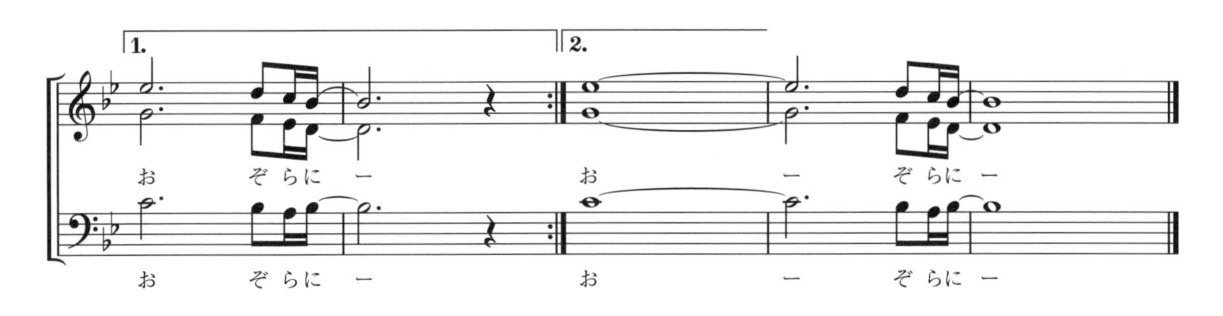
1.
2.
お　ぞらにー　おー　ぞらにー
お　ぞらにー　おー　ぞらにー

気球にのってどこまでも

（二部合唱）

東　龍男 作詞
平吉毅州 作曲

【器楽曲集】

リズムのロンド

カール・オルフ「子どものための音楽」より

（演奏順序… A B A B1 A B2 A）

グリーンスリーブス

（二重奏）

イングランド民謡

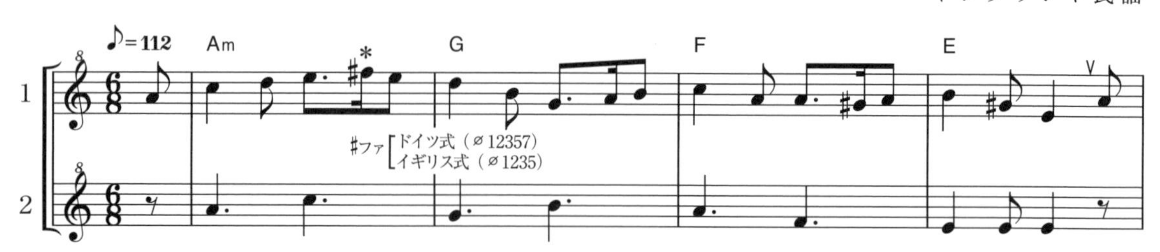

ポルカ

柳生　力 作曲

メヌエット
（二重奏）
クリーガー 作曲
石桁冬樹 編曲
♩=100～108
ア
1
2
Am
Dm
G7
C
F
Am
Dm
E
Am
Dm
E
Am
Fine
イ
Am
Dm/F
ソ(ø 123)
G
C/E
F
G7
F/A
G
C/E
Dm
G7sus4
G7
C
D.C.
演奏順序…アアイア
『小学生の音楽 6』（平成17年版），吉澤 実 編著『楽しいリコーダー いい音見つけた！ 2』（ともに教育芸術社）より

（合奏）

ペレス・プラード 作曲
萱　　裕　編曲

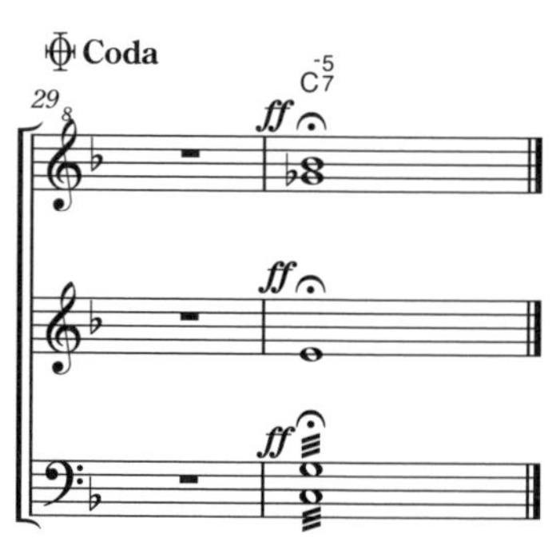

●リズムパート

♩= 160
A
全体がカウベルのビートを聴いて合わせる
カウベル
トライアングル
左手の指で響きを止める
左手を開く
ボンゴ
右 右
左右左右
注意！
右左
右左右 右左右左
右
右 右左右 右左
クラベス
ギロ
短く
長く
マラカス
コンガ
左 右 左 右右
小太鼓 響き線を外す
大太鼓
左手で響きを止めながら演奏する
13
元気よく
B
ウッ！
右 右 右 右 右 右 右 右
小太鼓
大太鼓
23
C
右左右左右
右
D.C.
Coda
即興的に（全パート）
29
マン ボッ!

翼をください

（合唱奏）

山上路夫 作詞
村井邦彦 作曲
菅　裕 編曲

10
mf 一つ一つの音符を長めに演奏する
この一 せなかに 一とり のように 一しろいつば
こどー ものとき 一ゆめ みたこと 一いまもおな
C Em C7 F C D7

15
B
歯切れよく，リズムをはっきりと
さ 一つけてくださ い一 このおおぞらに一つば
じ 一ゆめにみてい る一
G D7 Gsus4 G C G

20
(8)
長さに注意
さ を ひ ろ げ ー　と ん　で　ゆ き た　い　よ　ー　か な　し み の な い ー　じ ゆ
Am　Em　F　C　B♭　G　C　G

24
3
1.
2.
rit.
(8)
う な そ ら へ ー　つ ぱ　さ　は た め　か　せ　ー ゆ き た　い　い
Am　Em　F　C　B♭　G　C　C

2 ｜基礎的技能

①伴奏法

ピアノ（電子ピアノ，電動オルガン）伴奏が苦手という人は多い。教育実習や小学校教員採用試験，実際に子どもたちを前に音楽授業をするときに備えて，そういう人たちこそ十分に練習しておいてほしいところだが，苦手意識が先に立ち，どうしても準備が後回しになる傾向にある。また，練習をしようと思い立っても，その方法が分からないという声もよく耳にする。

そこで，ここでは歌唱共通教材の楽譜（pp.136〜189）を例に挙げながら，ピアノ伴奏の効果的な練習方法や，自信をもって弾き歌いするためのコツ，初心者のための簡単なコード伴奏の仕方などを説明する。以下のアドバイスを参考にして，ぜひ早めにピアノ伴奏の準備に取りかかってほしい。

▶ 何事もカタチから

ピアノを演奏するときは，次のことにまず注意しよう。

(1) 姿勢に関する注意点

あまり深く腰かけず，椅子の手前半分ぐらいに座り，肩に力を入れないように背筋を伸ばして，目線を少し上に向けよう。また，指を鍵盤に置いたときに手首が下がらないよう，椅子の高さを調節する習慣を身に付けよう。ペダルを使用する，しないに関係なく，右足はペダルに載せたほうが格好良く見えるだろう。

(2) 手指に関する注意点

一般的に，指の形は卵を持つときのように丸めるのが好ましいといわれているが，手の形，指の形よりも鍵盤との接触ポイントに気を付け，指の腹でしっかりと打鍵をしよう。

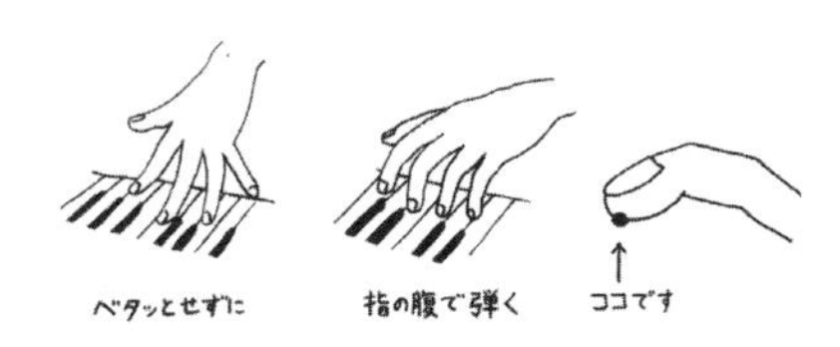

イラスト：『この一冊でわかる ピアノ実技と楽典』（音楽之友社）より

▶ 正確な読譜と効率的な練習を！（基礎編）

(1) テンポを確認する

メトロノームあるいはスマートフォンのメトロノームアプリを使って，各楽譜の冒頭に記載されているテンポ表示を確認する。指示されているテンポからあまりかけ離れないようにしよう。

(2) 区切って練習する（初心者向き）

1曲通してたどたどしく練習していたのでは上達は望めない。2小節（右手だけで→左手だけで→両手で）弾けるようになるまで繰り返し，止まらず弾けるようになったら次の2小節に進み，同じように練習したら，その4小節を弾けるようになるまで繰り返し，さらに次に進む……というように，少しずつ積み上げていくのがコツである。

(3) 指番号に従って弾く

本書では簡易伴奏譜に指番号が付されている。この指番号は演奏を効率的に仕上げるために必要不可欠なものなので，必ず指示された指番号で弾こう。書かれてある指番号のとおりに弾いているうちに，次第にスムーズな指の運びができるようになり，指示がないときでも適切な運指が分かるようになる。

指番号が付されていない楽譜（本書の標準伴奏譜など）を使う際は，少し練習した段階で，分からない箇所を担当教員やピアノが得意な友人に尋ねてみるとよいだろう。そのまま我流で練習を重ねていると悪い癖が付き，上達が遅れてしまう。

(4) アルベルティ・バスは，ひとまとまりで弾く

共通教材の楽譜には，「春がきた」（pp.146〜147）や「とんび」（pp.162〜163）のように左手の伴奏形がアルベルティ・バス型（「バイエル」などでもお馴染みのドソミソ音型の分散和音）のものがある。この伴奏形の場合，右手の各音符と分散和音の各音符とを一音一音対応させて弾いたのでは，スローテンポでしか弾けない。2拍分を一つのまとまりとして，滑らかにかつ勢いよく弾くように心がけよう。

「春がきた」（文部省唱歌，高野辰之作詞／岡野貞一作曲）

✕ 一音一音対応させると上達しない

や ま に き た さ と に き た

○ 分散和音を「音のかたまり」として捉える

▶ さらに洗練された演奏のために（応用編）

(1) テンポを一定に

伴奏形が変わる箇所（例えば4分音符から8分音符に変わる箇所など）でテンポが狂いやすい。1拍の長さを常に一定に保ち，速くなったり遅くなったりしないようにしよう。

「もみじ」（文部省唱歌，高野辰之作詞／岡野貞一作曲）

(2) 同音の旋律を滑らかに

同音が続く場合，レガートで弾けない人が多い。特に次のような例では，左手のソの連打につられやすいので注意しよう。

「夕やけこやけ」（中村雨紅作詞／草川信作曲）

(3) 強弱を付ける

一通り弾けるようになったら，できる限り楽譜に記載されている強弱に関する記号（***f***，***mf***，***p***，***mp***，クレシェンド ＜，デクレシェンド ＞ など）に忠実に弾こう。弾き歌いのときも同様である。強弱の対比にも気を付けると一挙に表情豊かな演奏になる。

例えば，「虫のこえ」では全体的に強弱の変化を付けるとともに，最後の4小節に向けて（「なきとおす　ああおもしろい」）思いっきり盛り上げる。

「虫のこえ」（文部省唱歌）

「とんび」（葛原しげる作詞／梁田貞作曲）

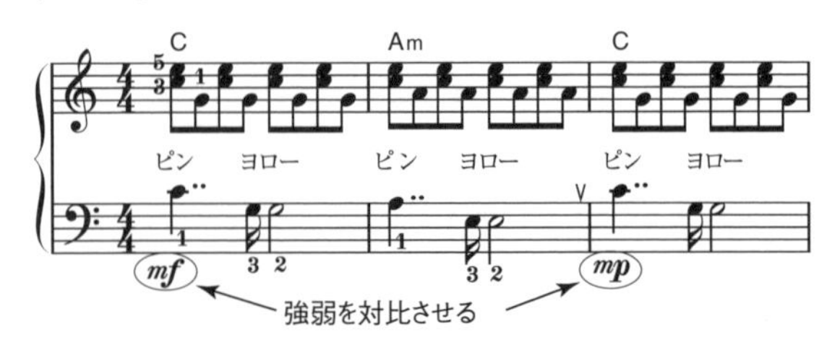

(4) 右手の和音はしっかりとしたタッチで

かなり弾ける人でも音域が1オクターヴの和音を弾くのは難しい。特に ***f*** の箇所では，乱暴にならない程度にしっかりと弾こう。

「虫のこえ」

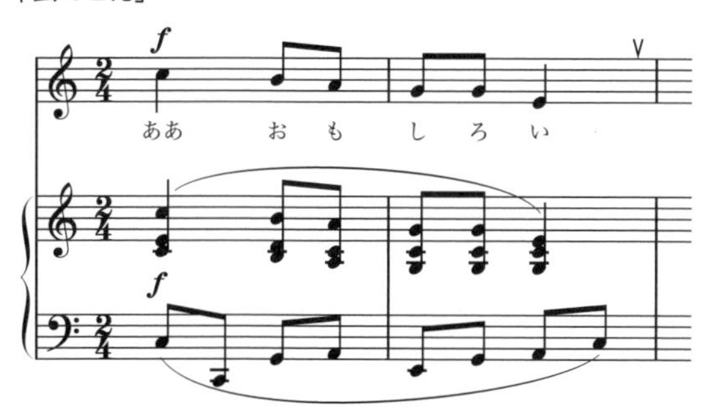

(5) ペダルを踏む際の注意点

リズミカルな曲を弾くときは無理に踏む必要はないが，ゆったりとした楽曲ではペダルを踏むと量感が出るので，なるべく踏むことをお勧めしたい。

初心者の場合は，ペダルを踏むことによって演奏時の姿勢が崩れたり，時々踏み換えるのを忘れて，音が汚く濁ってしまいがちである。演奏に慣れるまではペダル使用を避け，余裕が出てきたら踏んでみるとよいだろう。

ペダルは原則として和音の変わり目で踏み換える。コードネームが付いている楽譜(簡易伴奏譜)を使うときは，コードネームの記号をペダルの記号とみなして踏み換える。2小節以上同じコードネームが続くときは，1小節ごとに踏み換えるとよい。また，細かいパッセージの場合は浅く踏んだり，早めにペダルを離したりといった工夫をするとよいだろう。

「冬げしき」（文部省唱歌）

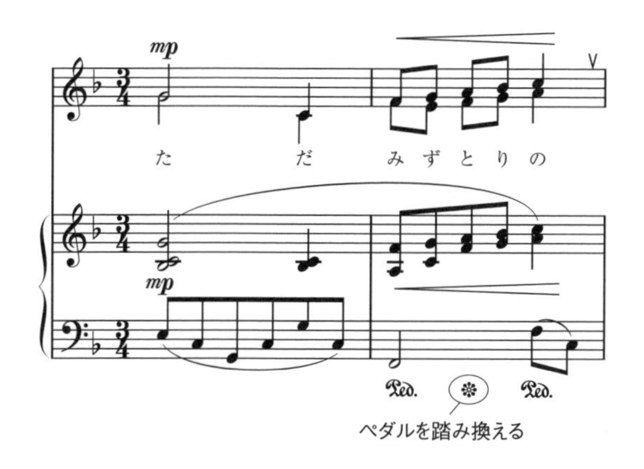

▶ ピアノ弾き歌いに挑戦する前に

(1) 歌詞をよく理解する

弾きながら歌うと歌詞から注意がそれることがあるので，まず歌詞を確実に覚えよう。特に高学年の共通教材に関しては，歌詞の意味をしっかりと把握し，その内容を理解したい。

(2) 安定した音程で歌う

歌い出しの音をピアノなどで鳴らし，音の高さを確認してから歌う。音程が不安定な段階では，曲の途中で何回か音を確認しながら歌い，次第に安定してきたら確認箇所を少なくし，最後には歌い出しの音だけを弾けばピアノの補助なしで歌えるようにする。

(3) リズムを正確に覚える

例えば，以下の旋律を付点で歌ってしまう人が多いので，注意深く読譜しよう。音源（ＣＤなど）を聴いて確認することをお勧めする。

「こいのぼり」（文部省唱歌）

▶ ピアノ弾き歌いのためのアドバイス

(1) 早い段階から歌を付ける

伴奏ばかり先に練習してその後で歌を付けようとすると，せっかく練習した伴奏が弾けなくなったり，歌なしのときにはちゃんと守っていた指使いさえあやふやになったりすることがよくある。弾き歌いをするときは，右手の演奏と歌，左手の演奏と歌といった組合せで，比較的早い段階から歌を付けて練習に取りかかるべきである。

(2) 歌と伴奏の音量のバランスに注意する

声量があまりない人の場合，ピアノ伴奏の音量が大きすぎることが多い。伴奏の音量を少し抑えるとともに，十分豊かな声量になるよう努力しよう。バランスがよいかどうか把握しにくいときは，スマートフォンの録音機能などを使って確認するとよい。

(3) ブレスに注意する

弾き歌いの場合は，歌のみのときと比べてブレスが中途半端になりがちである。息が長く続くようにたっぷり吸い込み，リラックスして歌おう。

「ふじ山」（文部省唱歌，巌谷小波作詞）

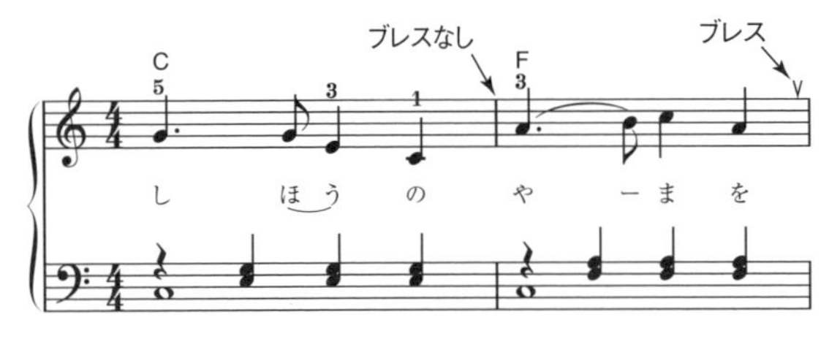

(4) 歌の旋律と右手の旋律が異なる箇所は音程の狂いに注意する

歌の旋律と右手の旋律が次のように異なる箇所では，歌唱の音程が狂わないようによく練習しよう。伴奏を暗譜してしまうことが大切である。

「まきばの朝」（文部省唱歌，船橋栄吉作曲）

▶ コード伴奏

譜読みも演奏も得意ではない人にとって，ごく初歩的なコード伴奏を勉強することは大変有効である。

(1) 低音による伴奏

初めてコード伴奏を試みる場合は，右手で歌の旋律，左手で低音を弾くことから始めよう。その際，コードネームのアルファベットのA，B，C，D，E，F，Gをラ，シ，ド，レ，ミ，ファ，ソに対応させる。

「うみ」を低音伴奏してみる。

G／Dは，「コードはGだが，最低音はD」という意味なので，この場合の低音はD（レ）となる。

基本形と展開形

「うみ」（文部省唱歌，林柳波作詞／井上武士作曲）

低音伴奏の例

低音伴奏でリズムを刻むと，その楽曲がもつ曲想や気分を表すことができる。

次は，低音が8ビートのリズムを刻んでいる例である。

「茶つみ」（文部省唱歌）

8ビート低音伴奏の例

(2) 和音（左手）による伴奏

右手が歌の旋律，左手が和音による伴奏では，右手が歌の旋律を演奏するので歌の音程がはずれにくい。この伴奏形には大きく分けて密集型と開離型の二つのタイプがある。密集型は左手の音域が狭く，たいていは1オクターヴ以内におさまる，こぢんまりした伴奏形であり，開離型は左手の音域が広く，華やかな印象である。

「こいのぼり」密集型

「こいのぼり」開離型

開離型では低音と和音が離れているため，音が切れないようにペダルを踏むことが多くなる。さらに，テンポの速い曲の場合は演奏も難しくなるので，初心者は比較的簡単な密集型から取り組むと無難である。

密集型伴奏をする場合，以下の①の伴奏形に慣れたら，次第に他（②〜）でも弾いてみよう。

密集型伴奏の例

本書の簡易伴奏譜に載っているコードネームは，二つの例外（F+6「ふじ山」，C♯dim7「茶つみ」）を除いて以下に挙げるもののみである（F+6 はFに，C♯dim7はAmに代替可である）。

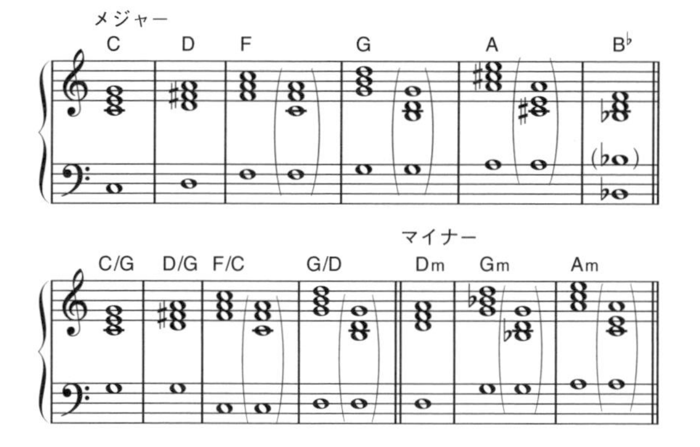

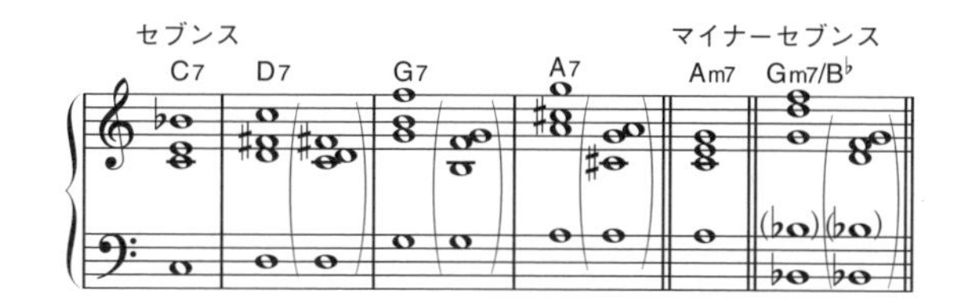

紙幅がないため各コードに関して詳述はできないが，次のCに関連するコードと上記の譜例を参考に構成音を確認し，実際に鍵盤で弾いてみよう。

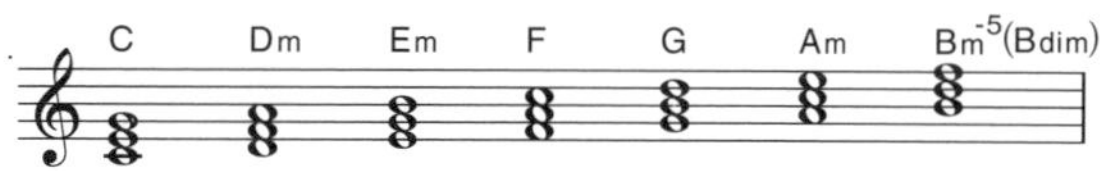

簡易伴奏譜に載っているコードを覚えたら，コードネーム付きの歌唱曲集などから好きな曲を選び，1コーラスごとに伴奏形を変えて演奏してみよう。ギターやアコーディオンによる伴奏に挑戦してみるのもよいだろう。子ども向きの歌，長い間歌い継がれてきたフォークソングなどは基本的な和音でつくられていることが多いので，初心者には適した教材である。また，電子鍵盤楽器（自動伴奏機能）を活用すると，楽しみながらリズムの種類やそれぞれの特徴も学ぶことができる。

以下の二つは，ピアノ弾き歌いを学ぶためのeラーニングサイトである。学内の試験や教員採用試験などの際参考にしてほしい。

「教員・保育者養成のためのピアノ弾き歌いeラーニングコース」(1)

http://oberon.nagaokaut.ac.jp/kwu/piano/

子どもの歌7曲のピアノ弾き歌いと歌唱の模範演奏映像，注釈付き楽譜などを掲載している。

「稗方攝子のワンポイント歌唱レッスン」(1)

http://oberon.nagaokaut.ac.jp/kwu/hiekata/

『子どものうた弾き歌いベスト50　注釈付き』（音楽之友社）の中から著作権が消失した6曲，小学校歌唱共通教材から3曲の模範演奏，歌唱のためのワンポイントアドバイスを掲載している。

（深見友紀子）

(1) 2020.1.17 閲覧

②指揮法

▶ アンサンブルと指揮行為，指揮法

ジャンケンをしたり皆で歌を歌ったりするときのことを考えてみよう。一見当たり前だが，実はそういったときに発揮される人間のアンサンブル能力はそもそも驚異的である。とはいえ，どんな合唱や器楽合奏の場面でも最低限演奏を始める合図を出す役が必要になる。「せーの」とか「サン，ハイッ」といったかけ声は，声による立派な指揮行為といえるだろう。ここで論じる指揮法とはそういった指揮行為全般の内でも，特に西洋音楽において発達してきた，手や指揮棒を使ってアンサンブルを統率し，音楽を表現するためのテクニックを指す。

▶ 指揮の基本的な運動

(1) 姿勢と手（指揮棒）の構え方

両足を少し開いて，重心をややつま先にかけ，真っ直ぐに立つ。オーケストラのように相手が座っている場合は，右手を握手しようと差し出しかけた位置に手を構える（**写真1**）。また相手が立っている場合には胸の高さで手を構える（**写真2**）。この手の位置が後に述べるすべての図形の1拍目の「打点」の位置となる。右肩が上がったり，脇が空きすぎないように気を付ける。

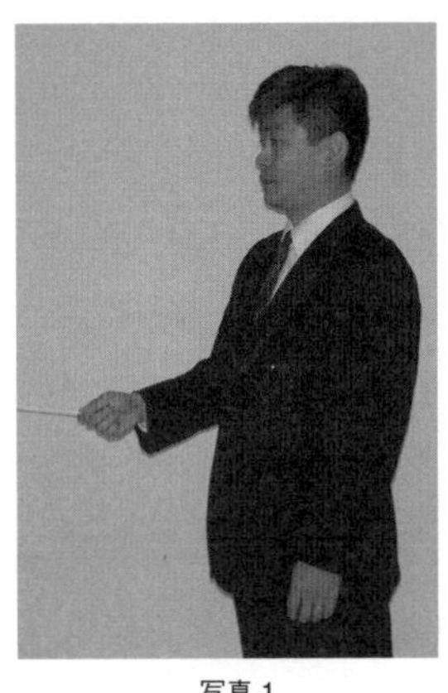
写真1

写真2

なお指揮棒であるが，これを使いこなす技術は指揮法とはまた別の問題であり，また多くのプロの指揮者，特に合唱指揮者は指揮棒を持つことなく活躍している。学校の現場で，あえて指揮棒を使う必要はないのではないだろうか。

(2) 指揮の運動

曲の性格やアンサンブルの編成などに応じて，指揮には実に様々な手や身体の動かし方が要求されるが，ここではごく基本的な2種類の運動に関する説明にとどめる。

①叩き*

比較的テンポの早い，弾むような曲で用いられる。指揮をするときの手や棒先はピンポン玉が跳ねているような動きで，図形は鋭角を描く。バスケットボールのドリブルをイメージしながら手を弾ませるとよい。

②しゃくい*

比較的ゆったりとした曲で用いられる。手や棒先は振り子が触れているような曲線を描く。うちわで風をあおぐようなイメージをもつとよい。

*「たたき」や「しゃくい」など，以下指揮法に関する用語については，斎藤秀雄『指揮法教程』（音楽之友社）を参照のこと。

▶ 指揮の図形

以下に示す図形は，指揮棒や指先が宙に描く軌跡を，指揮者の側から見て描いたものである。線の太さは手や棒先の動くスピードを表している。①，②，③…は拍を打つ「打点」を，そして「ト」は裏拍を表している。打点の手前で加速がかかる区間を「点前」（ト→数字の間），また打点の後の減速してゆく区間を「点後」（数字→トの間）と呼ぶ。

(1) 一つ振り

非常に速い2拍子や3拍子を，1小節=1拍に見立てて振る場合に用いる。叩きの一つ振りは，学校現場で実際に使う機会はまずないであろう。しゃくいの一つ振りは，ワルツを指揮する際によく用いられる。

叩き／一つ振り
（ベートーベン作曲　交響曲第5番「運命」第1，第3楽章など）

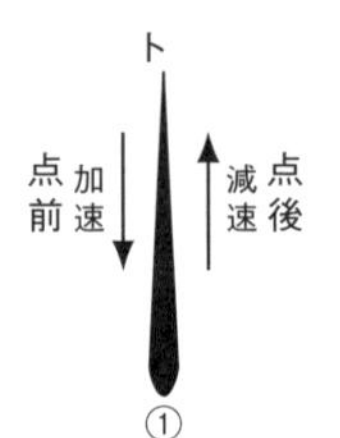

しゃくい／一つ振り
（「エーデルワイス」・「かっこう」など）

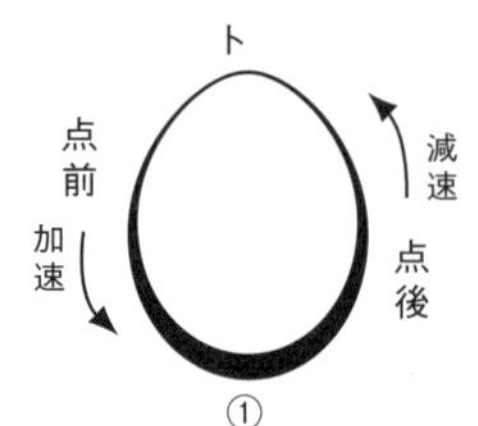

(2) 二つ振り

2拍子やテンポの速い4拍子，6拍子で用いる。

叩き／一つ振り
(「かたつむり」・「かくれんぼ」など)

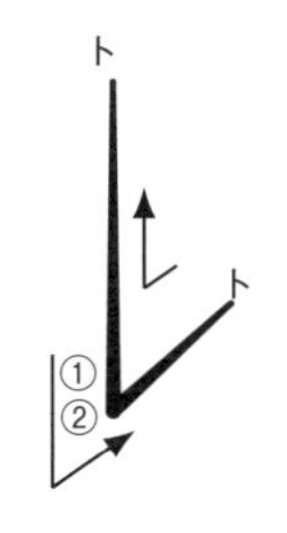

しゃくい／二つ振り
(「ひらいたひらいた」・「茶つみ」など)

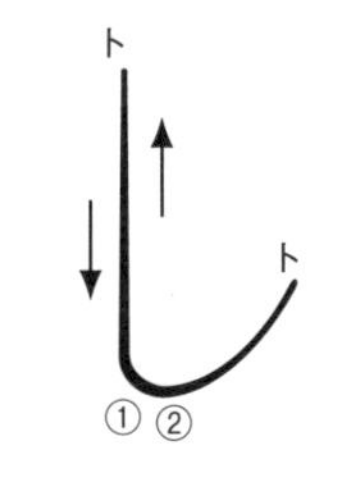

(3) 三つ振り

3拍子で用いられる。

叩き／三つ振り
(古典派のメヌエットなど)

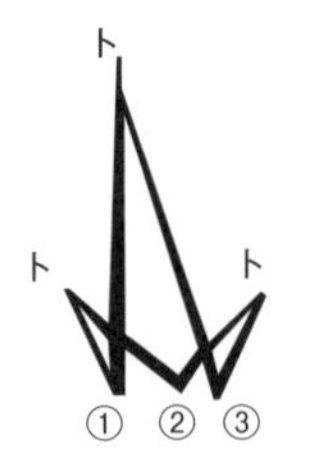

しゃくい／三つ振り
(「うみ」・「冬げしき」など)

(4) 四つ振り

4拍子や非常に遅い2拍子で用いられる。

叩き／四つ振り
(「こいのぼり」・「スキーの歌」など)

しゃくい／四つ振り
(「春がきた」・「さくらさくら」など)

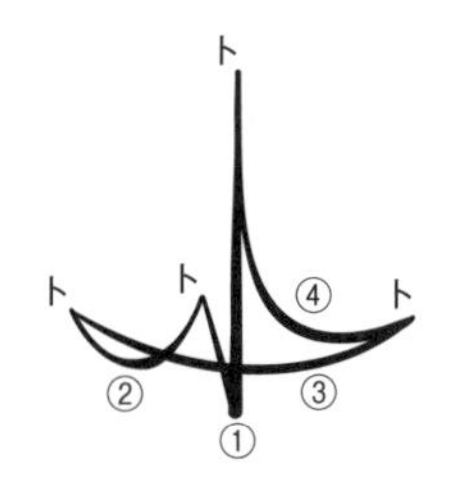

(5) 六つ振り

6拍子で用いる。この「複合拍子」を振るポイントは，1拍目を上から下，4拍目を左から右に明白に振ることである。

しゃくい／六つ振り
(「グリーンスリーブス」・「仰げば尊し」など)

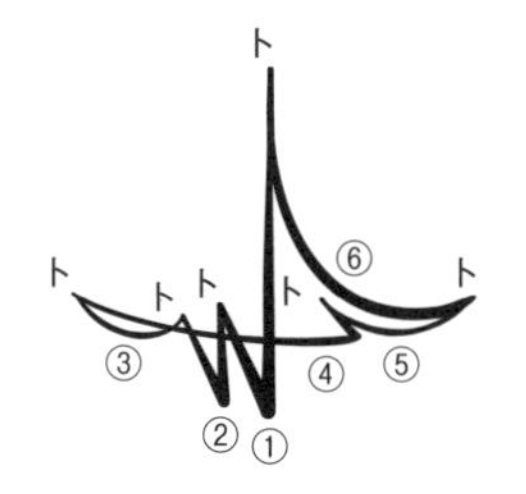

▶ 指揮の実際に当たって

(1) 曲の始め方

以下，4拍子を例に説明する。1拍目から始まる曲では，③トの位置に構え，演奏者の準備を確認してから④を打って動き始める。さらに④を打つ際，同時に目に見えるように大きくブレスを取ると，演奏者は①で音を出しやすい。この運動(予備運動）の速さ，強さが曲のテンポや性格を演奏者にあらかじめ伝える大事な役割を果たす。

4拍子（1拍目から曲が始まる場合）

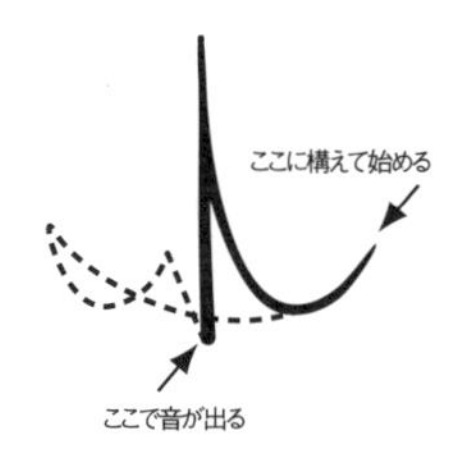

弱拍（アウフタクト）から始まる曲の場合はどうだろうか。例えば4拍目（④）から曲が始まる場合には，②トの位置に構え，3拍目を予備運動として示す。

4拍子（4拍目から曲が始まる場合）

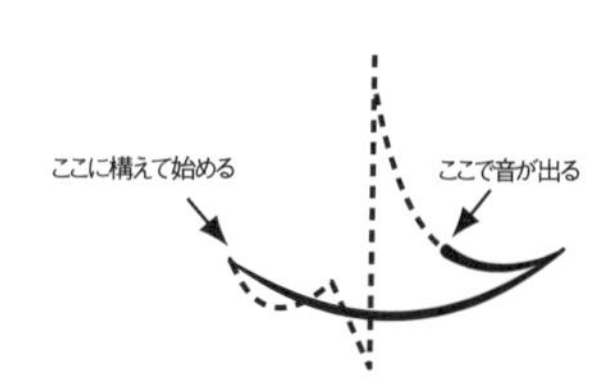

さらに，3拍目の裏拍から始まるような場合には，②の位置に構えて，2拍目の点後と3拍目とを予備運動にする。この際3拍目をやや鋭く振ると演奏者は③トで音を出しやすい。

4拍子（3拍目の裏から曲が始まる場合）

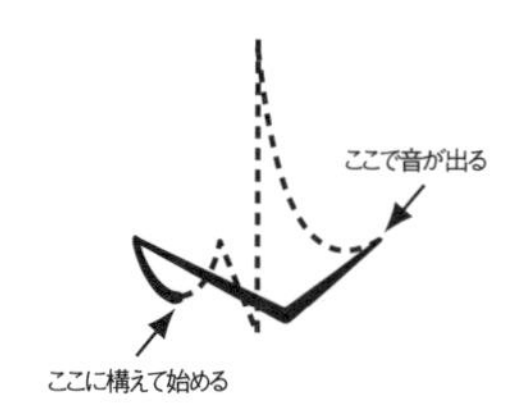

(2) 曲の終わり方

最後の音符が短い場合は，その次の拍を叩くふりをして，そのまま手を下ろしてしまうとよい。

また，ある程度長さを保つ必要がある場合は，最後の音で手を止め，音を切るべき時点で円を描いて音を切る仕草をしてから手を下ろす。この場合は，右手のかわりに左手を用いると分かりやすい。

(3) フェルマータ

フェルマータとはイタリア語で「停止」を意味する。この箇所で手は原則として止まっていなければならない。フェルマータの箇所では，(1)記号のある音符上（打点）で手を止める。(2)音を延ばしている間に次に音を出す拍の予備拍の位置まで手を静かに移動させる。(3)曲を始めるときと同様，予備運動をして次の拍から音を出す。といった手順をとる。この場合例えば，3拍目を2度たたくことも起こりうる。

(4) デュナーミク（強弱法）

原則として ***f*** は図形を大きく，***p*** は小さく振る。その場合，***pp*** なら手首，***mf*** ならひじ，***ff*** なら肩というように，主として用いる関節を明白に変えると分かりやすい。クレシェンドやデクレシェンドを表現する場合は図形の大きさを漸次変えてゆく。また，左手を用いたり，胸を張ったり肩をすぼめたり，といったジェスチャーも有効である。なお，指揮の際に特に重要なのは「次に何が起こるか」を指示することである。例えばある拍に ***f*** がくる場合，その1拍前の点後で ***f*** を指示しなければならない。

(5) アゴーギク（速度法）

楽曲のある箇所から急に速くなったり遅くなったりする場合はその直前の拍でするどく振ったり（速くなる）重々しく振ったり（遅くなる）して次のテンポを予告する。アッチェレランドの場合は手の運動を速くして行くと同時に，点後ではじけるような運動（跳ね上げと呼ぶ）をすると効果的である。リタルダンドの場合はまるで手が重くなったかのような仕草で，実際に鳴っている音楽の後からついていくように手を動かしていくとよい。

(6) よくあるトラブル

指揮者本人は意図していないのに演奏がだんだん遅くなっていく，あるいは逆にだんだん速くなっていくといった現象はしばしば起こる。前者は特に演奏に耳を傾け過ぎることに起因する弊害である。人間は本来，音楽に「合わせて」身体を動かすことには慣れているが，実はそのとき少し遅れて動いているのである。こういった場合，アンサンブルを少し「リードする」気持ちで振るとよい。逆にテンポが速くなる現象は，指揮者が夢中になってしまって，実際に鳴り響いているアンサンブルを聴いていないときに起きやすい。

ところで，演奏者が指揮者を「見すぎる」ことによってもアンサンブルの乱れは生じやすい。過度に指揮者に注意を集中させるより，演奏者同士で聴き合い，音楽の流れを感じ取らせることに注意を向けさせたほうが，よい結果を生むものである。実は，使用する楽器や人数など，様々な要因によって，アンサンブルの指揮に対する反応は微妙に異なってくる。こういったズレは経験によって慣れるしかないが，柔軟性が必要である事を明記しておきたい。

▶ 最後に

指揮法は様々な約束事から成り立っている。「指揮者が構えたら楽器を構える」に始まり，指揮者のみならず奏者も様々な約束事を知らない限り，よいアンサンブルは期待できない。そして指揮者はまずなによりも，最初に述べた人間のアンサンブル能力を信じなければならない。アンサンブルとは「皆で合わせること」であって「指揮者に合わせること」ではない。大切なのは奏者が自発的に「合わせよう，よい音楽をしよう」という気持ちになることである。そのためには指揮者が楽曲に対して豊かなイメージとそれを伝えるための豊富な語彙をもつこと，間違いに瞬時に気付いて的確な指導ができること，練習時間の合理的な使い方などのプローベ・テクニック（合奏指導法）が指揮法以上に重要になってくる。

実際の授業の場では教師は子どもとともに歌い，楽器を奏でながらアンサンブルをリードしなければならない。教師が自らの音楽性で子どもの心を捉え，教室に創造的な場を作り出すことが大切なのであり，指揮法などはごく瑣末な問題なのである。

（山田啓明）

第５部
資料編

1 | 音楽教育の歩み(略史)

[明　治]

(1) 学制と唱歌

明治維新における政府の重要な政策のひとつは，教育を普及し，先進諸国の文化を吸収して早急に我が国の近代化を図ることであった。そのため明治4年に文部省を設置すると，学制取調掛を任命し，その答申を得て翌5年8月（陰暦）「**学制**」を制定した。

学制では下等小学（6～9歳）の「唱歌」，下等中学（14～16歳）の「奏楽」の科目が，「当分之ヲ欠ク」とされた。

(2) 唱歌教育の試行

後に唱歌実施の先達となった**伊沢修二**（1851～1917）は，明治7年愛知師範学校長に任命され，そこで幼児に唱歌遊戯を試みた。また明治10年から東京女子師範学校附属幼稚園では，唱歌を用いた保育が行われた。その**保育唱歌**（例「風車」）は，宮内省式部寮雅楽課に依頼して作られた。

(3) 音楽取調掛の設置

明治8年，伊沢修二は師範学科取調のためアメリカへ派遣されたが，11年，留学生監督官目賀田種太郎と連名で，「学校唱歌ニ用フベキ音楽取調ノ事業ニ着手スベキ見込書」を文部大輔に提出，さらに目賀田は個人でも見込書を提出した。これらのことがあって文部省は明治12年，**音楽取調掛**を設置し，伊沢を御用掛（後に掛長）に任命した。

伊沢が文部卿に提出した見込書には，「東西二洋ノ音楽ヲ折衷シテ新曲ヲ作ル事」「将来国楽ヲ興スベキ人物ヲ養成スル事」「諸学校ニ音楽ヲ実施スル事」が述べられている。

翌13年にはボストンの音楽教育家メーソン（L.W.Mason）が招聘され，東京師範学校，同女子師範学校で唱歌を教えた。またその助力を得て，取調掛では伝習生の教育，『**小学唱歌集**』，『**唱歌掛図**』の編集などを推進した。

『小学唱歌集』は明治15年から17年にかけて3冊が発行された。これらの曲の大部分は，外国の曲に日本語の歌詞を付けたもので，「蝶々」，「蛍（蛍の光）」，「菊（庭の千草）」など，現在でも歌われているものがある。

取調掛はこのほかに音楽書の出版，楽器の試作や改良，俗楽の改良，『**箏曲集**』の編集，『**幼稚園唱歌集**』の出版なども行ったが，明治20年，**東京音楽学校**となった。

(4) 唱歌の位置と目標

明治14年の「小学校教則綱領」で，小学初等科の唱歌は，「教授法等ノ整フヲ待テ」設けるとしたが，初等科・中等科・高等科とも，唱歌を含めて学科の増減が可能であった。唱歌の目標は「…凡唱歌ヲ授クルニハ児童ノ胸郭ヲ開暢シテ其健康ヲ補益シ心情ヲ感動シテ其美徳ヲ涵養センコトヲ要ス」と示した。

その後音楽取調掛が唱歌集を出し，また卒業生が出るようになって，唱歌は徐々に広まっていった。しかし明治19年・23年の「小学校令」，33年における改正においても，唱歌は加えてもよい学科，あるいは欠いてもよい学科といった扱いであった。

唱歌の目標は，33年の「小学校令施行規則」についていえば，「唱歌ハ平易ナル歌曲ヲ唱フコトヲ得シメ兼テ美感ヲ養ヒ徳性ノ涵養ニ資スルヲ以テ要旨トス」と示した。

(5) 儀式唱歌の制定

明治22年の「大日本帝国憲法」の発布により，天皇制国家主義体制の基礎が固まり，さらに23年の「**教育ニ関スル勅語**」によって，教育の向かうべき方向が示された。

文部省は翌24年「小学校祝日大祭日儀式規定」の中で，祝祭日に相応する唱歌を合唱することを定めた。これにより，審査委員が任命され，26年8月「祝日大祭日歌詞並楽譜」として，「君が代」「勅語奉答」「一月一日」「元始祭」「紀元節」「神嘗祭」「天長節」「新嘗祭」を告示した。これらの中の式日唱歌は太平洋戦争終結まで歌われ，イデオロギーの形成に役割の一端を担った。

(6) 唱歌教材の多様化と言文一致唱歌

明治19年の小学校令で，教科書は文部大臣の検定したものに限ると定め，**教科書検定制度**ができた。27年に日清戦争が始まり，その前後には**軍歌**（例「勇敢なる水兵」）が大流行した。これらも多くは文部省検定済であった。

明治20年代，30年代には伊沢修二編『小学唱歌』をはじめ，多くの検定教科書が出現した。題材も様々な教科と関連を図り，修身，国語，地理，歴史などの唱歌が現れ（例「金剛石」「川中島」「鉄道唱歌」），唱歌は新しい役割を担うようになった。

明治33年から出た納所弁次郎・田村虎蔵編『幼年唱歌』，それに続く『少年唱歌』の中には**言文一致**（げんぶんいっち）（口語体）の唱歌が出現した。これは唱歌の革命ともいえるもので，保守派からの批判もあったが広く愛唱された。**滝廉太郎**も，『幼稚園唱歌』の中の言文一致唱歌を作曲している。（例「お正月」「鳩ぽっぽ」）

(7) 国定教科書と文部省唱歌

かねてから，教科書採択をめぐる贈収賄が問題になっていたが，明治35年12月，教科書疑獄事件が起こり，それを機に小学校では国定教科書が生まれた。唱歌は国定にならなかったが，40年に小学校令が改正されたこともあり，文部省は43年に『**尋常小学読本**（とくほん）**唱歌**』を，44年から大正3年までに読本唱歌を吸収した学年別の，『**尋常小学唱歌**』6冊を発行した。

この中には，現在でも小学校の歌唱共通教材として取り扱われ，日本人ならだれもが知っている「春がきた」「もみじ」「ふるさと」（いずれも文部省唱歌／高野辰之作詞／岡野貞一作曲）などの名歌が数多く含まれている。

『尋常小学唱歌』の作成に当たった東京音楽学校関係者は，全国の師範学校にアンケート調査をした上で編集方針を立て，教科統合的な題材構成，言文一致体の一部採用などの従来の流れを継承する一方，記譜に関しては従来の本譜数字譜併記形態を改め，第1学年から本譜一本に統一した。

年代	事項
1871（明4）	● 文部省設置。
72（明5）	● 学制公布。 下等小学　唱歌…当分之ヲ欠ク 下等中学　奏楽…当分之ヲ欠ク
74（明7）	● 伊沢修二を愛知師範学校長に任命。伊沢，唱歌遊戯を試みる。
77（明10）	● 東京女子師範学校附属幼稚園で唱歌による保育。
78（明11）	● 目賀田種太郎・伊沢修二，米国より文部省へ音楽取調事業の着手につき上申書。
79（明12）	● 文部省音楽取調掛設置（御用掛伊沢修二）。
80（明13）	● ボストンよりメーソンを招聘。
82（明15）	●『小学唱歌集』初篇発行（16年，第二篇。17年，第三篇）『唱歌掛図』初篇・続篇発行。
87（明20）	● 音楽取調掛は東京音楽学校となる。『幼稚園唱歌集』発行。
93（明26）	● 祝日大祭日儀式用唱歌選定。「君が代」「勅語奉答」など8曲
94（明27）	● 日清戦争をはさんで軍歌盛ん。
1900（明33）	● 言文一致唱歌の出現。納所弁次郎・田村虎蔵編『幼年唱歌』。
1（明34）	● 東京音楽学校編『中学唱歌』に滝廉太郎の「荒城の月」「箱根八里」が載る。
2（明35）	● 教科書疑獄事件発生。国定教科書発行の要因となる。
7（明40）	● 小学校令改正，尋常小学校6か年が義務教育となる。
10（明43）	●『尋常小学読本唱歌』発行。
11（明44）	● 大正3年までに『尋常小学唱歌』6冊（読本唱歌を吸収）発行。
18（大7）	● 鈴木三重吉『赤い鳥』発刊。翌年『赤い鳥童謡』発行。童謡運動の口火となる。
20（大9）	● 福井直秋，児童発声研究会開催。同じ頃に草川宣雄，頭声発声を提唱。
22（大11）	● 日本教育音楽協会設立（理事長小山作之助）。翌12年『教育音楽』創刊。

[大　正]

(8) 芸術教育思潮の紹介と影響

明治の後期から大正にかけて，欧米の新しい思想や教育思潮が，我が国に伝えられた。

大正3年頃，ドイツで起こった**芸術教育思潮**が小西重直によって紹介されたのもそのひとつである。それは，すべての児童や青年を芸術的に陶冶しようとするもので，音楽では鑑賞教育や創作教育が主張された。

その頃から青柳善吾が音楽の**鑑賞教育**を提唱し，大正期の後半においてはレコードによる鑑賞教育が試みられた。また創作は，「自由画」に倣ってか「**自由作曲**」が提唱され，10年頃から試みられた。これは唱歌教育から音楽教育へ脱皮する兆しであった。

(9) 童謡運動

大正7年，鈴木三重吉が児童雑誌『**赤い鳥**』を発刊した。その中の西条八十の詩「かなりや」に成田為三が作曲したものが大ヒットし，童謡運動に火をつけた。「**童謡**」は「童話」に対する言葉として用いられたが，この運動の中心であった北原白秋は，子どもの歌の基本をわらべうたに置き，明治以来の西洋的，教化的唱歌教育に批判的であった。

「赤い鳥」に刺激されて「金の船」(**金の星**に改題）が創刊，野口雨情を中心にして多くの童謡を生んだ。(例「十五夜お月さん」「七つの子」「証々寺の狸囃子」「あの町この町」)

[昭　和]

(10) 文部省音楽教科書の改訂

大正童謡は子どもの心情に合い，広く歌われたが，検定を受けたものは10曲ほどで（例「靴が鳴る」「背くらべ」「夕焼小焼」)，正式な学校教材に用いられる曲は少数であり，唱歌教材の主流は『尋常小学唱歌』であった。

その改訂版『**新訂尋常小学唱歌**』が昭和7年に発行された（新教材の例「牧場の朝」「スキーの歌」)。また昭和5年に発行された『高等小学唱歌』の改訂版『**新訂高等小学唱歌**』が10年に発行された。

(11) 軍国主義と国民学校の音楽

昭和6年，我が国の関東軍は満州（中国）の，奉天（現瀋陽）近くで南満州鉄道の線路を爆破した。そして，これを中国側のしわざとして軍事行動を起こし（満州事変)，それが十五年戦争の発火点となった。12年には日華事変が勃発，戦火は次第に中国大陸に広がり長期化した。

文部省は12年に「教育審議会」を設置し，審議会は教学刷新の大々的な改革案を答申した。基本方針は，皇国の道にのっとった国民の錬成であった。

昭和16年，小学校は国民学校と改称，唱歌は「**芸能科音楽**」と変わった。その目標は，「芸能科音楽ハ歌曲ヲ正シク歌唱シ音楽ヲ鑑賞スルノ能力ヲ養ヒ国民的情操ヲ醇化スルモノトス」と示した。

教科書は国定となり，時局を反映した多くの新作教材が掲載された（例「戦友」「特別攻撃隊」「満州のひろ野」)。また，唱歌のほかに鑑賞が加わり，器楽指導をしてもよいことになった。

(12) 戦後の教育改革と音楽教育

昭和20年8月の終戦により，以後，連合国軍の占領下において，民主主義に基づく教育改革が進められた。21年の「日本国憲法」に次いで，22年には「教育基本法」や「学校教育法」が公布され，6・3・3・4制の小・中学校がまず発足した。この年文部省は小・中学校の音楽教科書を発行したが，以前のような国定ではなく，検定教科書へ移行していった。

昭和22年にはまた占領軍（担当は民間情報教育局=CIE）の指示によって，『**学習指導要領**』（試案）が作成・発行された。

音楽は歌唱・器楽・鑑賞・創作の4領域となり，音楽教育の目標を「音楽美の理解，感得によって高い美的情操と豊かな人間性を養う」と定めた。

学習指導要領はその後右の年表のように改訂され，今日に及んでいるが，講和条約が発効してから初めての昭和33年の学習指導要領からは，官報に告示されるようになり，国家的基準としての性格をもつようになった。

(13) 音楽教育の発展

戦後の音楽教育は，各領域とも指導内容・指導法が研究され，戦前の教育とは面目を一新した。その間，30年代にはカール・オルフやコダーイの教育法が紹介されたり，我が国でも民間教育団体が，わらべうたから出発する教育を提唱したりした。

昭和38年に開催された国際音楽教育会議は，音楽教育国際化の口火を切るものであった。

40年代には，小・中・高・大の全国組織を一本化した，「全日本音楽教育研究会」が発足，部会大会と合同の全国大会が交互に開催されている。

昭和50年代には，中央教育審議会が「生涯教育について」答申を行い，社会の変化に対応できる学習社会を提唱し，学校教育も従来の詰め込み方式の教育から，ゆとりある児童・生徒の側に立つ教育へと転換が図られた。

[平　成]

平成に入ってからは，〈自己教育力〉〈国際理解〉〈生涯学習〉などをキーワードとして改革が進められ，音楽教育においては「創造的音楽学習」「世界の諸民族の音楽」の学習などが導入された。

平成18年には，教育基本法が59年ぶりに改正され，伝統と文化の尊重などが盛り込まれたのを受けて，音楽教育でも「我が国や郷土の音楽」「音楽文化」への理解が，より重視されるようになる。

今日の学校音楽教育では，「生きる力」を育むために，三つの柱で整理された資質・能力の着実な育成を目指して，〔共通事項〕の指導内容の改善，言語活動の充実などの課題に応えることが求められている。

（文責：編者）

1930（昭5）	● 文部省『高等小学唱歌』を発行。
32（昭7）	● 文部省『新訂尋常小学唱歌』(1～6)を発行。
35（昭10）	● 文部省『新訂高等小学唱歌』を発行。
41（昭16）	● 国民学校令公布。唱歌は芸能科音楽となる。音楽教科書は国定となり，イロハ音名唱法を採用。
45（昭20）	● 終戦，21年暫定教科書を発行。
47（昭22）	● 教育基本法公布，新制小・中学校音楽教科書を発行。学習領域が歌唱・器楽・鑑賞・創作となる。
51（昭26）	● 第2次学習指導要領発行。
56（昭31）	● 全国音楽教育連合会の結成。
58（昭33）	● 第3次学習指導要領（小・中）を告示。共通教材の提示。
62（昭37）	● カール・オルフ来日，東京など6か所で講演と指導。
63（昭38）	● 第5回国際音楽教育会議（ISME）を東京で開催。
68（昭43）	● 第4次学習指導要領告示。中学校は44年。基礎の重視。
69（昭44）	● 全日本音楽教育研究会発足（会長福井直弘）。
77（昭52）	● 第5次学習指導要領（小・中）告示。領域の統合，内容の精選。
89（平元）	● 第6次学習指導要領（小・中）告示。豊かな感性，個性的・創造的な学習活動。
98（平10）	● 第7次学習指導要領（小・中）告示。愛好する心情，内容の厳選，小学校歌唱を除く共通教材曲目指定の廃止。
2006（平18）	● 教育基本法改正。
08（平20）	● 第8次学習指導要領（小・中）告示。中学校目標で「音楽文化についての理解」を導入し，歌唱共通教材7曲を復活させた。
17（平29）	● 第9次学習指導要領（小・中）告示。生活や社会の中の音や音楽と豊かに関わる資質・能力，音楽的な見方・考え方。

2 | 教育実習

教育実習とは，教師を目指す学生が学校教育の実際について，総合的・体験的に学ぶ場である。ここでは，音楽科の実習授業を有意義に進めるためのいくつかのポイントを述べる。

▶ 教育実習の事前準備

授業とは，教師の「教える」という行為と，学習者の「学ぶ」という行為が，教材を媒介として意図的・計画的に展開される営みである。したがって事前準備も，この教師・学習者・教材という観点を視野に入れて進めることが望ましい。

その第1段階としては，まず学習指導要領解説（音楽編）に示されている音楽科の目標や内容，指導計画の作成と各学年にわたる内容の取扱いなどについて，しっかりと目を通すことである。そのことによって音楽科の特質や自分が実習で行う授業の位置付けなどが理解できる。具体的に指導する題材（教材）を決定し教材研究を進める際には，その学年の目標や内容などをもう一度読み直し，学習者にどの内容を重点的に身に付けさせるのかを確認する必要がある。

第2段階としては，教材研究である。つまり実際に学習者に学ばせることになる教材がどのようなものなのか，その特徴（構造的側面・感性的側面・文化的側面）や教材性（芸術的・教育的・民族的）などを検討していく。ただそれを進める際には，あまり理論的な分析のみに偏らないように留意しなければならない。例えば歌唱教材であれば，教師自身がその楽曲を自分で何度も歌ってみたり聴いてみたりする直接体験を通して，作品のよさ（魅力）をしっかりと捉えておくことが大切である。また伴奏などの練習も必要である。伴奏が難しい場合には，伴奏用CDなども市販されているので，あまり心配しすぎなくてもよい。

最後の第3段階としては，学習者の実態を把握することである。これに関しては，事前にはなかなか難しい場合もあるが，大学で教育実習の一環として実施されている観察参加などの機会に子どもの様子をしっかりと見ておくこと。もしそのような機会がない場合には，実習の受け入れ校にお願いして事前に授業を参観させていただくことも考えられる。また直接実習校でなくても，各都道府県で実施されている公開授業研究会などに参加してみるのも有用な方法である。とにかく実習がはじまるまでは何かと不安な気持ちになることもあるが，一つ一つ確実に準備を進めておくことが，その不安を解消するために最も必要なことである。

▶ 授業観察の視点

自分が実習授業をする前段階として，教師や他の実習生の授業を観察することは，教育実習の重要な経験の一つである。次に音楽科の授業における観察の視点を挙げてみる。

・教室の環境がどのように工夫されているか。

これは授業を観察するに当たって，最初に注意すべき事項である。例えばピアノの位置，机やイスなどの配置がどのようになっているか，また器楽の場合には楽器の維持・管理が適切になされているか，さらに鑑賞の場合にはどのような機器やメディアが用いられているかなど，学習活動の内容による教室の環境の工夫点を観察する。

・教授ー学習過程がどのように展開されているか。

授業とは，前述したように教師の教授過程と児童の学習過程が有機的に結び付いた一連の営みである。音楽科においては，言語，音あるいは音楽などによる教師の何らかの働きかけと，それに対する学習者の反応，つまり学習活動によって授業が進められ，導入－展開－まとめという過程を経て，設定されたねらいへと接近するのである。

したがってその中での観察は，教師の指示・質問・発問・説明・助言・励まし・評価などの言語的行動，範唱・範奏・伴奏・指揮，さらに身振り・目の動き・顔の表情・間の取り方などを含めた非言語的行動，また板書や情景画・拡大歌詞・拡大楽譜の工夫など，多くのポイントがある。学習者の場合も同様に，言語的・非言語的行動を観察していくが，そこでは教師の働きかけに対して，個別・小集団・一斉などの学習形態の中で，教師－

学習者間，また学習者間のコミュニケーションを通してどのように学習が成立しているかを観察していくことが大切である。そして最後に，授業全体を振り返って，その授業のよかった点や課題などを整理し，自分の授業に生かせるようにしたい。

▶ 授業の設計及び実践

自分が実習授業を設計・実践する段階では，次の二つの側面からの工夫が必要である。

一つ目は，学習指導の目標を立て題材を構成することや，授業展開の計画を工夫することである。この段階では，学習のねらいの達成に向けて児童自らが音楽的な見方・考え方を働かせて音楽活動に取り組み，楽曲のよさや美しさを感じて音楽を表現したり鑑賞したりするための授業設計を行う。そのためには，どのような教材を用いて題材を構成し，どのような方法（手だて）や手順で授業を効果的に展開していくのか，さらにどのような資質・能力を育成するのか，などについて検討しながら学習指導案を作成し，指導目標や教材観，児童観，方法観をより具体的に示すとともに，指導場面で必要な教具などの確認を行い，授業のねらいや展開を明確にすることが求められる。

二つ目は，実際の授業の中で子どもたちを積極的に学習活動に参加させるために，学習の展開における導入－展開－まとめのそれぞれの段階において，徐々に内発的な学習意欲が高まるような指導の工夫について検討することである。つまり教師はまず導入において，授業が「面白そうだ」とか「学習してみたい」と情意的及び知的ゆさぶりによって学ぶ構えをつくりだし，学習を展開するプロセスの中で，「分かった」「できた」「考えが深まった」というような学習の成果を通して,「ますます面白くなってきた」「もっと続けてやってみたい」と子どもが実感できるようになるような情意の高まりを目指し，学習活動を支援していくことが求められる。

そしてさらに，子どもたちが音楽への思いやイメージを膨らませ，積極的に表現や鑑賞の活動に取り組み，変容していく姿や学習状況を，「知識・技能」「思考・判断・表現」「主体的に学習に取り組む態度」といった学力の三つの要素に沿った観点に基づいて，学習者の目標実現の状況を適切に把握することが必要である。

実習の場ではいろいろと戸惑うこともあるが，指導教員と十分に意思の疎通を図り，アドバイスを受けながら，授業実践に取り組むことが大切である。教育実習の最終段階における査定授業では，それまで自分が勉強してきたことを振り返りながら悔いの残らないように準備を進め，落ち着いて当日の授業に臨めるようにしてほしい。

▶ 授業トラブル解消法（こんなときどうする？）

・指導案が思うように書けない。

指導案は，授業づくりの設計図となるもので，教育実習においても必ず作成が求められる。書けないということは，自分が授業を通して学習者に何をどのような手順で学ばせたいのかということが，まだはっきりと定まっていないという場合が少なくない。今一度，学習指導要領解説（音楽編）を読み直してみること。そこには各学年で学ばせる内容や活動の例などが示されているので，それらを参考にすること。

・子どもが騒がしくなったり，歌ってくれない。

音楽科は教師の指示が多い教科である。騒がしいとその指示内容が伝わらず，学習活動そのものが停滞してしまう。まずは学習規律について，先生の姿勢を示すこと。それと音楽的な活動では，教師が子どもと一緒に大きな声で歌ったり，楽しく踊ったりするように心がけること。

・指導案どおりに授業がなかなか進まない。

特に実習の最初のうちは，自分の思うように授業が進まなかったり，逆に早く終わってしまったりすることがある。できれば実習前に仲間で集まって模擬授業などを行い，授業の流れを確認するとともに，そこで出てきた課題を整理し，本授業に備えること。また実習中の授業で何か問題などが生じた場合には，すぐ指導教員に報告・連絡・相談しアドバイスを受けること。決して一人で悩まないこと。これが一番大切なことである。

（木村次宏）

3 | 教員採用試験

例年，教員採用候補者選考試験（採用試験）は，都道府県・政令指定都市教育委員会ごとに，教育施策・求める教師像などに明確な特色を出してきている。これらは毎年変化するので，事前に当該年度の特色を把握しておくことが大切である。また，採用試験には，一次試験，二次試験があり，一次試験では一般教養，教職教養，専門教養，専門の学力試験が課されている。その出題は，多岐にわたり音楽科においても，幅広く出題される。

二次試験では小論文（論作文），模擬授業，集団討論・集団面接，個人面接などがある。二次試験は，都道府県・政令指定都市によって模擬授業がある場合とない場合があるので注意深く見ておく必要がある。なお，模擬授業に音楽科を選ぶ場合は，楽器などがない中で行うため，前もって準備に工夫が必要である。

(1) 志望する都道府県・政令指定都市の教育方針・重点・内容及び採用案内

都道府県・政令指定都市教育委員会では，「公立学校教員採用候補者選考試験（採用試験）」「公立学校教員募集案内」のパンフレットを発刊している。これらはインターネットで検索すればすぐ把握することができる。また，都道府県・政令指定都市に直接問い合わせ，返信用の封筒を添え依頼すれば手に入れることができる。それらを熟読し対策することがまずはじめの一歩である。

(2) 求められる教師の資質・能力

教員の資質・能力に関しては，次のような資質能力が求められている。

○教科などに関する優れた専門性と指導力，広く豊かな人間性がある。

○教育者としての使命感・責任感・情熱，子どもに対する深い愛情がある。

○豊かな人間性や社会人としての良識があり，保護者・地域から信頼される。

総じて，各教科に対する優れた専門性と授業力及び豊かな人間性・社会性が求められている。また，音楽科では，各種コンクールなど（ピアノ，吹奏楽，合唱，マーチングバンド，作曲など）の上位入賞者に対して，二次試験の個人面接などで質問され，考慮されることがあるため，エントリーシートにはしっかり明記しておくことが大切である。

▶ 音楽科の設問内容

音楽科の設問内容には，音楽の知識と学習指導要領，指導法を問う問題が出される。解答は，コンピュータで採点されるので正しく丁寧にマークする必要がある。基本的に学習指導要領及び音楽科の教科書に掲載されている教材から出題されることが多い。

(1) 学習指導要領に関する出題

小学校音楽科の「目標」，各学年の「目標及び内容」「指導計画の作成と内容の取扱い」のいずれからも出題される。また，平成20年小学校学習指導要領第2章第6節音楽に新設された〔共通事項〕の音楽を特徴づけている要素や音楽の仕組み，音符や休符，記号，音楽に関わる用語からの出題も見られる。今後は，平成29年3月告示新学習指導要領第6節音楽について熟読するとともに，大学必修科目「音楽科教育法」を確実にマスターしておくことが大切である。

(2) 音楽科の教材（教科書）に関する出題

歌唱共通教材からは，(1) で述べたように，楽譜から音符・記号・曲名が問われる設問が多い。したがって，楽譜を見た際，①楽曲名や作詞者・作曲者名がいえる。②大きな声で歌える。③簡単な和音伴奏で歌うことができるとよい。とりわけ，和音伴奏をすることにより，楽曲と和音（主要三和音など）との関わりを構造的に理解しておくことが大切である。

また，歌唱共通教材をソプラノリコーダーで演奏できるようにしておくとよい。器楽の出題傾向には，①楽曲が何分の何拍子か。②何年生の共通教材か。③旋律をみて指定された音符の音名を書く。④ソプラノリコーダー（バロック式，ジャーマン式）で，運指を問うなどの問題が出題されることがある。

鑑賞教材は，共通教材が示されていないが，教科書に掲載されている鑑賞楽曲の作曲者や，その作品の生まれた時代や背景，楽器の音色の特徴，奏法など幅広い知識が求められる出題も見られるため，丁寧に見ておくとよい。

▶ 実技試験

(1) 歌唱共通教材の「弾き歌い」

一次試験を通過すると二次試験では次のような実技試験が課される。

○電子オルガンによる伴奏付け・弾き歌い。

(例)「さくらさくら」「こいのぼり」「スキーの歌」より任意の1曲，または指定された1曲を弾き歌いする。

弾き歌いは，本伴奏で表情豊かに歌うことが望ましいが，自分の力量に応じて簡易伴奏で歌ってもよい。音楽の授業を想定して演奏するので途中で止まらないようにし，暗譜で臨むことが大切である。

(2) 器楽演奏

○ソプラノリコーダーの演奏。

(例)「かたつむり」「うさぎうさぎ」「春の小川」から任意の1曲または，指定された曲，例えば，「威風堂々」1曲などがある。

したがって，ハ長調・ヘ長調などの簡単な楽曲の初見演奏には馴染んでおきたい。

▶ 模擬授業

二次試験に課されるものに模擬授業がある。模擬授業は，受験者が教科を決定して指導案を作成し授業に臨む場合と出されたテーマに応じて即興的に授業に臨む場合がある。これらは，各都道府県・政令指定都市によって異なる。二次試験の小論文（論作文），模擬授業，集団討論・集団面接，個人面接などの中で，個人面接の次に配点が高いので準備はしっかりとしておきたい。音楽が得意な受験者は，音楽の模擬授業を選択する場合が多いので，次のことに配慮して授業をするとよい。

○指導案を持ち込んで授業をする場合

・題材目標，題材の評価規準，題材の指導計画と評価計画，本時目標と本時の評価規準，本時のめあて，学習活動<導入-展開-終末>，配慮することがらが網羅され記載されているか。

・展開に，主体的意欲的に学ぶための協働的な学習形態（ペア学習・グループ学習など）を工夫して入れているか。

・指導事項としての〔共通事項〕が含まれているかなどを確認する。

○出されたテーマに対して即興で授業を行う場合

・何分で行うのかを確認しておく。

・本時で指導する指導内容を想定する。

・試験場に楽器がないため，楽器を使わないでできる展開を考えておく。(リズムと身体表現など)

・児童の思考を引き出すように，ペア，グループ学習を想定しておく。いずれの場合も，試験前までに，リフレクションしながら授業を練り，授業改善をして臨むことが大切である。

▶ その他の幅広い知識

(1) 我が国や諸外国に伝わる楽器や楽曲など

我が国の音楽の特徴を感じ取りやすい和楽器による音楽，雅楽，歌舞伎，狂言，文楽の一場面などを含め，多くの人々に親しまれている音楽，または，諸外国の多くの人々に親しまれ伝えられている音楽などについて幅広くて鑑賞したり，実際に触れたりしておくとよい。楽器の特徴や音色，奏法などを知っておくことは，実際に教育現場に立ったときに役立つ。

(2) 音楽史など

古典派，ロマン派，近代，現代それぞれの時代の音楽的特徴を理解し，有名な作品を聴いたり，その背景を調べたりするとよい。とりわけ，ロマン派には，著名な作曲家が多く，教科書にも多く取り上げられている。

▶ その他

具体的に理想の教師像をもち，どの試験においても自信をもって臨むようにしたい。採用試験では，人物重視という観点から個人面接・模擬授業が重視される。面接官には明るく爽やかに受け答えできるよう日頃から，意欲的に対策していくことをおすすめする。なお，AT（Assistant Teacher）や教育ボランティアなどで常に現場に接していることにより現場の先生方の指導を知ることができるため，積極的に現場に関わり実践力・即戦力を身に付けておくことが大切である。

（坂田映子）

4 小学校児童指導要録（参考様式）

文部科学省初等中等教育局長通知（平成31年3月29日）より

様式２（指導に関する記録）

児童氏名	学校名	区分＼学年	1	2	3	4	5	6
		学級						
		整理番号						

各教科の学習の記録

教科	観点＼学年	1	2	3	4	5	6
国語	知識・技能						
	思考・判断・表現						
	主体的に学習に取り組む態度						
	評定	／	／				
社会	知識・技能	／	／				
	思考・判断・表現	／	／				
	主体的に学習に取り組む態度	／	／				
	評定	／	／				
算数	知識・技能						
	思考・判断・表現						
	主体的に学習に取り組む態度						
	評定	／	／				
理科	知識・技能	／	／				
	思考・判断・表現	／	／				
	主体的に学習に取り組む態度	／	／				
	評定	／	／				
生活	知識・技能			／	／	／	／
	思考・判断・表現			／	／	／	／
	主体的に学習に取り組む態度			／	／	／	／
	評定	／	／	／	／	／	／
音楽	知識・技能						
	思考・判断・表現						
	主体的に学習に取り組む態度						
	評定	／	／				
図画工作	知識・技能						
	思考・判断・表現						
	主体的に学習に取り組む態度						
	評定	／	／				
家庭	知識・技能	／	／	／	／		
	思考・判断・表現	／	／	／	／		
	主体的に学習に取り組む態度	／	／	／	／		
	評定	／	／	／	／		
体育	知識・技能						
	思考・判断・表現						
	主体的に学習に取り組む態度						
	評定	／	／				
外国語	知識・技能	／	／	／	／		
	思考・判断・表現	／	／	／	／		
	主体的に学習に取り組む態度	／	／	／	／		
	評定	／	／	／	／		

特別の教科　道徳

学年	学習状況及び道徳性に係る成長の様子
1	
2	
3	
4	
5	
6	

外国語活動の記録

学年	知識・技能	思考・判断・表現	主体的に学習に取り組む態度
3			
4			

総合的な学習の時間の記録

学年	学習活動	観点	評価
3			
4			
5			
6			

特別活動の記録

内容	観点＼学年	1	2	3	4	5	6
学級活動							
児童会活動							
クラブ活動							
学校行事							

5 | 学習指導案例

[鑑賞] 第5学年音楽科学習指導案

年　月　日（　）第　時限
第5学年　組　名
授業者

1. 題材名

「速さの変化を味わおう」

2. 題材の目標

体を動かす活動を通して，曲にある速度の変化と音楽の構造との関わりを理解し，曲や演奏のよさなどを見いだし，曲全体を味わって聴くことができる。

3. 題材について

この題材では，友達と関わりながら体を動かす活動を通して，音楽にある速度の変化を聴き取り，そのよさや面白さを感じ取り，さらに音楽の構成などについて気付いていきながら，曲全体を味わって聴く活動を行う。学習指導要領では，第5学年及び第6学年「鑑賞」の（1）のア，イに位置付けられる。

第1時では，体の動きを伴う歌遊び「おちゃらか」をもとにした手合わせをしながら，「ハンガリー舞曲第5番」を鑑賞し，速度の変化が生み出す面白さを味わうようにする。そこで，「おちゃらか」のような手合わせをするのである。一定の速度ではないため，友達との手合わせが音楽にうまく合わないのだ。そこで起こる児童の戸惑いの声に着目し，どうして戸惑っているのかを問う。すると「だって，速さが変わるんだもの」と，クラス全体で速度の変化を確認することができる。ここで起こる戸惑いの声こそ，速度の変化が生み出す面白さを感じ取っている証と捉えることができる。また，音楽をいくつかの部分に区切り，手合わせしながら聴くことで，速度の変化のみならず，音楽の構成なども聴き取ることができると考えている。

一方第2時以降は，鑑賞の学習で学んだことを生かして，音楽そのものを体の動きで表現する活動をグループで行う。そうすることで，児童が音楽との一体感を味わうことができ，さらに鑑賞で取り上げた音楽を形づくっている要素以外の要素や仕組みにも児童の意識が向き，結果としてクラス全体の音楽の聴き方，感じ方に深みを与えることを期待している。

4. 教材について

「ハンガリー舞曲第5番」（ブラームス作曲）

4分の2拍子で書かれており，速度が変化するのが特徴のひとつと言える曲である。また曲の途中に，他とは違って6拍で一つのフレーズをなす部分があることも特徴といえるだろう。他は大抵8拍で一つのフレーズをなしている。大きく見てA-B-Aの三部形式の音楽と捉えることもできる。

5. 題材の評価規準

知識・技能	思考・判断・表現	主体的に学習に取り組む態度
「ハンガリー舞曲第5番」にある速度の変化を聴き取り，曲想及びその速度の変化と音楽の構造との関わりについて理解している。【知-1】	「ハンガリー舞曲第5番」にある速度の変化などのよさや面白さを感じ取り，聴き取ったことと感じ取ったこととの関わりについて考え，曲や演奏のよさなどを見いだし，曲全体を味わって聴いている。【思-1】	体を動かす活動を楽しみながら，主体的・協働的に鑑賞の学習活動に取り組もうとしている。【主-1】

6．指導計画（全３時間）

第1時

体を動かす活動を通して，「ハンガリー舞曲第5番」にある速度の変化を聴き取り，その面白さを感じ取るとともに，音楽の構成などを理解する。

第2・3時

速度の変化，音楽の構成など，鑑賞で得た知識をもとに，「ハンガリー舞曲第5番」を体の動きで表現する。

7．本時の学習（第１時）

(1) 本時の目標

体を動かす活動を通して，「ハンガリー舞曲第5番」にある速度の変化を聴き取るとともに，そのよさや面白さを感じ取り，さらに音楽全体の構成などを理解することができる。

(2) 本時の展開

<table>
<tr><th>○学習内容　・学習活動（予想される児童の反応）</th><th>◇教師の働きかけ　◆評価　・備考など</th></tr>
<tr><td>○常時活動で「山のごちそう」を歌う。

・「おちゃらか」の歌遊びをする。</td><td>◇速度の変化を様々に工夫し，そのよさや面白さを感じ取ることができるようにする。
◇手合わせをして遊ぶ。伴奏によって速度の変化が生み出す面白さを感じ取ることができるようにする。</td></tr>
<tr><td colspan="2">**「ハンガリー舞曲第５番」を聴いて，この音楽の特徴を見つけよう**</td></tr>
<tr><td>○トン・トン・パーの手合わせをしながら「ハンガリー舞曲第5番」の冒頭部を聴いて，速度の変化があることを聴き取り，その面白さを感じ取る。

・「あれ？　手合わせするのが難しいぞ！」
・「速さが変わっちゃうからだ」

○トン・トン・パーの手合わせをしながら「ハンガリー舞曲第5番」の冒頭部から約1分17秒までを聴いて，新しく聴いた部分が他とは違うフレーズの長さであることを聴き取り，理解する。</td><td>・冒頭から約1分07秒まで（これをA部とする）鑑賞する。

【板書】
<table><tr><td>A</td><td></td><td></td></tr><tr><td>速さの変化</td><td></td><td></td></tr></table>
◇「どうして手合わせが難しいの？」と発問して，速度が変化していることを確認する。
・他はみな4拍あるいは8拍でフレーズをなしているが，新しく聴く部分（約10秒，これをB部とする）は6拍なので，トン・トン・パー（4拍）の手合わせでは合わない。

【板書】
<table><tr><td>A</td><td>B</td><td></td></tr><tr><td>速さの変化</td><td>6拍</td><td></td></tr></table></td></tr>
</table>

・「何だか合わないなぁ？」
・「トン・トン・パーーだと変だな？」
・「もしかして4拍だと合わない？」

◇「4拍で合わないとすると，何拍だと合うのかな？」と発問し，6拍のフレーズがあることを確認する。

○トン・トン・パーーの手合わせをしながら「ハンガリー舞曲第5番」の冒頭部から約1分45秒までを聴いて，新しく聴いた部分に著しい速度の変化があることを聴き取る。

・B部はトン・トン・パーーの手合わせが合わないので，その部分を聴くときは手合わせをしないことを児童に告げる。

・「あれ〜？　ゆっくりになったり速くなったりするぞ！？」
・「どうやって手合わせしたらいいのか，分からないなぁ」

◇*poco rit.* や *a tempo* の概念を簡単に説明し，速度の変化の面白さを味わえるようにする。

【板書】

A	B	B'	
速さの変化	6拍	速さの変化	

・この音楽にはまだ続きがあることを告げ，どのような音楽が次に来るかを予想する。

・「またAの音楽が来るんじゃないか？」
・「これまでとはまったく違うCの音楽が来るんじゃないか？」

◇多様な考えを受け入れる。
・これまでの学習で得た知識をもとにして発言することが予想される。知識が積み重なっていることを認め，誉めてあげたい。

○トン・トン・パーーの手合わせをしながら「ハンガリー舞曲第5番」を全曲通して聴いて，再びA部の音楽が再現されて音楽が終わることを聴き取り，音楽の構成を理解する。

【板書】

A	B	B'	A'
速さの変化	6拍	速さの変化	速さの変化

・「なるほど。大きく見るとA-B-Aの三部形式になっているなぁ」
・「速さが変化するのが面白いのが特徴の曲だったね」

・次時はこの音楽を体の動きで表現することを知らせる。

◇曲名を伝え，聴き取ったこと，感じ取ったことについてまとめをする（ワークシートに書かせてもよい）。
◆「ハンガリー舞曲第5番」にある速度の変化を聴き取り，速度の変化と音楽の構造との関わりについて理解している。
【知-1・観察，ワークシート】

（髙倉弘光）

[音楽づくり] 第１学年音楽科学習指導案（略案）

年　月　日（　）第　時限　第1学年　組　授業者

1．題材名

「お気に入りの音をみつけて　みんなで　つなげよう」

2．題材の目標

(1) 身近な打楽器の様々な音の特徴に気付くとともに，発想を生かした表現をするために必要な，設定した条件に基づいて，即興的に音を選んだりつなげたりして表現する技能を身に付ける。

(2) 身近な打楽器の音色，変化を聴き取り，それらの働きが生み出すよさや面白さ，美しさを感じ取りながら，聴き取ったことと感じ取ったこととの関わりについて考え，音遊びを通して音楽づくりの発想を得る。

(3) 身近な打楽器の様々な音の特徴を生かして即興的に表現する学習に興味・関心をもち，音楽活動を楽しみながら主体的･協働的に音楽づくりの学習に取り組み，身近な打楽器による音や音楽に親しむ。

3．題材について

本題材では,友達と関わりながら，身近な楽器を使って様々な音の出し方を試し，一人一人がお気に入りの音を見付け，友達と即興的に音をつなげて表現する活動を行う。この活動は，学習指導要領では低学年「音楽づくり」の「音遊び」に位置付けられる。

第1時では，クラス全員がタンブリンとトライアングルを使って，様々な音を見付けるようにする。そして，お気に入りの音を表現したり，面白い音や工夫点について発表し合ったりする場を設定する。次に，「友達の表現をまねてもよい」と助言することにより，子どもたちが楽しみながらいろいろ試し，新たな発想を得ることができるようにする。その際，教師は，子どもの表現の変容を捉え，「トライアングルをこすると面白い音がするね」などと価値付けしたり，その工夫をクラス全員でまねる場を設定したりしながら，工夫点を共有できるようにすることが大切である。

第2時では，様々な身近な打楽器を音素材として準備する。前時の学習を生かして，各自が選んだ打楽器を使って，お気に入りの音を見付ける場を設定する。そして，同じ楽器を選んだ子ども同士でグループをつくり，友達と違う表現をしながらつなげていくようにする。

この題材を通して，子どもが，様々な楽器の音色に興味をもち，音の出し方を工夫して，自分にとって価値のある音を見付け，友達と音をつないで一つの作品をつくる楽しさを味わってほしいと願っている。

4．教材について

「お気にいりの音をみつけて　みんなで　つなげよう」　　　　オリジナル教材

本題材の学習において，思考･判断の拠りどころとなる「音楽を形づくっている要素」は，「音色」「変化」である。設定する条件は，次のとおりである。①音素材には，身近な打楽器を使う。②一人一人がお気に入りの音を探し，拍に合わせるのではなく，一人4秒まで自由に表す。③一人の表現の中で，違う音色をつなげてもよい。④リレー方式で，友達の音が聞こえなくなったら，友達と違う音色でつなげる。

5．題材の評価規準（評価方法を含む）

知識・技能	思考・判断・表現	主体的に学習に取り組む態度
知　身近な打楽器の様々な音の特徴について，それらの働きが生み出す面白さと関わらせて気付いている。（行動観察，発言） 技　発想を生かした表現をするために必要な，設定した条件に基づいて，即興的に音を選んだりつなげたりして表現する技能を身に付けて音楽をつくっている。（演奏聴取）	思　身近な打楽器の音色，変化を聴き取り，それらの働きが生み出すよさや面白さ，美しさを感じ取りながら，聴き取ったことと感じ取ったこととの関わりについて考え，音遊びを通して音楽づくりの発想を得ている。（発言内容，行動観察）	態　身近な打楽器の様々な音色の特徴を生かして即興的に表現する学習に興味・関心をもち，音楽活動を楽しみながら主体的・協働的に音楽づくりの学習に取り組もうとしている。（行動観察）

6．指導計画（全２時間）

	○学習内容	◆評価
第1時	○タンブリンとトライアングルを使っていろいろな音の響かせ方を試し，様々な音の特徴について，面白さと関わらせて気付く。 ○タンブリンとトライアングルの様々な音の特徴を生かしながら，友達と違う音色を探し，一人1拍リレーをする学習に進んで取り組む。	知
第2時	本時の学習参照	態

7．本時の学習（第２時）

(1) 本時の目標

音遊びを通して音楽づくりの発想を得るとともに，その発想を生かし，設定した条件に基づいて即興的に音を選んだりつなげたりして表現する技能を身に付けて音楽をつくっている。

(2) 本時の展開

○学習内容　・学習活動	◇教師の支援	◆評価
○今月の歌「音のマーチ」の曲の特徴を捉えて，打楽器部分の表現を工夫し，その楽しさを共有する。 ・全員で歌い，打楽器の部分の表現の工夫を聴き取る。 ・打楽器の表現の工夫について，発表し合う。	◇打楽器の部分は，毎時間交代し，クラスの全員が担当できるように配慮する。	
グループで　ともだちと　ちがうおとで つなげよう。		
○設定した条件に基づいて，即興的に音を選んだりつなげたりする。 ・音楽づくりのルールを知り，条件に基づいて，グループで，いろいろな音の表現を試してみる。	〔音楽づくりのルール〕 ①タンブリン，トライアングル，鈴，カスタネットの中から，同じ楽器を選んだ友達同士でグループをつくる。 ②友達と違うお気に入りの音を見付ける。 ③前の人の音が聞こえなくなったら，鳴らしてつなげる。	
○設定した条件に基づいて，表現を工夫する。 ・いくつかのグループが，中間発表をする。 ・同じ楽器でも様々な音が出せることや表現の工夫について，発表し合う。 【予想される発言】「グーとパーで打っていたけど，最後だけはタンブリンをこすっていたので，音色が変わって面白かった」 ・グループごとに，即興的に音をつなげる。 ○グループごとに，設定した条件に基づいて，即興的に表現を工夫して発表し合う。 ・グループごとに，即興的に音を選んだりつなげたりしながら表現する。 ・表現の工夫を互いに見つけ合う。 ・学習を振り返る。	◇耳を澄ませ，音色を聴くように助言する。 ◇打つ場所にも注意を向け，音色や音の響き方の変化に着目して，表現の工夫を見付けるように促す。 ◇友だちの発想をまねてもよいことを伝える。 ◇グループで試した時と表現の仕方を変えてもよいことを伝え，その場で音を選んでつないでいく面白さを味わえるようにする。 ◇「うつ」「こする」「ふる」のカードを掲示し，表現の工夫を言葉でも伝えるようにする。 ◇学んだことを生かして，やってみたいことなどについて振り返るようにする。	技 思 態

〔音の響かせ方の例〕

ぶら下げて打つ　　握って打つ　　打った後に大きく振る　　ビーターでこする

（西沢久実）

[音楽づくりと鑑賞] 第2学年音楽科学習指導案（略案）

題材名「わらべうたでつくろう」

教材：「なべなべそこぬけ」
「いもむしごろごろ」
「とんだ とんだ」他

○年○月○日（ ）
○○小学校第2学年○組
指導者

1．題材の目標

◎わらべうたの拍や旋律と曲想との関わりに気付き，簡単な旋律をつくったり呼びかけとこたえを用いて歌をつくったりする。 ＜知識及び技能＞

◎いろいろなわらべうたを聴き，その面白さを体を動かしながら感じ取ったり，わらべうたの音を使って言葉に合う旋律をつくる面白さを生かして，どのような音楽をつくるかについて思いをもったりする。 ＜思考力，判断力，表現力等＞

◎わらべうたの拍や旋律，呼びかけとこたえなどに興味・関心をもち，歌ったり体を動かしたりして音楽を聴いたり，短い旋律をつくってつなげたりする学習に楽しんで取り組む。＜学びに向かう力,人間性等＞

2．題材について

（1）題材観

本題材は，歌ったり体を動かしたりしながらわらべうたを聴き，その面白さを十分に味わい，我が国の古くから伝わる歌遊びの楽しさを感じ取る。その経験をもとに，わらべうたの構成音に着目して身近な言葉から短い旋律をつくり，それをつなげて2年生ならではの言葉遊び歌をつくる。言葉に合う旋律はどのようになるか，試しながら思考を巡らし旋律をつなげて，思いをもって自分たちのわらべうたをつくっていく過程を大切にしたい。ここでは，わらべうたのもつ拍感や旋律の特徴を意識してつくることで，2年生なりに旋律のつくり方を学ぶとともに，我が国の古くから伝わる音楽に興味・関心をもつ一歩としたい。

（2）児童観

1年時では，歌唱共通教材である「ひらいた ひらいた」を歌ったり，絵かき歌や手遊び歌，縄跳び歌などで実際に描いたり遊んだりして楽しんできた。本題材では，そうした経験を生かしながら，わらべうたの鑑賞を通して，よりわらべうたに親しみ，わらべうたの世界を広げたい。また，1年時では，えかきうたをつくったので，2年時では言葉と旋律との関わりに気付きながら言葉遊び歌をつくり，より旋律や呼びかけとこたえなどの音楽を形づくっている要素にも意識が向けられるようにしたい。

（3）学習指導要領との関連

【音楽づくり】	ア (ｲ)	どのように音を音楽にしていくかについて思いをもつこと
	イ (ｲ)	音やフレーズのつなげ方の特徴
	ウ (ｱ)	設定した条件に基づいて，即興的に音を選んだりつなげたりして表現する技能
	(ｲ)	音楽の仕組みを用いて，簡単な音楽をつくる技能
【鑑賞】	ア	鑑賞についての知識を得たり生かしたりしながら，曲や演奏の楽しさを見いだし，曲全体を味わって聴くこと。
	イ	曲想と音楽の構造との関わりについて気付くこと。
【共通事項】	ア	音楽を形づくっている要素を聴き取り，それらの働きが生み出すよさや面白さ，美しさを感じ取りながら，聴き取ったことと感じ取ったこととの関わりについて考えること。〔共通事項〕に示された要素は ア 旋律，拍，イ 呼びかけとこたえ を扱う。

3．教材について

ここで扱うわらべうたは，我が国の古くから伝わる曲や，その構成音を使って子どもの歌としてつくられた曲である。わらべうたには，様々な種類があるが，体の動きや遊びを伴いながら，我が国の伝統的な拍感や旋律と言葉との関わり，反復や呼びかけとこたえなどに気付きやすい教材が多い。ここでは，全身の動きを伴うわらべうた「なべなべそこぬけ」などや言葉遊び歌「とんだ とんだ」を取り上げ，わらべうたの面白さを感じ取り言葉と旋律の関わりを生かして旋律をつくり，それをもとにしたオリジナル言葉遊び歌をつくる。

4．題材の評価規準

	知識・技能（知・技）	思考・判断・表現（思・判・表）	主体的に学習に取り組む態度（主）
評価規準	①わらべうたの拍や旋律と曲想との関わりに気付いている。 知① ②わらべうたの構成音を使って，言葉に合った短い旋律をつくる技能を身に付けてつくっている。 技② ③旋律のつなげ方の特徴に気付き，呼びかけとこたえを用いて，旋律をつくる技能を身に付けてつくっている。 知・技③	①わらべうたの拍や旋律の特徴を聴き取り，それらの働きが生み出すよさや面白さを感じ取り，体を動かしたり歌ったりしながら，わらべうたのよさや面白さを楽しんで聴いている。 ②つくった旋律の特徴を生かし，拍にのって「○○だ○○だ」の旋律につなげて言葉遊び歌をつくり，どのような歌にするかについて思いをもっている。	①わらべうたの拍や旋律の特徴に興味・関心をもち，わらべうたの拍や旋律と曲想との関わりに気付いて，呼びかけとこたえを使った言葉遊び歌をつくる学習に楽しんで取り組もうとしている。

5．題材の指導計画と評価計画（3時間扱い）

時	○学習内容　・学習活動	◇教師の働きかけ　◆評価規準（評価方法）
＜第一次のねらい＞いろいろなわらべうたを聴いて，歌ったり遊んだりし，わらべうたの楽しさを味わうとともに，その旋律の特徴を知って即興的に言葉遊び歌を歌う。		
1	○「なべなべそこぬけ」「いもむしごろごろ」を聴き，歌って遊びながら旋律の特徴に気付く。 ・音楽を聴きながら，ペア，四人組など，グループの人数を変えて歌いながら遊ぶ。 ○わらべうたで使われる音を知り，即興的に言葉に合う旋律をつくって歌う。 ・「とんだとんだ～」のあとに続く言葉に旋律を付けて歌い，終わり方を決める。	◇耳を傾けて歌を聴く時間を設ける。 ◇人数が増えたときの動き方を考えるように促す。 ◇音楽を聴きながら遊んだり，歌いながら遊んだりして，わらべうたの特徴を捉えるようにする。 ◆知①　思・判・表①（表情，行動観察） ◇飛行機やロケット以外に飛ぶもの「からす　カアカア」「かえる　ピョ～ン」など，言葉と旋律を工夫し，表情にも留意する。◆技②（表現観察）
＜第二次のねらい＞わらべうたの旋律の特徴を感じ取り，わらべうたに使われている音で旋律をつくり，呼びかけとこたえを用いて自分たちの言葉遊び歌をつくる。		
2・3	○呼びかけとこたえを用いて，自分たちの『○○だ○○だ』の歌をつくる。 ・「○○」に入る言葉やそれに続く言葉を選び，歌いながら音を確かめ，短い旋律をつくる。 ・呼びかけとこたえを使って「○○だ○○だ」の歌をまとめ，終わり方を確認する。 ○オリジナル「○○だ○○だ」を発表して聴き合い，その面白さを共有する。	◇「○○だ」に当てはまる言葉は，教師が提示したものから選び，旋律を歌いながら工夫するようにする。 ◆思・判・表②（演奏表現，グループ活動） ◇「○○だ～」に続く言葉のあとに，動きやなき声などが入る場合は，必ずしも旋律的でなくてもよい。 ◇教師がバス木琴などでラ，ミ（ソ）を使い，伴奏を加え，拍にのれるようにする。 ◆知・技③　主①（演奏表現，発言内容）

6．本時の指導（第2時）

（1）本時のねらい

わらべうたの拍と旋律の特徴を感じ取り，呼びかけとこたえを用いて自分たちの言葉遊び歌をつくる。

（2）本時の展開

○学習内容　・学習活動	◇教師の働きかけ◆評価規準＜評価方法＞
○呼びかけとこたえを使って，自分たちの『○○だ○○だ』の歌をつくる。 ・「おきたおきた」などの言葉を歌いながら選ぶ。 ・「おきたおきた」などに続く言葉を選び，音を確かめながら短い旋律をつくりつなげる。 ・どのように終わるかを考えながら歌をつくり，自分たちの言葉遊び歌への思いを確かめ合う。	◇「○○だ」は，教師が提示するものから選び，歌いながら工夫するようにする。 ◇「おきたおきた」などにミソラシで旋律をつくり，それに続く言葉にも同様に歌いながら旋律をつくったり表現の仕方を工夫したりして，言葉遊び歌をつくる。 ◇どのようにして歌をつくったか，振り返る。 ◆思・判・表②（演奏表現，グループ活動）

（石上則子）

[歌唱・器楽と鑑賞] 第3学年音楽科学習指導案（略案）

日　時：　　年　　月　　日（　）第　校時
場　所：音楽室
児　童：第3学年　　組　　名
授業者：　　　　　　　　　　　　印

1．題材名

「せんりつのとくちょうをかんじとろう」

2．題材の目標

曲想及びその変化と旋律の特徴との関わりに気付き，曲や演奏のよさを見いだしながら聴いたり，曲の特徴を捉えた表現を工夫しながら，思いや意図をもって歌ったり演奏したりする。

3．題材について

本題材では曲想及びその変化と旋律の特徴との関わりに気付き，それらの働きが生み出すよさや面白さを取りながら，表現と鑑賞の活動を進める。まず，旋律のまとまりや音の上がり下がりに注目して曲想を感じ取り，それにふさわしい表情豊かな表現を工夫して歌う。次に，旋律の特徴や曲想の対比が分かりやすい曲を鑑賞し，それぞれの部分の特徴やよさに気付き，曲全体を味わって聴くようにする。さらに，鑑賞曲と同様に，旋律の特徴の対比を感じ取りやすいリコーダー曲を演奏し，曲想の違いを器楽の表現に生かし，音色や響きに気を付けて演奏できるようにする。

4．教材について

「ふじ山」文部省唱歌／巌谷小波作詞（歌唱教材）

歌詞が表す富士山の雄大な姿を想像しながら，のびのびと歌うことができる。フレーズや曲の山を捉えやすく，旋律の上行，下行の動きに合わせて，強弱を工夫して歌うことができる。

「メヌエット」ベートーヴェン作曲（鑑賞教材）

ヴァイオリンが奏でるなめらかな音の動きの㋐の旋律と，軽やかで弾むような㋑の旋律の対比により，旋律の特徴の違いや，曲想の変化を感じ取りやすい。

「山のポルカ」チェコ民謡／岡部栄彦編曲（器楽教材：リコーダー教材）

軽やかな8分音符のリズムをもつ㋐の旋律と，対照的な4分音符と2分音符によるなめらかなリズムをもつ㋑の旋律が現れる。「メヌエット」と共通する㋐→㋑→㋐の構成の曲である。

5．題材の評価規準

知識・技能	思考・判断・表現	主体的に学習に取り組む態度
①曲想と旋律の特徴などによる音楽の構造や歌詞の内容との関わりに気付き，呼吸及び発音の仕方に気を付けて，自然で無理のない歌い方で歌う技能を身に付けている。〈演奏聴取〉 ②曲想及びその変化とバイオリンの音色，旋律の音の上がり下がりやリズムとの関わりについて気付いている。〈行動観察・発言内容〉 ③範奏を聴いたりハ長調の楽譜を見たりして演奏する技能を身に付けている。〈演奏聴取〉 ④アとイの旋律の特徴や違いを生か	①旋律の特徴を聴き取り，旋律の音の上がり下がりと曲の山との関わりを感じ取りながら，曲の特徴を捉えた表現を工夫し，どのように歌うかについて自分の思いや意図をもっている。〈発言内容・行動観察〉 ②楽器の音色，旋律の特徴などを聴き取り，それらの働きが生み出すよさや面白さ，美しさを感じ取りながら，聴き取ったことと感じ取ったこととの関わりについて考え，曲や演奏のよさを見いだし，曲全体を味わって聴いている。〈発言内容・ワークシート〉 ③旋律やリズムの特徴を聴き取り，それらの働きが生み出すよさや面白さを感じ取りなが	①旋律の特徴，歌詞の内容などによる曲の特徴を捉えた表現を工夫し，思いや意図をもって歌ったり演奏したりする学習活動に進んで取り組もうとしている。〈発言内容・行動観察・演奏聴取〉 ②曲想及びその変化と楽器の音色や旋律の特徴との関わりに気付き，曲や演奏のよさを見いだしながら聴く学習活動に進んで

し，音色や響きに気を付けて，リコーダーを演奏する技能を身に付けている。〈演奏聴取〉	ら，曲の特徴を捉えた表現を工夫し，どのように演奏するかについて思いや意図をもっている。〈行動観察・演奏聴取〉	取り組もうとしている。〈発言内容・行動観察・ワークシート〉

6. 題材の指導計画

次	時	・主な学習活動	◆評価規準
一次	1 2	・歌詞の表す情景を思い浮かべながら「ふじ山」をのびのびと歌う。 ・「ふじ山」の旋律の音の上がり下がりに気を付けて，曲の山を見付ける。 ・曲の山に合う表現を工夫して歌う。	態① 歌唱 思判表① 歌唱 知技① 歌唱
二次	3 4	・ヴァイオリンの演奏のまねをしながら「メヌエット」を聴き，ア と イ の曲想の違いや演奏のよさに気付く。 ・ア と イ の旋律の特徴を比べて聴き，言葉で表すなどして，曲想とその変化を感じ取る。（本時）	態② 鑑賞 知技② 鑑賞 思判表② 鑑賞
三次	5 6 7	・「山のポルカ」の範奏を聴いたりハ長調の楽譜を見たりして，旋律の特徴を感じ取りながらリコーダーを演奏する。 ・ア と イ の旋律の特徴に合う演奏の仕方を工夫する。 ・演奏するグループと聴くグループに分かれ，旋律の特徴に合う表現を聴き合う。	知技③ 器楽 思判表② 器楽 知技④ 器楽 態① 器楽

7. 本時の指導（4/7）

（1）本時のねらい

旋律の特徴による曲想及びその変化を感じ取り，言葉で表すなどして，曲や演奏のよさを見いだし，曲全体を聴く。

（2）本時の展開

○学習内容　・学習活動	◇教師の働き掛け　◆評価規準〈評価方法〉
○旋律の音の上がり下がりやリズムに気を付けて聴く。 ・「メヌエット」の ア の旋律の音の上がり下がりを図形楽譜で確認しながら聴いたり，旋律を口ずさんだりする。 ・イ も同様に旋律の音の上がり下がりを確認しながら聴く。 ・ア → イ → ア を通して聴き，曲想が変わったところで手を挙げる。 ○旋律の特徴による曲想及びその変化を感じ取り，曲や演奏のよさを見いだし，曲全体を味わって聴く。 ・ア と イ の旋律の特徴で気付いたことや感じたことを発表し合う。 ・ア と イ の旋律の特徴で気付いたこと，感じたことをワークシートに書く。 ・ア と イ を比べてどちらが好きか，その理由をワークシートに書く。 ・二人組になり，自分の好きな旋律とその理由を紹介し合う。 ・指揮や旋律の特徴に合う体の動きをしながら，曲全体を通して聴く。	◇事前に音声編集ソフトで ア，イ それぞれの部分だけを聴くことができる音源を用意する。 ◇旋律を表す図形楽譜を提示し，それを指さしながら口ずさむことで主な旋律に親しむようにする。 ◇ア と イ を比較しながら聴くことで，それぞれの特徴と違いを見付けられるようにする。 ◇児童から出た意見を気付いたことと感じたことに分けて板書したり，児童の気付きを音で確認したりする。 【ワークシート例】 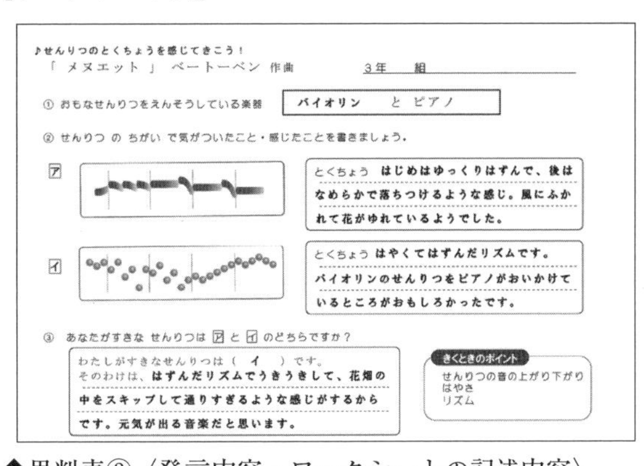 ♪せんりつのとくちょうを感じてきこう！ 「メヌエット」ベートーベン 作曲　3年　組 ① おもなせんりつをえんそうしている楽器　バイオリン　と　ピアノ ② せんりつ の ちがい で気がついたこと・感じたことを書きましょう。 ア　とくちょう はじめはゆっくりはずんで、後はなめらかで落ちつけるような感じ。風にふかれて花がゆれているようでした。 イ　とくちょう はやくてはずんだリズムです。バイオリンのせんりつをピアノがおいかけているところがおもしろかったです。 ③ あなたがすきな せんりつは ア と イ のどちらですか？ わたしがすきなせんりつは（　イ　）です。 そのわけは、はずんだリズムでうきうきして、花畑の中をスキップして通りすぎるような感じがするからです。元気が出る音楽だと思います。 きくときのポイント せんりつの音の上がり下がり はやさ リズム ◆思判表②〈発言内容・ワークシートの記述内容〉

※ ワークシートの図形楽譜は『小学生の音楽 3』（平成 27 年度版，教育芸術社）より

（石井ゆきこ）

[歌唱・器楽と鑑賞] 第４学年 音楽科学習指導案（略案）

年　　月　　日（ ）
組　　　名
授業者

1．題材名

「私たちの『さくら変奏曲』を表現しよう」

2．題材のねらい

(1) 曲想と音楽の構造との関わりや，楽器の音色や響きと演奏の仕方との関わりについて気付き，表したい音楽表現をするための自然で無理のない歌い方で歌う技能や，楽器の演奏技能を身に付けている。
(2)「さくら変奏曲」の曲想及びその変化と，音楽構造との関わりに気付き，「私たちの『さくら変奏曲』」の音楽表現に対する思いや意図をもち，表現を工夫し，曲全体を味わって聴く。
(3)「さくら変奏曲」の曲想及びその変化と，音楽の構造との関わりについて主体的に聴き，互いの楽器の音や声，声部を聴きながら，音楽を工夫したり音を合わせて演奏したりしている。

3．題材について

日本人が大好きな「さくらさくら」の歌詞から情景を思い浮かべて，「さくらさくら」と反復する時の気持ちや旋律の動きにふさわしい強弱など表現を工夫して歌う中で，自然で無理のない歌い方を身に付ける。箏は，よい響きで弾くため演奏の仕方を視聴したり，気を付けて体験したりする。

宮城道雄の「さくら変奏曲」を曲想の変化から曲想と速度や強弱，音域，リズムとの関わりに気を付けて聴き，自分が表現したい「さくらさくら」や，友達と演奏順を考え，演奏する。楽器は，既習の楽器や今回学習した箏などから選ぶ。最後に，「さくら変奏曲」全曲や，沢井忠夫の『二つの変奏曲』より「さくらさくら」，藤井凡大の「箏独奏による主題と六つの変奏　さくら」を鑑賞し，「私たちの『さくら変奏曲』」のよさも味わう。友達と，表現したい「さくらさくら」について言葉や音楽で対話する中で，音色などに気を付けて演奏する技能や音を合わせて演奏する技能も高める。

また，「さくらさくら」が今も歌い継がれていることや，様々な変奏がつくられていることも知り，自分たちも継承し，新しい音楽を創造していく存在であることにも気付かせるようにしたい。

4．学習指導要領との関連

A　表現　歌唱：ア　イ　ウ（イ）　器楽：ア　イ（ア）（イ）　ウ（イ）（ウ）
B　鑑賞　ア　イ
〔共通事項〕ア　音色，リズム，速度，旋律，強弱　イ　反復，呼びかけとこたえ，変化

5．教材について

歌唱･器楽教材：日本古謡「さくらさくら」　鑑賞教材：宮城道雄作曲「さくら変奏曲」，沢井忠夫作曲『二つの変奏曲』より「さくらさくら」，藤井凡大作曲の「箏独奏による主題と六つの変奏　さくら」

6．指導と評価の計画

時	○学習内容　・児童の活動	◇教師の働きかけ　◆評価規準（評価方法）
〈一次〉情景を思い浮かべて「さくらさくら」を歌ったり，「さくら変奏曲」を鑑賞したりして，曲想と音楽の構造や歌詞との関わりに気付き，箏を体験し，表現したい音楽への思いや意図をもつ。		
1	○歌詞の意味を知り，楽曲の特徴との関連に気付き，情景を思い浮かべて歌っている。	◆曲想と旋律の動きと強弱や発声，旋律の反復や呼びかけとこたえ，歌詞の内容との関わりに気付き，曲にふさわしい歌い方について思いをもって歌っている。 【歌：思考・判断・表現】（発言内容観察，演奏聴取）

2	○音色やその響きと演奏の仕方との関わりに気を付けて箏の演奏体験をする。	◆よい響きの音を出すため，演奏の仕方に気を付けて演奏している。【器：思考・判断・表現】（発言内容・行動観察，演奏聴取）
3	○「さくら変奏曲」の曲想の変化に興味をもち，曲想及びその変化と音楽の構造との関わりに気付いて聴く。	◆曲想が変化した部分で挙手する活動に意欲的に取り組んでいる。【鑑：主体的に学習に取り組む態度】（行動観察） ◆曲想と音楽の構造との関わりに気付き，自分の表現したい音楽についてワークシートに記入し，発言している。【鑑：知識】（発言内容観察，ワークシートの記述内容観察） ◇次時までに，ワークシートの記述内容を見て班を組む。
〈二次〉班の友達と「私たちの『さくら変奏曲』」の音楽表現を工夫して演奏する。		
4	○各自の表現したい「さくらさくら」の音楽表現を班の友達と対話しながら工夫する。	◆各自の音楽表現の工夫を，音で試しながら決めている。【歌・器：思考・判断・表現】（発言内容・行動観察，ワークシートの記述内容観察，演奏聴取） ◇歌は必ず全員歌うようにする。
5	○「私たちの『さくら変奏曲』」をつなげて演奏できるようにする。	◆班の音楽表現の工夫のよさが伝わる演奏にしようと協力して何度も演奏している。【歌・器：主体的に学習に取り組む態度】（発言内容・行動観察，演奏聴取）
〈三次〉私たちや他の作曲家の「さくらさくら」の曲のよさを味わう。		
6	○曲にふさわしい歌い方で思いをもって歌う。 ○「私たちの『さくら変奏曲』」にふさわしい演奏をする。 ・聴いている友達が演奏や表現の工夫のよさを発表する。	◆曲の特徴にふさわしい歌い方で歌うことができる。【歌：知識・技能】（演奏聴取） ◆友達と協働して題名と演奏表現の工夫との関連が現れたよい響きで演奏をしている。【器：知識・技能】（発言内容観察，ワークシートの記述内容観察，演奏聴取） ◇音や音楽を通して，児童の思いを共有できるようにする。
7	○様々な作曲家の「さくらさくら」に関する変奏曲を聴き，よさを味わう。	◆曲や演奏のよさを見いだし，曲全体を味わって聴く。【鑑：思考・判断】（発言内容観察，ワークシートの記述内容観察） ◇「さくらさくら」が歌い継がれて存在する意義や，自分たちの表現のよさも味わうよう題材を振り返るようにする。

7．本時の展開

時	○学習内容　・児童の活動	◇教師の働きかけ　◆評価規準（評価方法）
4	○各自の表現したい「さくらさくら」の音楽表現を班の友達と対話しながら工夫する。 ・表現したい音楽の曲想と音楽の構造との関わりを班内で交流する。 ・楽器と担当を決め，音を出して試しながら，音楽表現の工夫を決める。 ・班の題名と演奏順を考えて，班内で交流する。 ・次時の学習内容の見通しをもつ。	◇本時の課題と進め方を掲示する。 ◇前時に記入したワークシートをもとに交流することと，歌は必ず全員が歌うことを知らせる。 ◇鉄琴，木琴，打楽器，電子オルガン（リズムボックス），箏を用意する。 ◆各自の音楽表現の工夫を，音で試しながら決めている。【器：思考・判断・表現】（発言内容・行動観察，ワークシートの記述内容観察，演奏聴取） ◇つなげて演奏できるようにすることを確認する。

（長谷川真澄）

[音楽づくりと鑑賞] 第5学年音楽科学習指導案（略案）

年　月　日（ ）
〇〇小学校　第5学年　組
授業者

1. 題材名

「インターロッキングの音楽をつくろう」

2. 題材の目標

リズムのかみ合わさりと曲想との関わりを理解し，音楽を聴いたり音楽づくりをしたりする。

指導事項<新学習指導要領の第5学年及び第6学年の内容より>

A表現（3）ア（イ）音を音楽へと構成することを通して，どのように全体のまとまりを意識した音楽をつくるかについて思いや意図をもつこと。

イ（イ）音やフレーズのつなげ方や重ね方の特徴

ウ（ア）設定した条件に基づいて，即興的に音を選択したり組み合わせたりして表現する技能

（イ）音楽の仕組みを用いて，音楽をつくる技能

B鑑賞　ア　鑑賞についての知識を得たり生かしたりしながら，曲や演奏のよさなどを見いだし，曲全体を味わって聴くこと。

イ　曲想及びその変化と，音楽の構造との関わりについて気付くこと。

〔共通事項〕に示された要素　ア リズム　イ 反復，変化，音楽の縦と横との関係

3. 教材について

「クラッピング・ミュージック」（ライヒ作曲）

ミニマル・ミュージックの巨匠スティーヴ・ライヒ（Steve Reich）によって1972年に作曲された手拍子のみで音楽を奏でる作品である。この曲は二人の奏者で演奏され，8分音符12拍のリズムパターンを6回ずつ反復して演奏する。この中で，一人が同じパターンのリズムを繰り返して打ち，もう一人がそのパターンを8分音符一つずつずらして打っていくという仕組みが構成されている。そのことによって生まれる休符が様々な部分で揃うことや12拍が休符なしに続くことによる様相の変化を，能動的な聴取により味わうことができる。

「ケチャ」

1930年代，インドネシアのバリ島に在住していたドイツ人画家ワルター・シュピーツが，「サンギャン」という儀式の中にあった男声合唱を取り入れて観光用の芸能にすることを提案し，できたものである。その後，「ラーマーヤナ物語」と結び付いて，今のような形につくり変えられた。男声合唱は，「声のガムラン」とも呼ばれており，人間の声がリズムの楽器の役割を担当し，複雑なリズムのかみ合わせによる重なりを生み出している。この男声合唱は，物語の背景となる深い森の雰囲気を表したり，猿の大群の役割を演じたりしながら物語の全体を進行させていく。

『RYTHMES AFRICAINS（アフリカのリズム）』より「Le Grand Sorcier」

アフリカ民族音楽の根幹であるリズムのヴァリエーションを紹介しているCDの中にある第4曲である。太鼓のリズムパターンにかみ合わせるように即興的に音高が異なる打楽器の音が入る曲である。

4. 題材の評価規準

〇思いや意図に合った表現をするために必要な，音楽の仕組みを用いて音楽をつくる技能を身に付けてインターロッキングの音楽をつくっている。（知識・技能，音楽づくり）

〇リズムの組合せで構成された音楽の特徴について，それらが生み出す面白さなどと関わらせて理解している。（知識，鑑賞）

〇リズムの組合せや反復，変化，音楽の縦と横との関係を聴き取り，それらが生み出すよさや面白さ，

美しさを感じ取りながら，聴き取ったことと感じ取ったこととの関わりについて考え，リズムの組合せで構成された音楽のよさや面白さを見いだしている。（思考・判断・表現，音楽づくり）

○リズムの組合せや反復，変化，音楽の縦と横との関係を聴き取り，それらが生み出すよさや面白さ，美しさを感じ取りながら，聴き取ったことと感じ取ったこととの関わりについて考え，リズムの組合せで構成された音楽のよさや面白さを見いだし，曲全体を味わって聴いている。

（思考・判断・表現，鑑賞）

○リズムの組合せで構成された音楽に興味をもち，音楽活動を楽しみながら，主体的・協働的に鑑賞や音楽づくりの学習活動に取り組もうとしている。（主体的に学習に取り組む態度，鑑賞・音楽づくり）

5. 題材の指導計画（全４時間／第一次：１時間，第二次：２時間，第三次：１時間）

第一次：リズムの反復・変化や音楽の縦と横との関係を知覚・感受する。

第1時　インターロッキングで構成されている音楽を聴き，組合せ方の特徴について気付いたことをまとめる。

第二次：リズムの反復・変化やリズムの組合せを工夫して音楽づくりをする。

第2時　即興的に音を選択したり組み合わせたりして，インターロッキングの音楽づくりをする。

第3時　音楽の仕組みを用いて，楽器や音の組合せ方を工夫してグループの作品をつくる。（本時）

第三次：かみ合わされたリズムや規則的にずれて演奏されたリズムが反復されることによって生まれる音楽の縦と横の関係や，そのことによる曲想の変化のよさや面白さについて紹介する。

第4時　インターロッキングの音楽のよさや面白さについて担任の先生に紹介する文を書く。

6. 本時の学習（3 ／ 4 時間）

(1) ねらい　音楽の仕組みを用いて，楽器や音の組合せ方を工夫してグループの作品をつくる。

(2) 展開

○学習活動　・学習活動	☆教師の支援　◆評価　(評価方法)
○前時の復習 ・リズムを「声」で演奏する。 ①二つのリズムをかみ合わせる。 ②一つのリズムを1～2拍ずらして合わせる。 ・今日のめあてを確認する。	☆鑑賞した曲の仕組みを活用して表現する場を設定する。
楽器や音の組合せを工夫して　インターロッキングの音楽をつくろう。	
○様々な方法での音楽づくり ・グループのリズムを決める。 ・演奏する表現方法を選ぶ。 ・作品の演奏手段を考えて作品をつくる。 声 手拍子 楽器（打楽器・木琴） ○中間発表 ・中間発表をする。 ○振り返り ・自己評価をする。	☆前時につくったリズムパターンを参考にしながら，グループの作品を仕上げ，反復する回数や楽器や音の組合せ方を工夫するよう助言する。 ☆演奏がどのようになっているかを確認するために，聴き手を順番に担当しながら活動する場を設定する。 ◆楽器やリズムの組合せをいろいろと試し，それらの働きが生み出すよさや面白さを感じ取りながら，どのような作品にするかについて自分の考えや願い，意図をもって表現を工夫している。 （行動観察・学習カード） ☆グループの作品を電子黒板で掲示する。

（金田美奈子）

[歌唱]　第６学年音楽科学習指導案（略案）

年　月　日（　）第　校時　時　分～　時　分
第6学年　組 男子　名 女子　名 計　名
指導者　　　　印

1. 題材名

三部合唱に挑戦しよう

2. 題材の目標

(1) 和音の連結の響きが生み出す声の重なり方の特徴を理解するとともに，自然で無理のない響きのある歌い方で，各声部の歌声や全体の響きを聴いて，声を合わせて歌う技能を身に付ける。
(2) 曲の特徴にふさわしい表現を工夫し，思いや意図をもって歌う。
(3) 三部合唱を歌いあげる学習活動を楽しみながら主体的・協働的に取り組もうとしている。

3. 本題材で扱う学習指導要領の内容

「A表現」(1) 歌唱
ア　歌唱表現についての知識や技能を得たり生かしたりしながら，曲の特徴にふさわしい表現を工夫し，どのように歌うかについて思いや意図をもつこと。
ウ　思いや意図に合った表現をするために必要な次の (イ) 及び (ウ) の技能を身に付けること。
　(イ)　呼吸及び発音の仕方に気を付けて，自然で無理のない，響きのある歌い方で歌う技能
　(ウ)　各声部の歌声や全体の響き，伴奏を聴いて，声を合わせて歌う技能
〔共通事項〕本題材において思考・判断の拠りどころとなる音楽を形づくっている要素
音色，和音の響き，反復，変化，音楽の縦と横との関係

4. 題材について

①題材観

三部の声の重なりを味わって合唱するためには，これまでに習得した自然で無理のない響きのある歌い方の技能や，互いの歌声を聴いて声を合わせて歌う技能を生かすとともに，学習の過程で和音感を育むとともに，和音の連結による音楽の響きを感じ取るなど，和声に対する感覚を養うことの両方が必要となる。

本題材では，児童が演奏のよさや美しさを生み出している要素の中心にⅠ，Ⅳ，Ⅴの和音に基づいて構成される三部の声の重なりの響きがあることを理解し，曲の特徴にふさわしい表現を工夫し，思いや意図をもって合唱することができるようにしたい。

②教材観

○主教材　「星の世界」　川路柳虹　作詞　／　コンバース　作曲　／　飯沼信義　編曲

ヘ長調，4分の4拍子。aa' ba' の二部形式で，曲全体の構成が理解しやすい。また，Ⅰ，Ⅳ，Ⅴの和音の響きを生かした三部合唱の編曲は，〔共通事項〕の和音の響きについての学習にも適している。aa' の部分では，旋律にふさわしい和音の連結による音楽の響きを感じ取るなど，和声に対する感覚を養いたい。単旋律のbの部分は，これまでに習得した知識や技能を生かして，児童が旋律の動きの特徴や歌詞の内容にふさわしい歌唱表現を工夫し，思いや意図をもって歌うことができる。

○副教材　「山の朝」　作詞・作曲者不詳

ヘ長調，4分の3拍子。旋律が順次進行で12小節から成るシンプルな曲である。Ⅰ-Ⅰ-Ⅴ-Ⅰの和声進行から成り，輪唱によって旋律は三度音程でぴったりと重なり，和音観や和声観を育む教材としても適している。歌詞からイメージできるさわやかで大らかな曲想にふさわしい声の響きも,「星の世界」の歌唱表現にそのまま生かしていくことができる。

③児童観

歌唱活動に対して意欲的な児童である。高学年になってさらに自分の声に自信をもって，主体的に歌う姿が見られるようになってきた。曲の特徴にふさわしい表現を工夫することは，これまでの歌唱活動を通して取り組んできた内容であり，児童は概ね身に付いてはいるが，三部合唱は初めてである。和音や和声への感覚が著しく発達するこの時期に，本題材では和音と和音の連結によって生まれる和声に対する感覚も育成していきたい。

5. 評価規準

知識・技能	①曲想と音楽の構造との関わりについて，活動を通して理解している。（知①） ②思いや意図に合った表現をするために必要な，呼吸や発音の仕方に気を付けて，自然で無理のない響きのある歌い方で歌っている。（技②） ③各声部の歌声や全体の響きを聴いて，声を合わせて歌っている。（技③）
思考・判断・表現	聴き取ったことと感じ取ったこととの関わりについて考え，曲の特徴にふさわしい歌唱表現を工夫し，どのように表現するかについて，思いや意図をもっている。
主体的に学習に取り組む態度	音楽活動を楽しみながら主体的・協働的に歌唱の学習活動に取り組もうとしている。

6. 題材の指導計画と評価計画（全5時間）

	指導事項	評価規準
第一次	1時　「山の朝」を，曲の特徴や歌詞の内容にふさわしい自然で無理のない響きのある歌い方で歌うとともに，互いの声を聴き合って三声の重なりをつくる。 2時　「星の世界」の音楽を形づくっている要素や仕組みを聴き取り，それらの働きが生み出すよさや面白さなどを感じ取り曲の特徴にふさわしい表現を工夫し，どのように歌うかについて思いや意図をもっている。	技②〔聴取〕 知①〔観察・発言〕 思〔観察〕
第二次	3時　「星の世界」の前半aa'の部分を和音の連結による音楽の響きを感じ取りながら三声を重ねて歌う（全体とグループ）。 4時　グループで「aa' ba'」のbの部分の表現を工夫するとともに，三声の響きを生かして，思いや意図をもって「星の世界」を合唱する。 5時　グループで練り上げた演奏を披露し合い，そのよさを評価し合う。	技③〔観察・聴取〕 態〔観察〕

7. 本時の展開（第3時）

本時の目標:「星の世界」の前半aa'の部分を和音の連結による音楽の響きを感じ取りながら三声を重ねて歌う。

	○学習内容　・主な学習活動	◎教師の働きかけ　☆評価規準
導入	○「星の世界」を，呼吸や発音の仕方に気を付けて，自然で無理のない，響きのある歌い方で歌う。 ・たっぷりとした深い呼吸で，歌詞や母音や階名（移動ド）で主旋律を歌う。	◎自然で無理のない，響きのある歌い方で歌うために，腹式呼吸を意識する。
展開	○2パート，3パートの旋律を覚え重ねて歌う。 ・移動ドの階名唱で，繰り返し歌って覚える。 ・四人組をつくり，2と3のパートを重ねて二部の響きをつくりあげる。 ・特に美しい声の重なりができているチームの声の響きを皆で聴き味わう。 ・特に美しい声の重なりができているチームの練習の仕方や技能を，学級全員が共有する。 ○声を重ねて三声の響きを味わう。	◎移動ドの階名は，黒板にあらかじめ書いておくか，教師が歌って，聴唱で覚えさせるようにする。 ◎向かい合って歌う活動を取り入れ，相手の声を聴きながら歌う習慣を身に付ける。 ◎なぜ美しいのか，気付くようにする（声部のバランスのよさ，発声の統一感など）。 ◎相手の声を聴きながら歌うことに集中させる。
まとめ	○和音の連結による音楽の響きを感じ取るために有効な「和音の響きのあいさつ」を理解する。 和音の響きのあいさつ I　I　Ⅳ　I　V　I 1 2 3 おはよう　おはよう　おはよう　お　は　よ　う　さ――ん さようなら　さようなら　さようなら　さ　よ　う　な　ら ・教室を三つのパートに座席で分け，1，2，3のパートを重ねて歌う。 ○「和音の響きのあいさつ」を音楽の授業の常時活動として始業と終業の際に歌うことを理解する。	◎三部合唱ができるようになったことを賞賛し，「挑戦しよう！」と投げかける。 ◎歌詞とともに階名でも歌ったり，階名唱で声を重ねたりする。 ◎2パート，3パートは，「星の世界」と同じ音の動きであることに気付くようにする。 ◎次時から常時活動として歌うことを伝える。 ☆技③

（山内雅子）

6 | 楽典

（1）譜表と音名

譜表　五線と音部記号の組合せによって音を表した図表である。

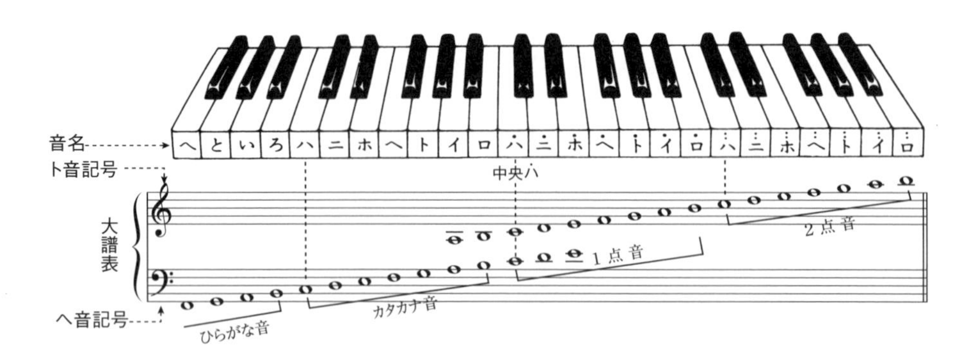

	幹音							派生音													
日本	ハ	ニ	ホ	ヘ	ト	イ	ロ	嬰（えい）ハ	嬰ニ	嬰ホ	嬰ヘ	嬰ト	嬰イ	嬰ロ	変ハ	変ニ	変ホ	変ヘ	変ト	変イ	変ロ
アメリカ イギリス	C	D	E	F	G	A	B	C♯	D♯	E♯	F♯	G♯	A♯	B♯	C♭	D♭	E♭	F♭	G♭	A♭	B♭
ドイツ	C（ツェー）	D（デー）	E（エー）	F（エフ）	G（ゲー）	A（アー）	H（ハー）	Cis（ツィス）	Dis（ディス）	Eis（エイス）	Fis（フィス）	Gis（ギス）	Ais（アイス）	His（ヒス）	Ces（ツェス）	Des（デス）	Es（エス）	Fes（フェス）	Ges（ゲス）	As（アス）	B（ベー）

（ドイツの音名B（ベー）は変ロを表す）

音名　音の高さを表す固定的な名称。主音の移動に伴って変化する階名と区別される（上掲表参照）。

幹音　変化記号（♯や♭）によって変化させられていない記譜上の基本となる音。

派生音　幹音に変化記号が付いた音。

変化記号　幹音を変化させる記号。曲頭の調号は，原則として全曲を通じて有効。それ以外は，記号が付けられた小節内でのみ有効。

♯　**シャープ**（嬰記号）幹音を半音高くする。

♭　**フラット**（変記号）幹音を半音低くする。

𝄪　**ダブルシャープ**（重嬰記号）幹音を2半音（全音）高くする。

𝄫　**ダブルフラット**（重変記号）幹音を2半音（全音）低くする。

♮　**ナチュラル**（本位記号）幹音に戻す。

（2）音符と休符（音価）

音符	名前	♩を1拍とした長さの割合	休符	名前
𝅝	全音符	4拍	𝄻	全休符
𝅗𝅥.	付点2分音符	3拍	𝄼.	付点2分休符
𝅗𝅥	2分音符	2拍	𝄼	2分休符
♩.	付点4分音符	$1\frac{1}{2}$拍	𝄽.	付点4分休符
♩	4分音符	1拍	𝄽	4分休符
♪.	付点8分音符	$\frac{3}{4}$拍	𝄾.	付点8分休符
♪	8分音符	$\frac{1}{2}$拍	𝄾	8分休符
𝅘𝅥𝅯	16分音符	$\frac{1}{4}$拍	𝄿	16分休符

全休符は1小節休む場合にも用いられる。

連鉤（連桁）　連続した符鉤（はた）をつなぐ直線。

♪♪ = ♫　　𝅘𝅥𝅯𝅘𝅥𝅯𝅘𝅥𝅯𝅘𝅥𝅯 = ♬♬　　♪𝅘𝅥𝅯𝅘𝅥𝅯 = ♪♬

付点音符（休符）　音符（休符）の右側に点が付いたもので，元の長さの1.5倍の長さになる。線上に音符がある場合は，右上の線間に点を打つ。

𝅝. = 𝅝 + 𝅗𝅥　　𝅗𝅥. = 𝅗𝅥 + ♩　　𝄾. = 𝄾 + 𝄿

♩. = ♩ + ♪　　♪. = ♪ + 𝅘𝅥𝅯　　𝄽. = 𝄽 + 𝄾

三連符　ある音符の長さ（音価）を3等分する。

𝅗𝅥 = ♩♩ = ♩♩♩（3）　　♩ = ♫ = ♪♪♪（3）　　♪ = ♬ = 𝅘𝅥𝅯𝅘𝅥𝅯𝅘𝅥𝅯（3）

(3) 拍子

①拍（ビート）・テンポ　強弱のない一定の時間の速さの単位をいう。音楽を時間の流れの中で捉える際の基本的な単位。拍の時間的間隔によって，楽曲のテンポが決定される。

②拍子　強拍と弱拍が規則正しく繰り返されていることによって起こる周期的運動。

a 単純拍子　2拍子，3拍子，4拍子のような基本となる拍子

2拍子…$\frac{2}{2}$，$\frac{2}{4}$　　3拍子…$\frac{3}{4}$，$\frac{3}{8}$　　4拍子…$\frac{4}{4}$

b 複合拍子　同一の単純拍子が複数合わさってできた拍子

6拍子（3拍子×2）…$\frac{6}{8}$ $\left(\frac{3\times2}{8}\right)$

9拍子（3拍子×3）…$\frac{9}{4}$ $\left(\frac{3\times3}{4}\right)$

12拍子（3拍子×4）…$\frac{12}{8}$ $\left(\frac{3\times4}{8}\right)$

1　2
通常は２拍子として感じる

c 混合拍子　異なった単純拍子が合わさってできた拍子

5拍子（3拍子+2拍子など）…$\frac{5}{4}$ $\left(\frac{3+2}{4}\text{など}\right)$

7拍子（3拍子+4拍子など）…$\frac{7}{8}$ $\left(\frac{3+4}{8}\text{など}\right)$

③リズム　拍子をもとにしてつくられる音の長短と強弱の組合せ。

④無拍子・自由リズム　規則的な拍をもたないリズム。日本民謡の追分様式（「江差追分」など），グレゴリオ聖歌などに見られる。

(4) 音程

二つの音の高さの隔たりのこと。度で表し，同じ高さの音を１度という（0度はない）。

音程が含む半音の数によって完全，長，短，増，減などの種類がある。完全音程は，1，4，5，8度に，長短音程は，2，3，6，7度に用いられる。短・完全音程より半音狭いものを減音程，長・完全音程より半音広いものを増音程と呼ぶ。

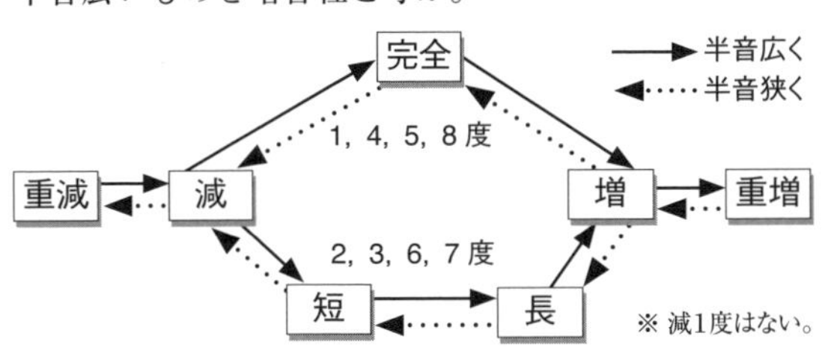

ⓐ 完全協和音程

ⓑ 不完全協和音程

ⓒ 不協和音程

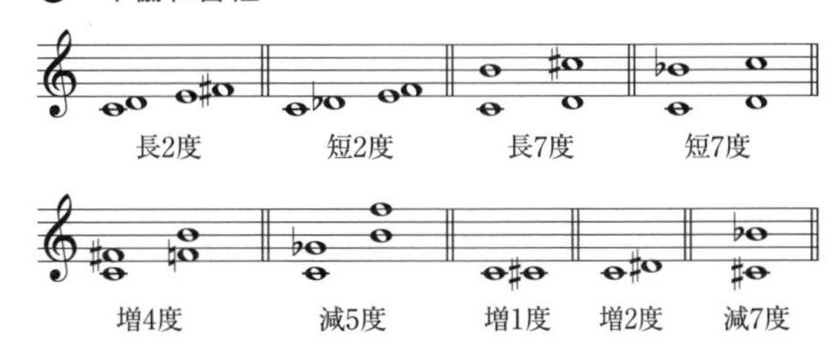

全音と半音　隣接している鍵盤の音と音との高さの相互関係を半音と呼ぶ。音名では，ホヘとロハ，階名ではミファとシドの2組が半音の関係にある。半音二つ分を全音という。音階や和音を構成する基本的な単位である。

短2度・長2度　2度のうち半音のものを短2度，2半音のものを長2度と呼ぶ。音階を構成する基本的な音程である。

短3度・長3度　3度のうち3半音のものを短3度，4半音のものを長3度と呼ぶ。和音を構成する基本的な音程である。

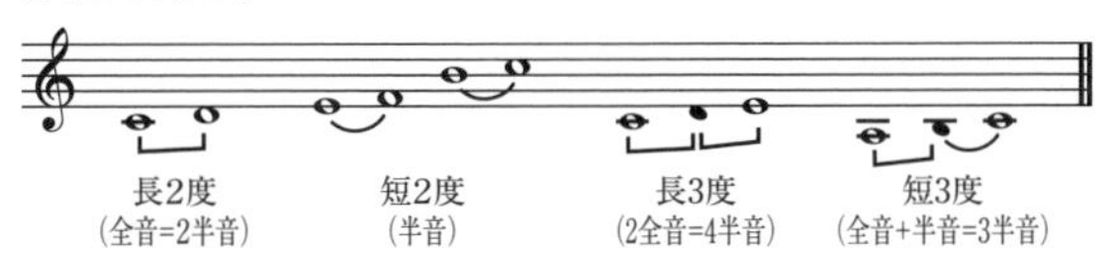

(5) 音階

曲中で使用される基本的な音を，オクターヴ内に順番に配列したもの。

①長音階【英】major scale**【独】**Dur Tonleiter

第3，4音と第7，8に半音をもち，その他は全音からなっている。〈全全半〉の4音からなる〈テトラコード〉二つの組合せからなる。階名は，どの調でもドレミファソラシドとなる。

②短音階【英】minor scale**【独】**Moll Tonleiter

自然的短音階　長音階のラから始まる音階。

和声的短音階　自然的短音階の第7音を半音高くしたもの。上行，下行ともに同じ形になる。

旋律的短音階　上行は自然的短音階の第6，7音を半音高くし，下行は自然的短音階となる。

③ヨナ抜き長音階（五音音階）

長調の4，7音を除いた5音からなる音階。ヨーロッパ，中国，アメリカの民謡に見られる。日本では，明治以降の唱歌，童謡，演歌などに多く見られる（日のまる，とんび，赤とんぼなど）。

④日本の音階（五音音階）

分類には諸説あるが，小泉文夫による四つの基本音階（p.129参照）が一般に知られている。いずれも，二つの完全4度を重ね，その中に一つの中間音を置く。実際には，基本音階以外の音が一時的に用いられることも多い。わらべうたは，これらの音階の一部からできている。譜例は，いずれも移調可能。

民謡音階（陽音階）　日本の民謡に最も多く見られる（ソーラン節，こきりこ，八木節など）。また，演歌や歌謡曲にも用いられている。

都節音階（陰音階）　箏の平調子に相当し，半音が特徴的である（うさぎ，さくらさくら，南部牛追唄）。

律音階　雅楽などに用いられている古い音階。

沖縄音階　沖縄の音楽に見られる。インドネシアの音楽にも類似のものが聴かれる。

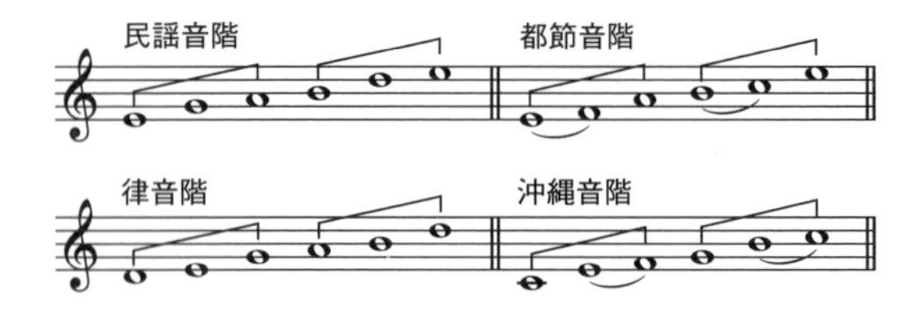

⑤その他の音階　教会旋法，全音音階などがある。

教会旋法（例）（𝅝は終止音）

全音音階

（6）調号・階名・唱法

調号　各種音階に必要な♯と♭をまとめて，音部記号の横に記すもの。ハ長調・イ短調には調号が付かない。

平行調　同じ調号による長調と短調の関係を平行調と呼ぶ。長調の短3度下の短調，短調の短3度上の長調がそれぞれ平行調になる。

階名　長音階を主音からドレミファソラシド，短音階をラシドレミファソラと，調に応じて音階の構成音順に命名する呼称（移動ド唱法）。ト長調（G major）ではト（G）の音がドに，ホ短調（e minor）では，ホ（E）の音がラとなる。調号の一番右の♯はシ，一番右の♭はファになるという法則性がある。

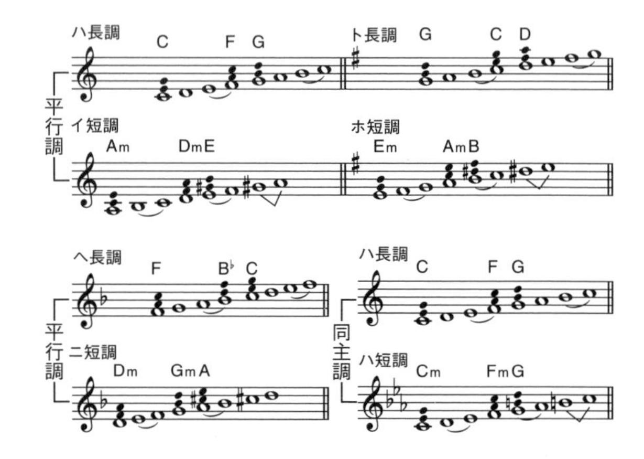

（7）和音・コードネーム

三和音　ある音に3度を二つ重ねたものを，三和音と呼ぶ（基本型）。下からそれぞれ，根音，第3音，第5音と呼ぶ。重ねる3度の種類（長短）によって，様々な種類の和音が生まれる。

七の和音　三和音にさらに3度を重ねたもの。根音と7度の関係にある音を第7音と呼ぶ。

コードネーム　和音をアルファベットと数字で表したもの。根音を英語音名で表し，和音の種類によってアルファベットの略記号を加える。

メイジャーコード（長三和音）とマイナーコード（短三和音）は，基本型の第3音が異なり，マイナーのほうが半音低い。

実際の演奏に当たっては，和音の基本型に含まれている音の順番を変えて，演奏しやすい配置にし，伴奏などに用いる。ピアノの簡易伴奏に使用する主なコードは，p.213を参照。簡易伴奏に際しては，7，6などの付加的な音を省略して演奏できる（例えばC7，C6はCで演奏してもよい）。

(8) 主要三和音

各調の音階上の1，4，5番目の音を根音とした三和音を，それぞれ主和音（Ⅰ tonic），下属和音（Ⅳ subdominant），属和音（Ⅴ dominant）といい，その調の主要三和音と呼ぶ。短調では，和声的短音階を基準とする。属和音には，七の和音を用いることも多い（属七の和音）。主要三和音は，簡易伴奏や合唱のハーモニーの練習に用いられる。

［三和音］

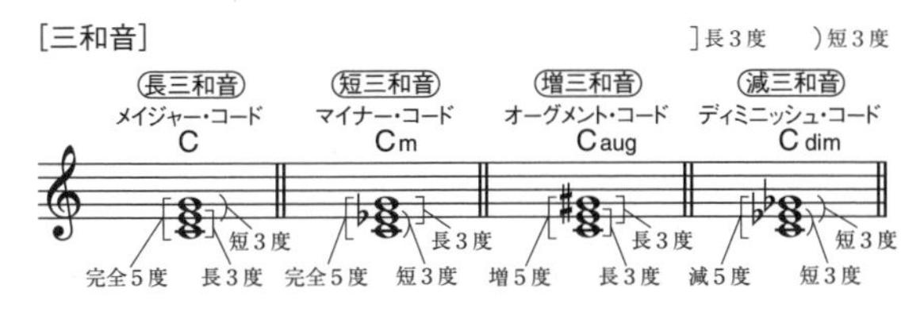

［七の和音］

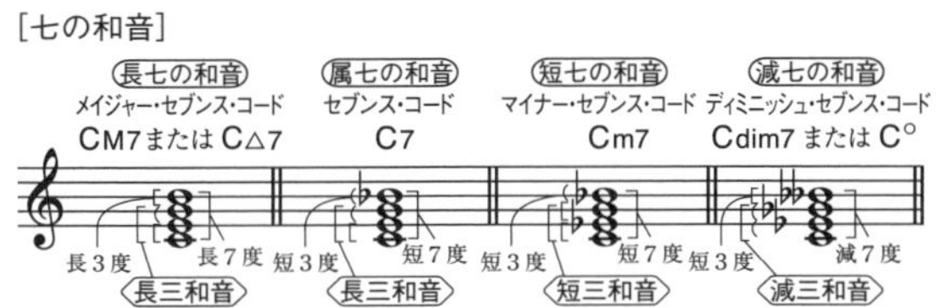

［その他のコード］

(9) 記号・用語

① 速さ及びその変化を示す

Largo	ラルゴ	幅広くゆるやかに
Adagio	アダージョ	ゆるやかに
Andante	アンダンテ	ゆっくり歩くような速さで
Moderato	モデラート	中ぐらいの速さで
Allegretto	アレグレット	やや速く
Allegro	アレグロ	速く
Presto	プレスト	急速に
rit.（*ritardando* の略）	リタルダンド	だんだん遅く
a tempo	ア・テンポ	もとの速さで
tempo primo（**Tempo I**）	テンポ・プリモ	最初の速さで
accel.（*accelerando* の略）	アッチェレランド	だんだん速く
♩＝96	1分間に♩を96打つ速さ	

② 音の強さを示す

ppp	ピアノピアニッシモ，ピアニッシッシモ	***pp*** よりさらに弱く
pp	ピアニッシモ	とても弱く
p	ピアノ	弱く
mp	メッゾ・ピアノ	少し弱く
mf	メッゾ・フォルテ	少し強く
f	フォルテ	強く
ff	フォルティッシモ	とても強く
fff	フォルテフォルティッシモ，フォルティッシッシモ	***ff*** よりさらに強く
cresc.（*crescendo* の略）	クレシェンド	だんだん強く
decresc.（*decrescendo* の略）	デクレシェンド	だんだん弱く
dim.（*diminuendo* の略）	ディミヌエンド	だんだん弱く

③ 発想を示す

agitato	アジタート	激しく
amabile	アマービレ	愛らしく
brillante	ブリッランテ	はなやかに
cantabile	カンタービレ	歌うように
con brio	コン・ブリオ	生き生きと
dolce	ドルチェ	甘く柔らかに
espressivo	エスプレッシーボ	表情豊かに
grazioso	グラツィオーソ	優雅に，優美に
maestoso	マエストーソ	荘厳に

④ 奏法を示す

legato	レガート	音と音の間を滑らかにつなげて
	スタッカート	その音を短く切って
	テヌート	その音の長さを十分に保って
	アクセント	その音だけ特に強く
	フェルマータ	その音符または休符をほどよくのばして
	タイ	同じ高さの二つの音をつなぐ
	スラー	違う高さの二つ以上の音をなめらかに
∨	ブレス	息つぎをする

⑤ 反復記号　数字の順に演奏する。

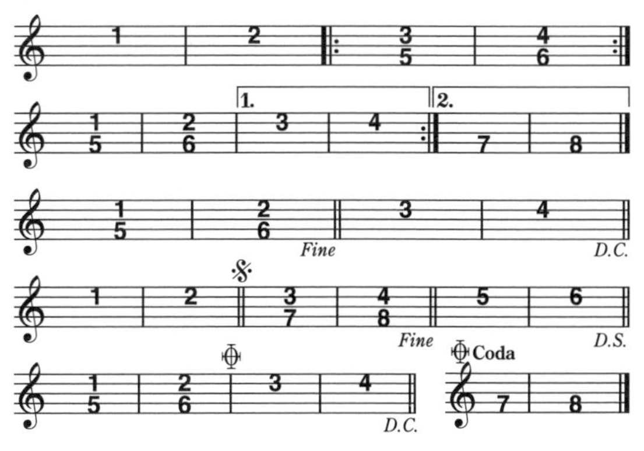

D.C.（ダ・カーポ）（最初へもどる）　*D.S.*（ダル・セーニョ）（𝄋へもどる）
Fine（フィーネ）（終わり）　𝄌（𝄌から𝄌へとぶ）
Coda（コーダ）（結び，終結部）

（筒石賢昭・中地雅之）

7 ｜教育用音楽用語 ―学習指導要領の用語―

曲想

それぞれの楽曲からは，独特な気分，雰囲気，味わい，表情といったものが感じられるものである。例えば，「明るく生き生きとした感じ」「さびしく物悲しい感じ」などといった楽曲全体から感じられるものが曲想である。音楽学習では，このような楽曲に固有な曲想を感じ取り，それにあった演奏や歌唱表現を工夫したり鑑賞したりすること，さらに，その曲想が生まれるもととなっている音楽を特徴付けている要素（音色，リズム，強弱，速度など）や音楽の仕組み（反復，変化など）を聴き取り，曲想と結び付けて音楽の成り立ちを考えることが重要である。

音楽の構造

音楽は，音楽を特徴付けている要素と音楽の仕組みとの関わり合いでできている。

音楽の構造に気を付けて聴くとは，例えば，ある楽曲で旋律（音楽を特徴付けている要素）が反復（音楽の仕組み）して現れていることに着目させてその関わり合いを感じ取ることである。

音楽を形づくっている要素

音楽を成立させている要素すべてを指す。音楽を形づくっている要素には，「音楽を特徴付けている要素」と「音楽の仕組み」があるが，これらの他に歌詞，歌い方や楽器の演奏の仕方，演奏形態なども含まれる。

小学校の学習指導要領では，児童の発達段階や指導のねらいに応じて，ア及びイから適切に選択したり関連付けたりして指導することが示されている。

ア　音楽を特徴付けている要素

　音色，リズム，速度，旋律，強弱，音の重なり，和音の響き，音階，調，拍，フレーズなど

イ　音楽の仕組み

　反復，呼びかけとこたえ，変化，音楽の縦と横との関係など

音の重なり

異なる高さの複数の音が，同時に鳴り響いていることを指す。楽譜上で見ると縦に音符が連なっているため，音楽の縦の関係として捉えられる。代表的なものは和音である。

拍と拍子

音楽から感じられる等間隔に刻まれる時間単位を拍（はく）という。例えば，音楽に合わせて等間隔で手を打ったり足踏みをする打点が拍となる。拍に強弱の違いが意識される場合，強いと意識されるものを「強拍」，弱いと意識されるものを「弱拍」という。強拍と弱拍がある一定の周期性をもって現れるときに拍子（ひょうし）が生まれる。例えば，2拍ごとに強拍が現れる場合は2拍子，3拍ごとでは3拍子になる。なお，拍の間隔に伸び縮みが生じることもある。拍の間隔が伸びていくと楽曲がだんだんゆっくりと変化していくように感じられ，拍の間隔が縮むと楽曲がだんだん速く変化していくように感じる。音楽全体の中で拍が一定に刻まれるのか，伸び縮みしているのかにより「拍のある音楽」と「拍のない音楽」に分けられる。

拍のないリズム

日本の民謡や現代音楽，諸外国の音楽などに見られる一定した拍が感じられないリズムのことを指す。

フレーズ

音楽の中で，自然に区切られる旋律やリズムのまとまりを指す。例えば，歌うときなどには，フレーズのまとまりごとに息継ぎをすると自然な歌い方になるので，歌唱及び演奏表現ではフレーズを意識することが大切になる。

反復

同じリズムや旋律などが繰り返されることである。反復には，連続して繰り返されるものと，合間をおいて繰り返されるものがある。

呼びかけとこたえ

ある音やフレーズに対して，別の音やフレーズが呼応するように感じられるものを指す。例えば，「ソファレファソ」というフレーズに対して「ソファレファソ」と同じようにこたえるもの（模倣），「ソラシラソ」というフレーズに対して「ラソミソラ」といった異なるフレーズでこたえるもの（対照），「ヤーレン，ソーラン，ソーラン～」という長いフレーズに対して「ハイハイ」などの短いフレーズを挿入するもの（合いの手）などがある。

変化

楽曲の中で，ある特徴的な要素（リズム，速度，調など）が変わることによって生み出される効果や面白さを指す。例えば，「のんびりした感じから忙しい感じに変わったのは，途中から二つの異なるリズムが現れて激しい掛け合いになったから」といった変化を感じることである。

音楽の縦と横との関係

音楽には，和音などの同時に鳴り響く音の重なりと，旋律などの時間的な流れがあるが，前者（音の重なり）を縦，後者（時間的な流れ）を横と捉え，双方が織りなす関係を指す。楽譜で見ると，和音などは音符が縦に並んでいる状態で，旋律は音符が横に並んでいる状態であることを考えると分かりやすい。

副次的な旋律

楽曲の中で主となる旋律があり，その主旋律の流れに合わせた旋律で，音の高さやリズムが違う別の旋律のことを指す。例えば，「ふるさと」の二部合唱では，主旋律が「ドドド・レーミレ・ミミファ・ソ」，副次的な旋律が「ドドド・シードシ・ドドレ・ミ」である。

調性にとらわれない音階

長調や短調以外の音階のことを指す。児童が日頃耳にする音階は16世紀頃に西洋で発達した調性音楽の影響を受けている。西洋音楽は一般に長調や短調に分けられるが，それに含まれない音階を「調性にとらわれない音階」という。例えば，諸外国の様々な音階，半音音階，全音音階，12音音階などがある。

範唱と範奏

範唱または範奏とは，専門家や教師などの手本となる演奏を聴き取り，それに近づくように演奏することである。声楽の場合を範唱，器楽の場合を範奏という。

模唱と模奏

模唱または模奏とは，教師や友達が演奏するのを聴いてまねをして演奏することである。声楽の場合を模唱，器楽の場合を模奏という。階名唱やリズム打ちを模唱したり模奏することによって，音程感，フレーズ感，リズム感などを育てることが期待できる。

暗唱

曲想と音楽の構造などとの関わりを感じ取りながら，楽譜や歌詞を覚えて歌うことである。

斉唱

複数の人が同じ旋律を歌うことである。女声と男声がオクターヴで歌っていれば，高さは違っていても同じ音なので（例：低いドと高いド）斉唱である。

輪唱

同じ旋律を，一定の間隔を置いてずらし，順次追いかけるようにして歌うことである（カノンの一種）。例えば，「かえるの合唱」が教材として用いられている。

輪唱は同じ旋律がずれて重なるのに対し，カノンは異なる旋律が同時に重なったり，はじめは一つの旋律だったものが途中から二つの旋律に分かれて重なったりするものが含まれる。

独唱と独奏（ソロ）

独唱とは1人で歌うこと，独奏とは1人で楽器を演奏することである。

重奏

複数の声部をもつ曲を，2人以上の演奏家が，それぞれ異なる声部を1人ずつが担当して演奏することである（各声部を複数の演奏家が担当する場合は「合奏」と呼ぶ）。

重奏の形態には，二重奏（デュエット），三重奏（トリオ），四重奏（カルテット），五重奏（クインテット）などがある。各声部を同じ楽器で演奏する場合もあれば，異なる楽器で演奏する場合もある。例えば，2人がどちらもリコーダーで違う声部の曲を演奏すれば二重奏になる。また，1人が鍵盤ハーモニカ，もう1人がリコーダーでそれぞれ違う声部を演奏する場合も二重奏になる。

重唱

複数の声部をもつ曲を，2人以上の歌手が，それぞれ異なる声部を1人ずつが受けもって歌うことである（各声部を複数の歌手が担当する場合は「合唱」と呼ぶ）。民謡やオペラなどに見られる掛け合いのように歌うものも，1人ずつの声部が異なる場合は「重唱」になる。

声部

基本的には，一つの楽曲の中で同時に複数の旋律が流れている場合，それぞれの旋律を声部と呼ぶ。多くの場合，各声部は異なる歌手や演奏家が受けもつが，ピアノやオルガンなど複数の音を同時に出せる楽器では1人で複数の声部を演奏することが可能である。なお，打楽器によるリズム伴奏や合いの手などを声部と捉える考え方もある。

自然で無理のない歌い方

曲種にふさわしい児童の声帯に無理のかからない歌い方を指す。例えば，西洋音楽の技法によってつくられた楽曲では，頭声的な発声で歌うことが曲種にも合い声帯にも無理がかからないので「自然で無理のない歌い方」であるが，日本の民謡などでは頭声的な発声で歌うことは自然な歌い方とはいえない。

即興的に表現する

あらかじめ定められたもの（楽譜に書かれた曲など）を表現するのではなく，その場の発想で感じたり思い付いた考えを，音で表現することを指す。例えば，児童が各自で見付けた音の響きを生かして表現する活動をしたり，図形楽譜のイメージを音で表現したり，友達と楽器で掛け合いをしたりする活動などがある。

電子楽器

電子回路による演算により，音の3要素である音程・音量・音色を制御することができる楽器のことである。例えば，シンセサイザー，電子オルガン，電子ピアノ，テルミンなどがある。1台で様々な楽器の音色を奏でたり自動演奏することができるので従来の楽器にはない活用法が可能である。

相対的な音程感覚

相対的な音程（ある音とある音がどの程度はなれているのか）を感じる感覚のことである。

この感覚を身に付ける方法として，「移動ド唱法」がある。この唱法では，調によって主音（五線譜上のドの位置）を移動させ，音階の各音を順番にドレミファソラシ（全音-全音-半音-全音-全音-全音-半音）と読むため，ドの位置が移動する。例えば，ト長調なら主音のト（音名：ソ）の位置が「ド」になる。ヘ長調なら主音のヘ（音名：ファ）の位置が「ド」になる。同じ旋律ならば，調が違っていても同じ階名（ドレミ）で読める。この読み方をすると，曲の中で調性が変わっても常に主音がどこにあるかを感じることができる。

（坂本暁美）

【参考文献】
文部科学省『小学校学習指導要領解説　音楽編』，平成29年6月

8 音楽(教育)史年表

世紀	紀元前	1	2	3	4	5	6	7	8	9	10	11	12	13	14
西暦		1	100	200	300	400	500	600	700	800	900	1000	1100	1200	1300 1400

音楽教育史(西洋)

アテネ, スパルタなどで体育・音楽重視
エートス論
プラトン(前427～前347)
アリストテレス(前384～前322)
ローマにスコラ・カントールム創設(314)
ローマに歌手学校創設(461)
七自由学科の教育体系成立
カンタベリーに聖歌の教育施設創設(630)
グイード・ダレッツォ(991/2ころ～33以降)
階名唱法
騎士階級の音楽教育

西洋音楽史

〔単旋律音楽(モノフォニー)〕　〔多声音楽(ポリフォニー)の始まり〕　〔対位法の発展〕

ヘブライ
■ユダヤ教の音楽
ギリシャ
■音楽・劇・舞踊の一体化
ギリシャの音楽理論
・ギリシャ旋法
・ピュタゴラス音律
ピュタゴラス(前6c.に活躍)
★リラ
★キタラ
★アウロス
★水力オルガン

教会旋法
アウグスティヌス(354～430)
『音楽論』
ボエティウス(480?～524)
『音楽教程』

■単旋律音楽
グレゴリオ聖歌
グレゴリウス1世(在位590～604)

■オルガヌム
〈理論の発達〉
教会旋法の体系化
『ムジカ・エンキリアディス』
〈記譜法の発達〉
ネウマ譜
★オルガンの改良

■自由オルガヌム
階名・譜線の考案
■典礼劇　■モテット
ノートル・ダム楽派
レオナン(12c後半活躍)
ペロタン(1200年ころに活躍)
世俗音楽の興隆
芸人楽士の活躍
四線ネウマ譜　フランコの定量記譜法
★フルート属
★オルガンの普及

■ミサ通常文の通作
マショー(1300?～77)
■世俗多声歌曲の形式(ロンドー, バラードなど)
■カノン
★トロンボーン

古代　中世　(アルス・アンティカ)　(アルス・ノヴァ)

世界史・日本史一般事項

ヘレニズム　ローマ　初期キリスト教　ビザンティン　ロマネスク　ゴシック

イエス生誕(前4ころ)
帝政ローマ(前27)
アレクサンドロスの東征(前334～前324)
シャカ生誕
仏教, 中国に伝来(前1cころ)
高句麗成立(1c)　百済・新羅成立(4c)
ササン朝建国(224)
キリスト教公認(313)
ローマ帝国の東西分裂(395)
ゲルマン民族の大移動開始(375)
ムハンマド生誕(570?)
隋の中国統一(589)
唐建国(618)
新羅の朝鮮半島統一(676)
高麗建国(918)
宗建国(960)
神聖ローマ帝国成立(962)
教会の東西分裂(1054)
パリのノートル・ダム大聖堂起工(1163)
第1回十字軍(1096)
英仏百年戦争(1339～1453)
アンコール・ワット(12c)
元建国(1271)
オスマン帝国成立(1299)
ダンテ　ペトラルカ
明建国(1368)
朝鮮建国(1392)

邪馬台国
ヤマト政権(4～7c)
仏教伝来(538?)
改新の詔(646)
遣隋使・遣唐使(7～9c)
平城京遷都(710)
『古事記』(712)
『日本書紀』(720)
平安京遷都(794)
『源氏物語』(1010ころ)
『梁塵秘抄』(1180ころ)
鎌倉幕府
『平家物語』(13c.前半)
元の襲来(1274, 81)
室町幕府(1336)

(小国分立)　(古墳時代)　奈良時代　平安時代　鎌倉時代　(南北朝時代)

日本音楽史

〔大陸音楽の移入〕　〔貴族文化の音楽〕　〔武家の音楽の興隆〕

生活に直結した歌謡と舞踊
★銅鐸　★土笛　★石笛
★スズ　★コト　★太鼓
★フエ　★ツヅミ

■三韓楽伝来(新羅楽・百済楽・高麗楽)　■伎楽伝来(612)
■仏教音楽伝来　仏教音楽　■声明の日本化
■散楽伝来
■唐楽伝来
〈雅楽の日本化〉
雅楽　■管絃 ■催馬楽 ■今様
■舞楽 ■朗詠
★雅楽器を篳篥・竜笛・笙・琵琶・箏・鉦鼓・羯鼓・太鼓などに整理

■田楽・猿楽の流行
能楽
観阿弥(1333～84)
世阿弥(1363?～1443?)
琵琶楽
■平曲(平家)
★平家琵琶 ★能管 ★一節切

音楽教育史(日本)

味摩之が少年に伎楽の指導(612)
楽所設置(948?)
雅楽寮設置(701)
真言宗で声明業の制定(835ころ)
『楽書要録』伝来(735)
『天平琵琶譜』(747)
楽制改革〔楽器・音組織〕(833ころ)
琴歌譜(981)
貴族の音楽教育
後白河法皇が雅楽・今様などの保護・教習

■=楽曲の種類に関するもの　★=楽器の種類に関するもの

15	16	17	18
1400 1500	1600	1700	1800

音楽の個人教授が盛んになる
カントル職成立(ドイツ)
コレギウム・ムシクム
コメニウス(1592～1670)
コンセルヴァトーリオ・サンタ・マリア・ディ・ロレート設立(イタリア)
音楽家ギルド
ルソー(1712～78)
パリ音楽院創設(1795)
H.G.ネーゲリ(1773～1836)
フレーベル(1782～1852)
ペスタロッチ(1746～1827)
チェルニー(1791～1857)

〔多声声楽曲の全盛期〕 〔調性の確立〕〔通奏低音の一般化〕〔多声音楽(ポリフォニー)から和声音楽(ホモフォニー)へ〕

〈オペラの誕生〉■バロック・オペラ ■オペラ・セリア ■オペラ・ブッファ
フランドル楽派 ■モノディー リュリ(1632～87) グルック(1714～87)のオペラ改革
ジョスカン・デ・プレ(1450/55～1521) モンテヴェルディ(1567～1643) ヘンデル(1685～1759) 〈管弦楽の発達〉 ■歌曲 ■ピアノ曲
ブルゴーニュ楽派 ラッソ(1530または32～94) ■古典組曲 ■合奏協奏曲 ■独奏協奏曲 ■ソナタ■室内楽
デュファイ(1397?～1474) 〈器楽曲の発展〉 D.スカルラッティ(1685～1741) ■協奏曲■交響曲
■ミサ曲 ■マドリガル ■シャンソン ■舞曲■変奏曲 ヴィヴァルディ(1678～1741) ウィーン古典派
パレストリーナ(1525/26～94) パーセル(1659～95) ロココの音楽 ハイドン(1732～1809)
F.クープラン(1668～1733) モーツァルト(1756～91)
宗教改革の音楽 ■オラトリオ ■受難曲 ■カンタータ〈対位法様式(フーガなど)の完成〉 ベートーヴェン(1770～1827)
■コラール シュッツ(1585～1672) J.S.バッハ(1685～1750)
最初の印刷楽譜(1501) 〈近代五線記譜法〉 〈平均律〉 〈音楽家の自立〉
★ギター ★ヴァイオリンの完成 ★リコーダー全盛期 公開演奏会始まる
★ヴィオール属 ★リュート全盛期 ★チェンバロ(ハープシコード)全盛期 ★ピアノの登場(1709) ★管楽器の改良進む

ルネサンス　バロック　古典派

ルネサンス　マニエリスム　バロック　ロココ　新古典主義
レオナルド・ダ・ヴィンチ モリエール レンブラント カント ゲーテ シラー
ミケランジェロ シェークスピア ルイ14世(在位1643～1715) フランス革命開始(1789)
イギリス国教会成立(1534) 大ブリテン王国成立(1707) イギリスで産業革命(18c.後半)
活版印刷術(15c.後半) ルターの宗教改革開始(1517) ドイツ30年戦争(1618～48)
コロンブス,アメリカに到着(1492) アメリカ独立宣言(1776)
ムガル帝国成立(1526)
後金(清)建国(1616)

キリスト教伝来 徳川幕府(1603～1867)
応仁の乱(1467～77) シャビエル〔ザビエル〕来航(1549) 島原の乱(1637)
天正遣欧使節(1582) 洒落本流行 滑稽本流行

室町時代(戦国時代) 安土桃山 江戸時代

〔庶民の音楽の台頭〕 〔近世邦楽の興隆〕
■幕府,能を式楽とする(四座一流:観世・宝生・金春・金剛・喜多)
■キリスト教音楽伝来 近松門左衛門(1653～1725) 近松半二(1725～83)
■古浄瑠璃 ■義太夫節 ■常磐津節
三味線音楽 ■地歌 ■人形浄瑠璃 竹本義太夫(1651～1714) 〈長唄・地歌・箏曲の全盛期〉
■阿国の歌舞伎踊り(出雲の阿国) ■歌舞伎 歌舞伎音楽 ■新内節
★筑紫箏 箏曲 八橋検校(1614～85) 生田検校(1656～1715) 山田検校(1757～1817)
★盲僧琵琶
★三味線,琉球より伝来(1560ころ) ★胡弓 ★普化尺八 尺八音楽 黒沢琴古(1710～71) ★薩摩琵琶

『糸竹初心集』(1664)
武士の音楽に能楽が加わる
世阿弥『風姿花伝』(1400ころ)
キリシタン大名による宣教師養成学校やセミナリオ(神学校)設立(音楽も課す)
三味線音楽・箏曲の町民への個人教授(唱歌(しょうが)が基本)
現存する世界最古の印刷楽譜〔文明4年版 声明集〕(1472)

19　20　21

1800　1900　2000　2010

ウィーン音楽院創設(1817)　ベルリン高等音楽学校創設(1869)　青少年音楽運動　創造的音楽学習〔CMM〕(イギリス)
ジュリアード音楽院創設（1820)　ケステンベルク改革(ドイツ)
モスクワ音楽院創設(1866)　**オルフ**(1895～1982)　サウンド・エデュケーション(カナダ)
コンコーネ(1801～61)　**コダーイ**(1882～1967)
バイエル(1803～63)　**デューイ**(1859～1952)　**ダルクローズ**(1865～1950)　コンセプチュアル・ラーニング(アメリカ)

〔標題音楽と絶対音楽〕〔古典的規範からの脱却〕〔リズム, 音階, 音素材などの多様化〕〔ポピュラー音楽の台頭〕

ベルリオーズ(1803～69)　印象主義　**ドビュッシー**(1862～1918)　**ベリオ**(1925～2003)
リスト(1811～86)　**ラヴェル**(1875～1937)　ミュジック・セリエル
■交響詩　新古典主義　**メシアン**(1908～92)
シューベルト(1797～1828)　**サン=サーンス**(1835～1921)　**プロコフィエフ**(1891～1953)　**ブーレーズ**(1925～2016)
メンデルスゾーン(1809～47)　**フォーレ**(1845～1924)　**ストラヴィンスキー**(1882～1971)　電子音楽　**リゲティ**(1923～2006)
シューマン(1810～56)　**ブラームス**(1833～97)　**マーラー**(1860～1911)　十二音音楽　**シュトックハウゼン**(1928～2007)
ショパン(1810～49)　**シェーンベルク**(1874～1951)
ヴェルディ(1813～1901)　**プッチーニ**(1858～1924)　**バルトーク**(1881～1945)　偶然性の音楽　**A.ロイド・ウェッバー**(1948～)
ワーグナー(1813～83)　**R.シュトラウス**(1864～1949)　**ケージ**(1912～92)　■デスクトップ・ミュージック
■オペラ　■楽劇　**チャイコフスキー**(1840～93)　**ショスタコーヴィチ**(1906～75)　ミニマル・ミュージック　ブルーレイ・ディスク
国民楽派　**〈ロシア五人組〉ムソルグスキー**(1839～81)　**ブリテン**(1913～76)　**ライヒ**(1936～)　音楽配信サービス
スメタナ(1824～84)　**リムスキー=コルサコフ**(1844～1908)　**ガーシュイン**(1898～1937)　**バーンスタイン**(1918～90)
ドヴォルジャーク(1841～1904)　**シベリウス**(1865～1957)　■オペレッタ　■ジャズ　■ミュージカル　■映画音楽　■ロック　■ワールドミュージック
★金管・木管楽器の改良　★蓄音機の発明(1877)　★電気楽器　★電子楽器　LPレコード　CD, DVD, mp3プレーヤー

ロ　マ　ン　派　(近　代)　20　世　紀　以　降　(現　代)

ロマン主義　写実主義　印象主義　象徴主義　キュビズム／未来派／シュールレアリスム／ポップ・アート／ミニマル・アートなど

〈印象派絵画〉(セザンヌ, ルノアール, モネなど)　ピカソ　ウォーホル　アメリカで同時多発テロ(2001)
ナポレオン皇帝即位(1804)　ドイツ帝国成立（1871)　第1次世界大戦(1914～18)　第2次世界大戦(1939～45)　ドイツ統一(1990)
神聖ローマ帝国滅亡(1806)　パリ万国博(1889)　イラク戦争(2003)
ロシア革命(1917)　ソ連消滅(1991)
南北戦争(1861～65)　湾岸戦争(1991)
映画の発明(1898)　国際連合成立(1945)
スエズ運河開通(1869)　英領インド帝国成立(1877～1947)　EU発足(1993)
インドシナ連邦成立(1887)　パソコン　スマートフォン
アヘン戦争(1840～42)　中華民国建国(1912)　中華人民共和国建国(1949)　インターネット　携帯電話　SNS

明治維新(1868)　太平洋戦争(1941～45)　沖縄本土復帰(1972)　東日本大震災／福島第一原発事故(2011)
学制公布(1872)　『赤い鳥』創刊(1918)　日本万国博(1970)
鹿鳴館完成(1883)　ラジオ放送開始(1925)　東京オリンピック(1964)　東京オリンピック(2020)
テレビ放送開始（1953)
ペリー来航(1853)
人情本流行　国産初のトーキー映画(1931)　阪神・淡路大震災(1995)

江　戸　時　代　明　治　大正　昭　和　平成　令和

〔西洋音楽の移入〕〔西洋音楽の浸透と新展開〕〔メディアの発達と音楽の多様化〕

大正童謡運動　童謡復興運動
■歌謡曲　■現代邦楽　■グループ・サウンズ　■アイドル・グループ
■新日本音楽　■ニューミュージック　■テクノ・ポップ
■清元節（1814創始)　**滝 廉太郎**（1879～1903)　**中田喜直**(1923～2000)
■端唄・うた沢・小唄　**山田耕筰**(1886～1965)　**團 伊玖磨**(1924～2001)
■変化物の流行　■雅楽の復興　■文楽座開場(1872)　**武満 徹**(1930～96)
初世中尾都山(1876-1956)　**宮城道雄**(1894～1956)　■J-POP
★筑前琵琶　★津軽三味線　★十七弦箏　★電子楽器普及　カラオケ
★オルガン, ピアノの国産品製造

伊沢修二(1851～1917)　東京音楽学校設立(1887)
音楽取調掛設置(1879)　学習指導要領試案(1947)　教育基本法改正(2006)
音楽取調掛第1回伝習生卒業(1885)　国民学校・芸能科音楽(1941)　第9次学習指導要領告示(2017, 18)
宮内省雅楽局設置(1870)　「君が代」公布(1893)
島津藩軍楽隊(1869)　『小学唱歌集』初編発行(1882)

9 「保育所保育指針」「幼保連携型認定こども園教育・保育要領」「幼稚園教育要領」—解説と改訂のポイント—

▶ 改訂のポイント（平成29年告示）

（1）保育所保育指針

①総則1章の2で「養護に関する基本的事項」が示され，4で初めて保育園を「幼児教育を行う施設」として明示した。

②認定こども園教育・保育要領と幼稚園教育要領の「指導計画の作成上の留意事項」にある「主体的・対話的で深い学び」は，アクティブ・ラーニングのことであるが，この文言は新保育所保育指針では見送られている。

（2）幼保連携型認定こども園教育・保育要領

①教育と保育が一体的に行われることを，教育・保育要領の全体を通して明確に記載した。

②子育て支援について今回の改訂で「第4章　子育て支援」として独立した章が示された。

③教育及び保育において育みたい「資質・能力，幼児期の終わりまでに育って欲しい姿」を明確に提示した。

（3）幼稚園教育要領

①幼児教育は「環境を通して行うもの」，ということが第1章　総則に示され，その「見方・考え方」が提示された。

②「職員の質の向上」について幼稚園では，「教育基本法」第9条で規定されているため，幼稚園教育要領の中には記載がない。

▶ 章の構成の見直し

（1）保育所保育指針の章立て

①平成20年告示の保育指針は7章構成であったが今回は，「子どもの発達」と「保育の計画及び評価」の章を除いて5章構成になった。

②従来の第3章「保育内容」では「保育のねらい及び内容」と「保育の実施上の配慮事項」の2項目であったが，新しい保育指針では，「乳児」と「1歳以上3歳未満児」，「3歳以上児」の保育に関わるねらいと内容の記述が大幅に付け加えられた。

③第4章では，従来の「保護者に対する支援」に替わり，地域の「子育て支援」を重視することが強調された。

（2）幼保連携型認定こども園教育・保育要領の章立て

①「健康及び安全」と「子育て支援」は平成26年告示の教育・保育要領では第1章の「総則」の第3に記載されていたが，今回の改訂では，それぞれ第3章と第4章として新たに章立てされた。

②従来の第3章にあった「指導計画作成に当たって配慮すべき事項」は，今回の改訂では章立てせず，第1章の総則や第2章の「ねらい及び内容並びに配慮事項」の「配慮すべき事項」として示された。

（3）幼稚園教育要領の章立て

①従来，第3章に置かれていた「指導計画の作成に当たっての留意事項」などは第1章「総則」に置くようにした。

②幼稚園の「健康及び安全」については，「学校保健安全法」で規定されているため，この教育要領での記載はない。

▶ 三つの法令の共通点

(1) 小・中・高等学校学習指導要領と同時に改訂された。

(2) 共通する教育のあり方として「環境を通した教育」，「乳幼児からの発達と学びの連続性」，「小学校教育との接続のあり方」の三つが幼児教育施設に求められた。

(3) 幼児期に育みたい資質・能力として，①「知識及び技能の基礎」②「思考力，判断力，表現力等の基礎」③「学びに向かう力，人間性等」の三つの柱が示された。

(4) 今回の改訂で冒頭に提示した三つの施設が幼児教育施設として位置付けられるとともに，小学校教育との接続を明確にするため小学校などの学習指導要領と同様の骨格構造を目指すこととした。

(5) 三つの法令の第2章「ねらい及び内容」の中に示された領域は，これまでと同様，健康，人間関係，環境，言葉，表現の5領域による記述になっている。

(6) 表現領域における音楽関係の内容は，3法令とも「音楽に親しみ，歌を歌ったり，簡単なリズム楽器を使ったりするなどする楽しさを味わう」という記述になっている。　（田畑八郎）

10 ｜「幼稚園教育要領」・「保育所保育指針」表現（抜粋）

第２章 ねらい及び内容　表現

〔感じたことや考えたことを自分なりに表現することを通して，豊かな感性や表現する力を養い，創造性を豊かにする。〕

1　ねらい

(1) いろいろなものの美しさなどに対する豊かな感性をもつ。

(2) 感じたことや考えたことを自分なりに表現して楽しむ。

(3) 生活の中でイメージを豊かにし，様々な表現を楽しむ。

2　内容

(1) 生活の中で様々な音，形，色，手触り，動きなどに気付いたり，感じたりするなどして楽しむ。

(2) 生活の中で美しいものや心を動かす出来事に触れ，イメージを豊かにする。

(3) 様々な出来事の中で，感動したことを伝え合う楽しさを味わう。

(4) 感じたこと，考えたことなどを音や動きなどで表現したり，自由にかいたり，つくったりなどする。

(5) いろいろな素材に親しみ，工夫して遊ぶ。

(6) 音楽に親しみ，歌を歌ったり，簡単なリズム楽器を使ったりなどする楽しさを味わう。

(7) かいたり，つくったりすることを楽しみ，遊びに使ったり，飾ったりなどする。

(8) 自分のイメージを動きや言葉などで表現したり，演じて遊んだりするなどの楽しさを味わう。

●保育所保育指針　第２章 保育の内容

3　3歳以上児の保育に関するねらい及び内容

(2) ねらい及び内容　オ 表現

(イ) 内容 より

※〔見出し〕と「ねらい」は「幼稚園教育要領」と同じ

①生活の中で様々な音，形，色，手触り，動きなどに気付いたり，感じたりするなどして楽しむ。

②生活の中で美しいものや心を動かす出来事に触れ，イメージを豊かにする。

③様々な出来事の中で，感動したことを伝え合う楽しさを味わう。

④感じたこと，考えたことなどを音や動きなどで表現したり，自由にかいたり，つくったりなどする。

⑤いろいろな素材に親しみ，工夫して遊ぶ。

⑥音楽に親しみ，歌を歌ったり，簡単なリズム楽器を使ったりなどする楽しさを味わう。

⑦かいたり，つくったりすることを楽しみ，遊びに使ったり，飾ったりなどする。

⑧自分のイメージを動きや言葉などで表現したり，演じて遊んだりするなどの楽しさを味わう。

11 ｜ 教育基本法

(平成 18 年 12 月 22 日法律第 120 号)

我々日本国民は，たゆまぬ努力によって築いてきた民主的で文化的な国家を更に発展させるとともに，世界の平和と人類の福祉の向上に貢献することを願うものである。

我々は，この理想を実現するため，個人の尊厳を重んじ，真理と正義を希求し，公共の精神を尊び，豊かな人間性と創造性を備えた人間の育成を期するとともに，伝統を継承し，新しい文化の創造を目指す教育を推進する。

ここに，我々は，日本国憲法の精神にのっとり，我が国の未来を切り拓く教育の基本を確立し，その振興を図るため，この法律を制定する。

第一章　教育の目的及び理念

(教育の目的)

第一条　教育は，人格の完成を目指し，平和で民主的な国家及び社会の形成者として必要な資質を備えた心身ともに健康な国民の育成を期して行われなければならない。

(教育の目標)

第二条　教育は，その目的を実現するため，学問の自由を尊重しつつ，次に掲げる目標を達成するよう行われるものとする。

一　幅広い知識と教養を身に付け，真理を求める態度を養い，豊かな情操と道徳心を培うとともに，健やかな身体を養うこと。

二　個人の価値を尊重して，その能力を伸ばし，創造性を培い，自主及び自律の精神を養うとともに，職業及び生活との関連を重視し，勤労を重んずる態度を養うこと。

三　正義と責任，男女の平等，自他の敬愛と協力を重んずるとともに，公共の精神に基づき，主体的に社会の形成に参画し，その発展に寄与する態度を養うこと。

四　生命を尊び，自然を大切にし，環境の保全に寄与する態度を養うこと。

五　伝統と文化を尊重し，それらをはぐくんできた我が国と郷土を愛するとともに，他国を尊重し，国際社会の平和と発展に寄与する態度を養うこと。

(生涯学習の理念)

第三条　国民一人一人が，自己の人格を磨き，豊かな人生を送ることができるよう，その生涯にわたって，あらゆる機会に，あらゆる場所において学習することができ，その成果を適切に生かすことのできる社会の実現が図られなければならない。

（教育の機会均等）

第四条　すべて国民は，ひとしく，その能力に応じた教育を受ける機会を与えられなければならず，人種，信条，性別，社会的身分，経済的地位又は門地によって，教育上差別されない。

2　国及び地方公共団体は，障害のある者が，その障害の状態に応じ，十分な教育を受けられるよう，教育上必要な支援を講じなければならない。

3　国及び地方公共団体は，能力があるにもかかわらず，経済的理由によって修学が困難な者に対して，奨学の措置を講じなければならない。

第二章　教育の実施に関する基本

（義務教育）

第五条　国民は，その保護する子に，別に法律で定めるところにより，普通教育を受けさせる義務を負う。

2　義務教育として行われる普通教育は，各個人の有する能力を伸ばしつつ社会において自立的に生きる基礎を培い，また，国家及び社会の形成者として必要とされる基本的な資質を養うことを目的として行われるものとする。

3　国及び地方公共団体は，義務教育の機会を保障し，その水準を確保するため，適切な役割分担及び相互の協力の下，その実施に責任を負う。

4　国又は地方公共団体の設置する学校における義務教育については，授業料を徴収しない。

（学校教育）

第六条　法律に定める学校は，公の性質を有するものであって，国，地方公共団体及び法律に定める法人のみが，これを設置することができる。

2　前項の学校においては，教育の目標が達成されるよう，教育を受ける者の心身の発達に応じて，体系的な教育が組織的に行われなければならない。この場合において，教育を受ける者が，学校生活を営む上で必要な規律を重んずるとともに，自ら進んで学習に取り組む意欲を高めることを重視して行われなければならない。

（大学）

第七条　大学は，学術の中心として，高い教養と専門的能力を培うとともに，深く真理を探究して新たな知見を創造し，これらの成果を広く社会に提供することにより，社会の発展に寄与するものとする。

2　大学については，自主性，自律性その他の大学における教育及び研究の特性が尊重されなければならない。

（私立学校）

第八条　私立学校の有する公の性質及び学校教育において果たす重要な役割にかんがみ，国及び地方公共団体は，その自主性を尊重しつつ，助成その他の適当な方法によって私立学校教育の振興に努めなければならない。

（教員）

第九条　法律に定める学校の教員は，自己の崇高な使命を深く自覚し，絶えず研究と修養に励み，その職責の遂行に努めなければならない。

2　前項の教員については，その使命と職責の重要性にかんがみ，その身分は尊重され，待遇の適正が期せられるとともに，養成と研修の充実が図られなければならない。

（家庭教育）

第十条　父母その他の保護者は，子の教育について第一義的責任を有するものであって，生活のために必要な習慣を身に付けさせるとともに，自立心を育成し，心身の調和のとれた発達を図るよう努めるものとする。

2　国及び地方公共団体は，家庭教育の自主性を尊重しつつ，保護者に対する学習の機会及び情報の提供その他の家庭教育を支援するために必要な施策を講ずるよう努めなければならない。

（幼児期の教育）

第十一条　幼児期の教育は，生涯にわたる人格形成の基礎を培う重要なものであることにかんがみ，国及び地方公共団体は，幼児の健やかな成長に資する良好な環境の整備その他適当な方法によって，その振興に努めなければならない。

（社会教育）

第十二条　個人の要望や社会の要請にこたえ，社会において行われる教育は，国及び地方公共団体によって奨励されなければならない。

2　国及び地方公共団体は，図書館，博物館，公民館その他の社会教育施設の設置，学校の施設の利用，学習の機会及び情報の提供その他の適当な方法によって社会教育の振興に努めなければならない。

（学校，家庭及び地域住民等の相互の連携協力）

第十三条　学校，家庭及び地域住民その他の関係者は，教育におけるそれぞれの役割と責任を自覚するとともに，相互の連携及び協力に努めるものとする。

（政治教育）

第十四条　良識ある公民として必要な政治的教養は，教育上尊重されなければならない。

2　法律に定める学校は，特定の政党を支持し，又はこれに反対するための政治教育その他政治的活動をしてはならない。

（宗教教育）

第十五条　宗教に関する寛容の態度，宗教に関する一般的な教養及び宗教の社会生活における地位は，教育上尊重されなければならない。

2　国及び地方公共団体が設置する学校は，特定の宗教のための宗教教育その他宗教的活動をしてはならない。

第三章　教育行政

（教育行政）

第十六条　教育は，不当な支配に服することなく，この法律及び他の法律の定めるところにより行われるべきものであり，教育行政は，国と地方公共団体との適切な役割分担及び相互の協力の下，公正かつ適正に行われなければならない。

2　国は，全国的な教育の機会均等と教育水準の維持向上を図るため，教育に関する施策を総合的に策定し，実施しなければならない。

3　地方公共団体は，その地域における教育の振興を図るため，その実情に応じた教育に関する施策を策定し，実施しなければならない。

4　国及び地方公共団体は，教育が円滑かつ継続的に実施されるよう，必要な財政上の措置を講じなければならない。

（教育振興基本計画）

第十七条　政府は，教育の振興に関する施策の総合的かつ計画的な推進を図るため，教育の振興に関する施策についての基本的な方針及び講ずべき施策その他必要な事項について，基本的な計画を定め，これを国会に報告するとともに，公表しなければならない。

2　地方公共団体は，前項の計画を参酌し，その地域の実情に応じ，当該地方公共団体における教育の振興のための施策に関する基本的な計画を定めるよう努めなければならない。

第四章　法令の制定

第十八条　この法律に規定する諸条項を実施するため，必要な法令が制定されなければならない。

附則　抄

（施行期日）

1　この法律は，公布の日から施行する。

12 ｜学校教育法（抄）

（昭和 22 年 3 月 31 日法律第 26 号／最終改正：平成 30 年 6 月 1 日法律第 39 号）

●第二章　義務教育 より

第二十一条　義務教育として行われる普通教育は，教育基本法（平成十八年法律第百二十号）第五条第二項に規定する目的を実現するため，次に掲げる目標を達成するよう行われるものとする。

一　学校内外における社会的活動を促進し，自主，自律及び協同の精神，規範意識，公正な判断力並びに公共の精神に基づき主体的に社会の形成に参画し，その発展に寄与する態度を養うこと。

二　学校内外における自然体験活動を促進し，生命及び自然を尊重する精神並びに環境の保全に寄与する態度を養うこと。

三　我が国と郷土の現状と歴史について，正しい理解に導き，伝統と文化を尊重し，それらをはぐくんできた我が国と郷土を愛する態度を養うとともに，進んで外国の文化の理解を通じて，他国を尊重し，国際社会の平和と発展に寄与する態度を養うこと。

四　家族と家庭の役割，生活に必要な衣，食，住，情報，産業その他の事項について基礎的な理解と技能を養うこと。

五　読書に親しませ，生活に必要な国語を正しく理解し，使用する基礎的な能力を養うこと。

六　生活に必要な数量的な関係を正しく理解し，処理する基礎的な能力を養うこと。

七　生活にかかわる自然現象について，観察及び実験を通じて，科学的に理解し，処理する基礎的な能力を養うこと。

八　健康，安全で幸福な生活のために必要な習慣を養うとともに，運動を通じて体力を養い，心身の調和的発達を図ること。

九　生活を明るく豊かにする音楽，美術，文芸その他の芸術について基礎的な理解と技能を養うこと。

十　職業についての基礎的な知識と技能，勤労を重んずる態度及び個性に応じて将来の進路を選択する能力を養うこと。

●第四章　小学校 より

第二十九条　小学校は，心身の発達に応じて，義務教育として行われる普通教育のうち基礎的なものを施すことを目的とする。

第三十条　小学校における教育は，前条に規定する目的を実現するために必要な程度において第二十一条各号に掲げる目標を達成するよう行われるものとする。

②　前項の場合においては，生涯にわたり学習する基盤が培われるよう，基礎的な知識及び技能を習得させるとともに，これらを活用して課題を解決するために必要な思考力，判断力，表現力その他の能力をはぐくみ，主体的に学習に取り組む態度を養うことに，特に意を用いなければならない。

第三十一条　小学校においては，前条第一項の規定による目標の達成に資するよう，教育指導を行うに当たり，児童の体験的な学習活動，特にボランティア活動など社会奉仕体験活動，自然体験活動その他の体験活動の充実に努めるものとする。この場合において，社会教育関係団体その他の関係団体及び関係機関との連携に十分配慮しなければならない。

第三十二条　小学校の修業年限は，六年とする。

執筆者一覧（五十音順）

有本真紀	立教大学教授	田中多佳子	京都教育大学教授
石井ゆきこ	東京都港区立芝小学校主任教諭	田畑八郎	元大和大学教授
石上則子	元東京学芸大学准教授	津田正之	国立音楽大学教授
石川裕司	東京学芸大学准教授	坪能由紀子	日本女子大学名誉教授
伊藤　誠	埼玉大学教授	寺田貴雄	北海道教育大学教授
小川昌文	横浜国立大学教授	遠山文吉	元国立音楽大学教授
小川容子	岡山大学大学院教授	時得紀子	上越教育大学教授
小畑千尋	宮城教育大学准教授	徳田　崇	神奈川県川崎市立南百合丘小学校教諭
加藤富美子	東京音楽大学客員教授	中地雅之	東京学芸大学教授
金本正武	元千葉大学高等教育研究機構特任教授	中嶋俊夫	横浜国立大学教授
金田美奈子	東京都文京区立駕籠町小学校指導教諭	中西紗織	北海道教育大学准教授
木村次宏	福岡教育大学教授	中山裕一郎	信州大学名誉教授
木村信之	東京学芸大学名誉教授	西沢久実	兵庫県神戸市立神戸祇園小学校教諭
木暮朋佳	美作大学短期大学部教授	西園芳信	鳴門教育大学名誉教授
小島律子	大阪教育大学名誉教授	長谷川真澄	東京都江東区立川南小学校主任教諭
小林田鶴子	神戸女子大学教授	長谷川祐子	横浜市戸塚図書館館長
小原伸一	宇都宮大学教授	原口　直	元東京学芸大学附属世田谷中学校教諭
権藤敦子	広島大学大学院教授	原田博之	宮城教育大学教授
齊藤　豊	東京学芸大学附属世田谷小学校教諭	尾藤弥生	北海道教育大学教授
坂田映子	星槎大学教授	深見友紀子	大東文化大学教授
坂本暁美	四天王寺大学教授	松永洋介	岐阜大学教授
笹野恵理子	立命館大学教授	水﨑　誠	東京学芸大学准教授
佐野　靖	東京藝術大学教授	宮下俊也	奈良教育大学理事・副学長
志民一成	国立教育政策研究所教育課程調査官	森尻有貴	東京学芸大学講師
島崎篤子	文教大学教授	山内雅子	上野学園大学教授
清水　匠	茨城大学教育学部附属小学校教諭	山下薫子	東京藝術大学教授
新山王政和	愛知教育大学教授	山田啓明	鳴門教育大学大学院准教授
菅　裕	宮崎大学教授	山中和佳子	福岡教育大学准教授
髙倉弘光	筑波大学附属小学校教諭	山本文茂	東京藝術大学名誉教授
筒石賢昭	國學院大學教授	吉澤　実	元東京藝術大学非常勤講師・リコーダー奏者
田中健次	茨城大学名誉教授・東邦音楽大学特任教授	吉田秀文	群馬大学教授

改訂版 最新 初等科音楽教育法 2017年告示「小学校学習指導要領」準拠
小学校教員養成課程用

2020年 3月20日　第1刷発行
2024年 2月29日　第7刷発行

編　者　初等科音楽教育研究会
発行者　時枝　正
東京都新宿区神楽坂6－30
発行所　株式会社 音楽之友社
電 話　03(3235)2111(代)　郵便番号 162-8716
振 替　00170-4-196250
URL　https://www.ongakunotomo.co.jp/

Printed in Japan　落丁本・乱丁本はお取替えいたします。

装丁・DTP・楽譜制作：株式会社 MCS
印刷：錦明印刷株式会社／製本：株式会社ブロケード

ISBN978-4-276-82102-6 C1073